講談社文庫

審問(上)

パトリシア・コーンウェル｜相原真理子 訳

講談社

THE LAST PRECINCT
by
PATRICIA DANIELS CORNWELL

●目次

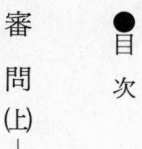

審問(上)

●主な登場人物〈審問〉

ケイ・スカーペッタ バージニア州検屍局長
ピート・マリーノ リッチモンド市警察警部
ルーシー スカーペッタの姪、ATF捜査官
ベントン・ウェズリー 元FBI心理分析官
フィールディング 副検屍局長
ローズ スカーペッタの秘書
アナ・ゼナー博士 精神科医
ジャン・バプティスト 殺人鬼〈狼男〉
マイク・ミッチェル バージニア州知事
ビューフォード・ライター バージニア州検事
ジェイミー・バーガー NYの女性検事
ティウン・マガヴァン 元ATF捜査官
ジェイ・タリー ATF捜査官（リヨン勤務）
スタンフィールド ジェームズ・シティ郡刑事
ロッキー・カジアーノ 弁護士
ベヴ・キフィン モーテル経営者
ダイアン・ブレイ 惨殺された女性副署長
サム・テリー 法歯学者
バンク・プリュイト FBI特別捜査官
ミッチ・バーボサ トラック運転手

プロローグ　事件のあとで

痣《あざ》の色をした冷たい黄昏《たそがれ》が徐々にうすれて、完全な暗闇がおとずれた。寝室のカーテンが厚く、荷造りしながら動きまわる私のシルエットがすっかり吸収されてしまうのがありがたい。これほど異常な事態にみまわれたことはかつてなかった。

「何か飲みたいわ」ドレッサーのひきだしをあけながら言った。「暖炉に火をおこして、一杯やって、パスタをつくりたい。黄色と緑の幅広いヌードルとピーマンとソーセージで。レ・パッパレデルレ・デル・カントゥンツェインを。休みをとってイタリアへいって、イタリア語を習いたいと前から思ってるの。本格的に習うのよ。話せるように。食べ物の名前がわかるだけじゃなくて。フランスでもいいわ。そうだフランスへいこう。いますぐいこうかしら」無力感と怒りをこめて言いたす。「パリに住めるわ。いつだって」それはバージニアとそこに住むすべての人を拒絶する私なりのやりかただ。

リッチモンド市警察の警部ピート・マリーノが、大きな手をジーンズのポケットにつっこんで、巨大な灯台のように私の寝室を圧している。ベッドのうえに開いておかれたスーツケースとバッグに、荷物をつめるのを手伝おうとは言わない。私を知りつくしているので、そんなことを考えもしない。マリーノは無教養に見えるし、しゃべりかたも行動も粗野《そや》だが、頭はよくきれるし、繊細で洞察力がある。たとえばこの瞬間、彼は単純な事実を理解している。ジャン・バプティスト・シャンドンという男が満月のもと、ふりしきる雪のなかをやってきて私の家に侵入してから、まだ二十四時間とたっていないのだ。シャンドンの手口は知りつくしているから、すきがあれば私にどんなことをしていたか察しがつく。自分自身の惨《ざん》殺《さつ》された死体を解剖学的に正しく思いうかべることは、まだできずにいる。だが、私ほど正確にそれができるものはほかにいない。私は法病理学者で法学の学位ももつ、バージニア州の検屍局長だ。シャンドンが最近リッチモンドで殺害したふたりの女性の検屍を手がけ、パリで殺されたほかの八人のケースもみている。

シャンドンが私にしたかもしれないことより、これらの犠牲者にしたことを述べるほうが私にとって安全だ。彼は容赦なくなぐり、胸と手足に嚙《か》みつき、血で遊んだ。いつも同じ凶器を使うとはかぎらない。昨夜はチッピングハンマーを所持していた。石工事に使う特殊な道具で、つるはしに似ている。チッピングハンマーで人体にどんなことができるかを、私はよく知っている。二日前の木曜日に、リッチモンドでの二人目の犠牲者である女性副署長、ダイアン・ブレイを殺害するのに、シャンドンはまさにそれを使っているからだ。おそらく昨夜もっていたのと同じものだろう。

「今日は何曜日？」と、マリーノ警部にきいた。「土曜日よね」

「ああ。土曜日だ」

「十二月十八日。クリスマスの一週間前ね。クリスマスおめでとう」そう言いながらスーツケースのサイドポケットのジッパーをあけた。

「そう、十二月十八日だ」

マリーノは、私が何かばかなことをしでかすのではないかというふうに、こちらを見つめている。その血走った目は、家の中に充満しているぴりぴりした雰囲気を反映しているかのようだ。不信感が空中にただよっている。それはほこりの味がする。オゾンのにおいがする。そして湿気《しっけ》のようにまとわりつく。私の家は警察に占拠されており、道路の雪をけたてるタイヤの音や耳ざわりな足音、人声、無線の雑音が、地獄の騒音のようにひびく。

私は侵害されている。家の中のすべてがあばかれ、生活のあらゆる面が人目にさらされている。モルグのいつも私が使うステンレスの解剖台に、裸で横たえられているようなものだ。だからマリーノは荷造りを手伝おうかなどとはきかない。彼は肝《きも》に銘《めい》じて知っている。私のものには何ひとつさわってはいけないことを。靴、ソックス、ヘアブラシ、シャンプーのびん。どんな小さなものにもだ。

ゲートで守られたウエストエンドの静かな住宅街に私がたてた頑丈な石造りの家、私の理想の家から立ちのくように警察から命じられた。なんということだろう。自らをルガル、つまり狼男と呼ぶジャン・バプティスト・シャンドンでさえ、わたしよりはましな扱いを受けているにちがいない。法は彼のような人間に、考えられるかぎりの人権を与えている。快適な環境、プライバシー、無料の部屋と食べ物と飲み物。それに私が教えているメ《M》ディカル・カ《C》レッジ・オブ・バ《V》ージニアの犯罪者用病棟での医療。

マリーノは少なくとも二十四時間、ふろにも入っていないし寝てもいない。彼のそばをとおるとシャンドンのおぞましい体臭がして、吐き気におそわれた。胃が熱くなってよじれ、脳は働きをとめ、冷や汗がでてくる。背筋をのばして深く息を吸い、においの幻覚を追いはらおうとしたとき、スピードを落としている車が窓から見えた。車がすこしでも速度をゆるめると気づき、だれかがうちの前に駐車するとそれがわかるようになっている。ここ何時間か、くり返しその音を耳にしている。通りがかりの人が好奇の目をむけ、近所の人たちが見物しようと道のまんなかでとまるのだ。私は感情の波に翻弄《ほんろう》されている。あるときは途方に暮れ、あるときはおそろしくなる。疲労困憊《こんぱい》した状態から高揚《こうよう》へ、うつ状態から平静へと気分が大きくゆれ動く。そしてその下には、まるで血液にガスがたまっているかのように、興奮がうずまいている。

表で車のドアがしまる音がした。「今度は何なの？」私はぶつぶつ言った。「だれがきたの？　FBI？」べつのひきだしをあける。「マリーノ、もうがまんできない」みんなを追いやるように手をふった。「あの人たちを家からでていかせて。ひとり残らず。いますぐに」

熱いアスファルトの上にたちのぼる陽炎《かげろう》のように、怒りがゆらめく。「そうすれば荷造りを終えてここからでていくから。私が家をでるまでのあいだも待てないというの？」ソックスをとりだす手がふるえる。「庭にいるだけでもいやなのに」ソックスをバッグに投げいれる。「ここにいるだけでも最悪なのに」またソックスを入れる。「私がでていってから戻ってくればいいでしょう」もう一足ソックスを投げたがはずれ、かがんで拾った。「せめて自分の家のなかを自由に歩きまわらせてくれてもいいじゃない」もう一足とりだす。「そしてだれもいないときに静かにでていかせてよ」ソックスをひきだしに戻した。

「いったいなぜキッチンにいるの？」気をかえてさっき戻したソックスをまたとりだす。「書斎にもよ。書斎には入らなかったと言ってるのに」

「いろいろ見てまわらなきゃなんねえんだよ、先生」と、マリーノは言う。

彼は私のベッドの足のほうへすわったが、それがまたしゃくにさわる。ベッドからおりて部屋からでていってと命令したくてたまらない。マリーノを私の家から、そして私の人生から追いだしたい衝動にかられた。彼とのつきあいがどんなに長かろうと、どんなに過酷な体験を共有していようと、この際関係ない。

「ひじの具合はどうだ、先生？」マリーノは私の左腕を煙突のように固定しているギプスをさしてきいた。

「骨が折れてるの。ものすごく痛いわ」必要以上に力をこめてひきだしをしめる。

「薬、飲んでるか？」

「飲まなくてもなんとかなるわ」

マリーノは私の一挙一動を見守っている。「薬をちゃんと飲まなきゃだめだよ」

突然、ふたりの役割が逆になってしまった。私が粗暴《そぼう》な警官のような態度をとり、マリーノのほうが弁護士で医者である私のように、落ち着いて理性的にふるまっている。

シーダー材で内張りされたクローゼットに戻り、ブラウスをとってスーツケースにおさめはじめた。上のほうのボタンがはまっていることを確かめ、シルクやポリッシュト・コットンの生地《きじ》のしわを右手でのばす。左ひじは歯痛のようにずきずき痛み、ギプスのなかの腕が汗をかき、かゆい。

今日は一日の大半を病院ですごした。骨折したひじにギプスをはめるのに、それほど時間がかかるわけではない。しかし医師たちはほかにけががないか、念入りに調べるといってきかなかった。家から逃げるとき正面の階段でころんでひじを骨折しただけで、ほかに異常はない、とくりかえし説明したのだが。ジャン・バプティスト・シャンドンは一度も私にはふれなかった。大丈夫よ、ほかにけがはないわ、とレントゲンをとられるたびに言いつづけた。だが病院のスタッフは午後遅くまで私を帰してくれず、刑事たちが検査室をでたり入ったりしていた。彼らは私の服をもっていってしまい、姪のルーシーが着るものをもってこなければならなかった。睡眠はまったくとっていない。

電話が金属片のように空気を切り裂いた。ベッドのそばの内線電話をとりあげる。「ドクター・スカーペッタですが」受話器にむかって言うと、名前をなのる自分の声が、夜中にかかってくる電話を思いださせた。刑事がどこかでおこった死亡事件についての、気の滅入るような知らせを伝える電話だ。いつもどおりの事務的な応答は、いままで避けていたイメージを呼びおこした。ベッドに横たわる私の無惨な死体。血がとび散ったこの部屋。私が殺されてだれかが現場にいかなければいけない、と電話でどこかの刑事、たぶんマリーノから伝えられたときの副検屍局長の顔。そうしたものが目にうかんだ。現場へはいったいだれがいくだろう？　うちの局からはだれもいくことができない、とふと思った。

私はバージニア州が国内でも最高の災害対策計画をたてるのを手伝った。検屍局は大規模な航空機事故やコロシアムの爆破、洪水などには対応できる。だが私の身に何かおこったらどうなるのか？　近くの管轄区、たぶんワシントンから法病理学者をつれてくることになるだろう。ただ問題は、私が東海岸のほとんどの検屍官と知り合いである点だ。私の死体の検屍を手がける人には同情する。犠牲者を知っていると、仕事は非常にやりにくい。おびえた小鳥のようにこうした考えが頭のなかを飛びかっている間に、何かいるものはないかと、ルーシーが電話できいた。大丈夫よと答えたが、そんなはずがない。

「大丈夫ってことはないでしょう」と、ルーシーは言った。

「荷造りしてるの」と、教える。「マリーノがここにいて、私は荷造りしてるところ」凍りついたような目でマリーノを見つめながら、くりかえした。彼はあちこちに視線をさまよわせている。マリーノが私の寝室に入るのは、これがはじめてであることに思いいたった。彼が何を想像しているかは考えたくない。マリーノとは長年のつきあいだが、彼の私への尊敬の気持ちが不安定で、恋愛感情がまじっていることに前から気づいている。

マリーノは図体の大きな男で、太鼓腹《たいこばら》がつきでており、不機嫌そうな顔をしている。さえない色の髪は、ぶざまにも頭から体のほかの個所へ移ってしまっていた。電話でルーシーの声をききながら、マリーノの目が私のプライベートな部分をさぐるのを感じた。ドレッサーやクローゼット、ひらかれたひきだし、私がスーツケースにつめているもの、そして私の胸。ルーシーが病院にテニスシューズとソックスとスエットスーツをもってきてくれたが、ブラジャーのことは考えなかったらしい。そこでしかたなく、ここへ帰ったときに、家で雑用をするときにうわっぱりがわりに着る、古いだぶだぶの白衣をはおった。

「おばさんも、そこにいるなって言われたのね」ルーシーの声がきこえてくる。

長い話になるが、姪はアルコール《A》・たばこ《T》・火器局《F》のエージェントだ。警察は捜査をはじめるとすぐに彼女を私の家から追いだした。多少知識をもっているものは危険なのだろうか。警察は連邦捜査官が捜査に介入することをおそれたのかもしれない。理由はよくわからない。とにかくルーシーは昨晩私が殺されかけたときにいあわせなかったこと、いままた私のそばにいないことに罪悪感を感じている。私はすこしも彼女を責めていない、とはっきり言った。

だがそう言いながらも、もしシャンドンがきたときに、ルーシーがよそで女友達の世話をするかわりにここにいてくれたら、状況はどんなに変わっていただろうと思わずにはいられなかった。シャンドンは私がひとりではないことを知って、家に近づかなかったかもしれない。あるいは、ほかの人が家にいることに驚いて、逃げだしたかもしれない。あるいは私を殺すのを明日かあさっての晩まで、クリスマスまで、もしくは二〇〇〇年までひきのばしたかもしれない。

ルーシーが早口で説明したりまくしたてたりするのをコードレスホンでききながら、歩きまわった。姿見《すがたみ》にうつった自分の姿が目に入った。短いブロンドの髪は乱れ、青い目はどんよりして疲労とストレスのためにしょぼついている。まゆをひそめた顔は、しかめ面のようでも泣き顔のようでもある。白衣はしみだらけでうすよごれ、およそ局長らしくない。顔はひどく青ざめている。酒とたばこがほしいという気持ちがいつになく強く、がまんできないほどだ。まるで殺されかけたことによって、瞬時にアルコールとニコチンの依存症になったかのようだ。

自分の家にひとりでいるところを想像した。何もおこってはいない。暖炉の前でたばことフランスワインを楽しんでいる。ワインはボルドーがいい。バーガンディーほど複雑ではないから。ボルドーは、腹をさぐる必要のない昔からのよい友達のようなものだ。私は夢想するのをやめ、現実に直面した。ルーシーが何をしたか何をしなかったかなど関係ない。シャンドンはいずれ私を殺しにきただろう。おそろしい天罰が一生私を待ちうけていたかのように感じる。死の天使が私のドアに印をつけたかのように。だがふしぎなことに、私はまだここにいる。

1

ルーシーがおびえていることがその声からわかった。有能で力強く、ヘリコプターの操縦ができ、フィットネスに凝《こ》っている連邦法執行官の姪《めい》は、めったなことでおびえたりしないはずなのに。

「ほんとに悪かったわ」ルーシーはまた言った。マリーノはあいかわらずベッドに腰かけ、わたしは歩きまわっている。

「そんなことないわよ」と、彼女に告げた。「警察はだれもここにいちゃいけないって言ってるし。こんなところにこないほうがいいわ。ジョーといっしょにいるんでしょ。そのほうがいいわ」と、さりげない調子で言う。ルーシーがここにおらず、丸一日彼女に会っていないことなど、気にもしていないように。だが実は気にしている。ルーシーに会いたい。けれども人に逃げ道をつくってあげるのが、昔からの私の癖だ。拒絶されるのがいやだからだ。とくに、娘のように育ててきたルーシー・ファリネリには見捨てられたくない。

ルーシーはちょっとためらってから答えた。「実はね、ダウンタウンのジェファーソンにいるの」

どういうことだろうと考えた。ジェファーソンはリッチモンド一の高級ホテルだ。なぜルーシーがわざわざホテルにいったのかわからない。まして、そんなエレガントな高いホテルに。涙がでそうになるのをこらえ、咳払いして傷ついたのをごまかした。

「そう」とだけ言った。「よかったわ。ジョーもいっしょにホテルにいるのね」

「ううん。ジョーは家族といっしょにいる。ねえ、いまチェックインしたとこなんだけど、おばさんの部屋もとってあるの。これから迎えにいくからね」

「いま私がホテルへいくのはまずいと思うわ」ルーシーは私のことを考え、いっしょにいたいと思ってくれたのだ。すこし気が楽になった。「アナが泊まりにこないかって誘ってくれたの。いろいろ考えると、彼女の家へいくのがいちばんいいと思う。あなたもいっしょにって言ってくれたわ。でもあなたはもうそこに落ち着いてるんでしょう」

「アナはどうやって知ったの？」と、ルーシーはきいた。「ニュースできいたのかしら？」

私の命をねらった殺人未遂事件がおこったのは深夜なので、明日の朝まで新聞にはのらない。だがラジオやテレビではさかんに報道されているだろう。考えてみると、どうしてアナが知っているのかわからなかった。ルーシーは、いまは動けないけれど今晩遅く立ち寄ると言って、電話を切った。

「あんたがホテルにいることをマスコミのやつらにかぎつけられたらおしまいだ。わっと押しかけてくるぞ」マリーノが思いきり眉をしかめ、おそろしげな顔で言った。

「ルーシーはどこに泊まってるんだ？」

私はルーシーが言ったことを彼に教えた。彼女と話さなければよかったと思った。話したためによけい気分が悪くなった。深い海の底の、潜水鐘《せんすいしょう》のなかにとじこめられているような気がした。まわりから切り離され、もうろうとしている。私をとりまく世界が、突如として不可解でシュールなものに思えた。ぼうっとしているのに、体中の神経に火がついているようでもある。

「ジェファーソンだって？」と、マリーノが言っている。「ほんとかよ。宝くじにでもあたったのか？　マスコミに見つかるのが心配じゃねえのか？　いったい何考えてるんだ、あいつ？」

私は荷造りをつづけた。マリーノの質問には答えられない。もう質問にはうんざりだ。

「ジョーの家にはいないんだな」と、マリーノはつづける。「そりゃおもしろい。そう長くはつづかないだろうと思ってたよ」大きな音をたててあくびし、不精《ぶしよう》ひげのはえたごつい顔をこすった。椅子にスーツをかけ、オフィスへ着ていく服を選んでいる私を見ている。マリーノのためにひとこと言っておくと、私が病院から帰ってからずっと、彼はおだやかな態度をとり、思いやりさえ見せてくれていた。物事が順調にいっているときでも、マリーノは行儀よくふるまうのは苦手だ。ましていまは順調どころではない。彼は疲れており、睡眠不足で、カフェインとジャンクフードでもちこたえており、しかも私は彼が家のなかでたばこを吸うことを許さない。しだいに自分を抑えられなくなり、いつもの粗野で横柄《おうへい》なマリーノに戻るのは、時間の問題だった。彼が変身するのを目《ま》の当たりにして、妙なことにほっとした。たとえ不快なことでも、なじみのあるものが恋しかった。マリーノは昨夜のことを話しはじめた。ルーシーが家の前に車をとめ、雪のつもった前庭にジャン・バプティスト・シャンドンと私がいるのを見つけたときに、何をしたかについてだ。

「べつにあいつを責めてるわけじゃないんだぜ。あの野郎の脳みそを吹っとばそうとしたからって」と、マリーノは言う。「けど、そこで訓練がものをいわなきゃ。殺されかかったのがおばさんだろうと自分の子供だろうと、関係ねえ。訓練されたように行動すべきなのに、あいつはそれをしなかった。しないどころじゃねえ。興奮のあまりおかしくなっちまったんだ」

「あなただって興奮しておかしくなったことがあるじゃないの」思いださせるように言った。

「おれに言わせりゃ、マイアミでのおとり捜査にルーシーを使うべきじゃなかったんだ」ルーシーはATFのマイアミ地方局に配属されており、休暇と、その他もろもろの理由のためにここへきているのだ。「悪いやつらのそばにいると、自分もそうなってくることがある。ルーシーは殺人モードに入っちまってる。人を撃ちたくてうずうずしてるんだ」

「それはあんまりじゃない」気がつくとスーツケースに靴を入れすぎている。「最初に家にきたのがルーシーでなくあなただったら、どうしたと思う？」

「少なくともくそ野郎の頭に銃をつきつける前に、一瞬待って状況を見ただろうな。やつはひでえありさまで、目が見えなかった。あんたがやつの目にかけた薬品のせいで、ひーひー言ってた。そのときにはもう武器ももってなかったし。だれかを傷つけられるような状態じゃなかった。それは一目でわかったはずだ。あんたがけがをしてることもはっきりしてた。だからおれだったら救急車を呼んでただろう。でもルーシーはそれさえ考えなかった。あいつは何をするかわかんねえぞ、先生。こんな状況のときにあいつを家に入れたくなかった。だから署で話をきいたんだ。ルーシーが落ち着くように、関係ない場所で調書をとったわけだ」

「取調室が関係ない場所とはいえないと思うけど」

「だけどケイおばさんが殺されかかった家のなかも、関係ない場所ってわけじゃねえだろう」

マリーノの言うことに反対はしなかった。だが彼の口調には皮肉がまじっており、それが気にさわった。

「そうは言っても、ルーシーがいまひとりでホテルにいるってのは、どうも気になるな」マリーノはまた顔をこすりながら言った。口では何と言おうと、彼はルーシーのことを心から気にかけており、彼女のためならどんなことでもする。マリーノはルーシーが十歳のときから知っている。トラックや大馬力のエンジンや拳銃など、男が好むものをルーシーに教えたのも彼だ。そのくせ、いまはルーシーがそうしたものを扱うことを心よく思っていない。

「あんたをアナの家に送ってから、ちょっと寄って様子を見てこようかな。まあ、おれが何を心配しようが、だれも気にかけちゃくれねえけどよ」そこでいきなり話がとぶ。「ジェイ・タリーのことだってそうだ。もちろん、おれには関係ねえことだがね。あの自己中心的な野郎め」

「病院でずっといっしょに待っててくれたのよ」またジェイを弁護して、マリーノのむきだしの嫉妬心をそらせた。ジェイはATFのインターポール担当捜査官だ。ジェイのことはよく知らないが、三日前にパリで彼と寝た。「十三、四時間もかかったのに」マリーノがあきれたように目を天井に向けるのもかまわずつづけた。「それが自己中心的って言える？」

「いいかげんにしてくれよ！」マリーノは大声で言った。「そんなでたらめ、どこできいたんだ？」目が怒りに燃えている。「信じられねえよ。やつはそのあいだずっと病院にいたとあんたに思わせたのか？　待ってなんかいるもんか。そんなのはまっ赤なうそだ。あんたを白い馬にのせて病院へつれてってたときから憎んでいる。マリーノはジェイが大きらいだ。フランスではじめて会ったときから憎んでいる。すぐここへ戻ってきた。それから電話してあんたがいつ帰れるか調べて、こっそり病院へ迎えにいったんだ」

「そのほうが合理的だわ」内心のろうばいを見せずに言った。「何もせずにすわっていてもしようがないもの。それにずっといたと彼が言ったわけじゃないのよ。私がそう思っただけで」

「そうかい。どうしてか？　やつがそう思わせたからだ。本当じゃないことを信じさせられて、何とも思わねえのか？　おれに言わせりゃ、それは性格的欠陥だ。うそつきって言うんだ、そういうやつを……何だ？」急に口調が変わった。だれかが戸口に立っている。

M・I・キャロウェーと書かれたネームプレートをつけた制服警官が、部屋に入ってきた。彼女はすぐマリーノに話しかけた。「すみません、警部、ここにいらっしゃるのを知らなかったので」

「いまわかったってわけだ」険悪な顔で彼女を見る。

「ドクター・スカーペッタ？」見開いた目が、ピンポン球のようにマリーノと私のあいだをいったりきたりする。「あのびんについてうかがいたいんです。あの薬品、ホルムリンの入ったびんがどこに……」

「ホルマリンよ」低い声で訂正した。

「そうですね」と、彼女は言った。「そのびんは、正確にはどこにおいてあったんですか？　あなたがとりあげたとき？」

マリーノは、私のベッドのはしでくつろぐのには慣れているとでもいうように、ベッドにすわりつづけている。彼はたばこをさがしはじめた。

「居間のコーヒーテーブルのうえよ」私はキャロウェーの質問に答えた。「もうみんなに言ったはずよ」

「はい、そうですが、テーブルのどのへんでしょうか？　かなり大きなテーブルですから。こんなことでお邪魔するのはほんとに申しわけないんですが。どんなふうにことがおこったかを、再構築しようとしているので。あとになるほど思いだすのがむずかしくなりますから」

マリーノはゆっくり箱をふってラッキーストライクをとりだした。

「キャロウェー？」彼女のほうを見もしないで言う。「おまえ、いつから刑事になったんだ？　おまえがA班にいたっておぼえはないぞ」マリーノは、A班と呼ばれるリッチモンド市警察の凶悪犯罪課の責任者だ。

「びんのおかれていた場所をはっきりさせようとしているだけです、警部」キャロウェーはほおを紅潮させている。

女性に私を質問させたほうが角《かど》がたたないと、刑事たちは思ったのだろう。同僚たちはそれで彼女をここへ送りこんだか、あるいは私にかかわることをみんながいやがったので、キャロウェーにおはちがまわってきただけかもしれない。

「居間に入ってテーブルに向かったとき、こちら側の右はしにあったの」と、彼女に言った。もう何度も同じことをきかれている。はっきりしていることは何ひとつない。すべてがぼやけている。おこったことがねじまげられて、現実離れしたものになったかのようだ。

「薬品を彼にかけたときは、だいたいそのあたりに立っていらしたんですか？」と、キャロウェーがきく。

「ちがうわ。カウチの向こう側にいたの。ガラスの引き戸のそば。追いかけられて、そこまで逃げたの」と、説明した。

「そのあと、すぐ家から走りでた……？」キャロウェーは小さなメモ帳に書いたことを線で消している。

「食堂をとおってね」彼女をさえぎって言った。「そこに拳銃がおいてあったの。その晩、たまたまダイニングテーブルの上においといたのよ。そんなところにおいとくのは、まずかったわね」考えがあちこちにとぶ。ひどい時差ぼけになったかのようだ。「非常ボタンを押して、玄関から外へでたの。拳銃を、グロックをもって。でも氷ですべってひじを骨折してしまった。片手ではスライドをひくことができなかったの」

キャロウェーはこれも書きとめた。私の話は同じことのくりかえしで、疲れてきた。もしもう一回話すよう要求されたら、わけのわからないことを言いだすかもしれない。これまで理性を失った姿を警察に見せたことなど一度もないのに。

「じゃ、銃は撃たなかったんですね？」彼女は私を見上げて、くちびるをなめた。

「撃鉄《げきてつ》をおこせなかったから」

「撃とうとはしなかったんですね？」

「撃とうとって、どういう意味？撃鉄をおこすことができなかったのよ」

「でも撃とうとはしたんでしょう？」

「通訳がいるんじゃねえのか？」マリーノが堪忍袋《かんにんぶくろ》の緒《お》をきらした。M・I・キャロウェーをにらみつけるマリーノのおそろしい目つきを見ると、弾丸がとびだす前に標的にねらいをつけるレーザーサイトの赤い点を思いだす。「銃の撃鉄がおこしてなくて、彼女は撃たなかった。わかったか？」侮辱《ぶじょく》するようにゆっくり言う。

「弾倉には何発弾が入ってたんだ？」と、私にきいた。「十七発か？　グロック十七だから、弾倉に十七発入って、薬室にひとつだな？」

「わからないわ。十七発は入ってなかったわね、絶対。それだけの数を入れるのはむずかしいの。弾倉のスプリングがかたいから」

「そうか。最後にその銃を撃ったのがいつか、おぼえてるか？」

「このまえ射撃場へいったときよ。数ヵ月はたってるわ」

「射撃場へいったあとはいつも銃を掃除するだろう、先生」これは質問ではない。マリーノは私の癖や習慣を知りつくしているのだ。

「そうよ」私は寝室のまんなかに立って、目をぱちぱちさせている。頭痛がして、光がまぶしい。

「銃を見たんだろう、キャロウェー？　ちゃんと調べたわけだよな？」ばかなやつというように、彼女に向かって手をふる。「何がわかったんだ？」

キャロウェーはためらった。私の前で情報をもらしたくないようだ。マリーノの質問は、いまにも凝結《ぎょうけつ》しようとする水蒸気のように重くたれこめている。私は紺とグレーの二着のスカートを選んで、椅子にかけた。

「弾倉には十四発入ってます」キャロウェーが軍隊調の、感情のこもらない声で答えた。

「薬室には弾が入っていませんでした。撃鉄はおこされておらず、銃はきれいでした」

「それはそれは。撃鉄はおこされていなくて、彼女は撃たなかったわけだ。暗い嵐の夜に三人のインディアンがたき火のまわりにすわってたわけだな。ばかみたいにどうどうめぐりするのはやめて、先に進もうじゃねえか」マリーノは汗をかいており、かっかするにつれ体臭が強くなってくる。

「ねえ、もうこれ以上つけ加えることは何もないのよ」突然涙がでそうになった。寒くてふるえている。またシャンドンのひどい悪臭が鼻をついた。

「どうしてびんが家のなかにあったのですか？　なかに何が入っていたんでしょう？　モルグで使う薬品ですよね？」キャロウェーはマリーノが見えないように位置を変えた。

「ホルマリンよ。ホルムアルデヒドの四〇パーセント水溶液で、一般にホルマリンと呼ばれているもの。モルグで組織を保存するのに使っているわ。臓器の一部とか。この場合は皮膚だけど」

私は焼灼性《しょうしゃくせい》の薬品を人の目にかけ、シャンドンに重傷をおわせた。永久に目が見えなくなる可能性もある。MCVの九階の犯罪者用病棟でベッドに縛りつけられている彼を目にうかべた。私は自分の命を救ったが、そのことに満足を感じてはいない。ひたすら打ちのめされている。

「じゃあ家のなかに人間の組織があったわけですね。皮膚が。入れ墨の入った。港で発見された身元不明の遺体のものですね？　貨物船のコンテナのなかの？」キャロウェーの声、ペンの音、ページをめくる音が、リポーターたちを思いださせる。「ばかなことをきくようですが、なぜ家のなかにそんなものをおいてたんですか？」

港で見つかった遺体の身元をわりだすのが大変だったことを、彼女に説明した。入れ墨以外にほとんど手がかりがなかったので、先週ピーターズバーグへいって、熟練《じゅくれん》したプロの入れ墨師にそれを見てもらった。そこから直接家に帰ったので、入れ墨の入ったホルマリンのびんが昨夜私の家にあったのだ。「ふつうはそんなものを家においておくことはないわ」と、言いそえた。

「一週間も家においといたんですか？」キャロウェーが疑わしそうな表情でたずねる。

「いろんなことがあったから。キム・ルオングが殺害された。姪がマイアミでの銃撃戦で殺されかけた。私はフランスのリヨンへ呼ばれた。インターポールにね。彼……シャンドンがパリで殺害したと思われる八人の女性について、相談したいということで。それから貨物船で見つかった男が、殺人鬼の兄弟のトマ・シャンドンではないかという疑いについて。ふたりとも、世界中の警察が長年やっきになって倒そうとしている、シャンドン犯罪カルテルの黒幕の息子なの。それからダイアン・ブレイ副署長が殺された。そんな状況で入れ墨をモルグに戻せたと思う？」頭がずきずきしてきた。「たしかに戻すべきだったわ。でもほかのことに気をとられていたの。たんに忘れただけよ」思わずきつい言いかたになる。

「忘れただけ」キャロウェーはおうむがえしに言った。マリーノは怒りをつのらせながらきいている。彼女に仕事をさせてやろうと思いながらも、軽蔑せずにはいられないようだ。

「ドクター・スカーペッタ、家のなかにほかにも人体の一部がありますか？」と、キャロウエーがきいた。

右目に鋭い痛みを感じた。偏頭痛《へんずつう》がおこりはじめているのだ。

「なんてこときくんだよ！」マリーノがさらに声をはりあげた。

「捜査のあいだに出くわすと困ると思ったもので。体液とかほかの薬品とか……」

「いいえ」私は首をふって、きちんとたたまれたスラックスとポロシャツに注意を向けた。

「スライドがあるだけ」

「スライド？」

「組織学のためよ」と、あいまいに説明する。

「何のためですって？」

「キャロウェー、いいかげんにしろよ」マリーノは鋭く言って、ベッドから立ちあがった。

「ほかに危険なものがないか、確認してるだけです」と、キャロウェーは彼に言った。赤くそまったほおと目の光が、内心の反抗を示している。彼女はマリーノを憎んでいる。マリーノを憎む人は多い。

「危険なのはおまえの目の前にあるものだけだ」マリーノはかみつくように言った。「先生にすこしプライバシーをあげたらどうだ？　くだらねえ質問をやめて」

キャロウェーはあごのない不器量《ぶきりよう》な女で、腰が太く肩幅はせまい。怒りと当惑に身をこわばらせていたが、やがてくるりと向きを変えて寝室から出ていった。その足音は廊下のペルシャ絨毯《じゆうたん》に吸収されてきこえない。

「あいつ、何考えてやがるんだ？　あんたが戦利品を集めてるとでも？」マリーノが私に言う。「ジェフリー・ダーマーみたいに記念品をもって帰るとでも思ってんのかね。まったく」

「もうがまんできないわ」きちんとたたんだポロシャツをバッグに入れた。

「がまんするしかねえよ、先生。でも今日はもうおしまいにしよう」マリーノはたいぎそうにまたベッドのはしにすわった。

「刑事たちが私に近づかないようにして」警告するように言った。「もう連中の顔を見たくないわ。悪いことをしたのは私じゃないのに」

「もし何かあったら、俺を通してきくようにするよ。この事件は俺の担当だ。キャロウェーのようなやつらはまだ気がついてねえようだが。俺についちゃ心配することはねえ。でもあんたに話をききたいってやつらが、ほかにわんさといるんだ。まるで食堂の順番待ちみたいに」

ポロシャツのうえにスラックスを重ね、それからシャツにしわがよらないように順番をいれかえた。

「むろん、やつの話をききたいってやつらの数にはおよばないけどな」やつとはシャンドンのことだ。「プロファイラーや犯罪心理学者やメディアの連中やなんかだ」と、数えあげる。

荷造りする手をとめた。マリーノが見ている前でランジェリーをいじるつもりはない。彼の目の前で化粧品を選ぶのもいやだ。「ちょっとひとりにしてくれない」

マリーノは私を見つめた。目は充血《じゅうけつ》し、顔は赤ワインの色にそまり、はげあがった頭まで赤い。ジーンズとスエットシャツはよれよれで、太鼓腹《たいこばら》は妊娠九ヵ月のようにせりだし、巨大なレッドウィングのブーツは汚れている。彼が考えていることがわかる。私をひとりにしたくないのだ。私には言わないが、何かを心配しているようだ。黒い煙のように頭のなかに妄想がわきおこった。マリーノは私を信用していない。自殺でもするのではないかと思っているのかもしれない。

「マリーノ、おねがい。荷造りを終えるまで外に立って、人が近づかないようにしてくれない？　私の車のトランクから、現場用ケースをとってきて。何かで呼びだされたら……あれがないと困るから。鍵はキッチンのデスクのひきだしにあるわ。いちばん上の右側。鍵は全部そこに入ってるの。それから車も必要だわ。車にのっていくから、ケースはそのまま入れといて」頭がよく働かない。

マリーノはためらった。「車はおいてかないとだめだ」

「まったくもう！」がまんできずに言った。「車まで調べるっていうの？　ばかげてるわ」

「考えてみろよ。ゆうべ一回目に警報が鳴ったのは、だれかがガレージに押し入ろうとしたからだ」

「だれかってどういうことよ？」と、言い返した。偏頭痛《へんずつう》のため、こめかみがきりきりと痛み、視界がぼやける。「だれだかはっきりわかってるわ。彼は警報を鳴らすためにガレージの戸をこじあけたのよ。警官がくることを期待して。そうすればそのあとで、私の庭にだれかがうろついていると近所の人から通報を受けたといって警官が戻ってきても、おかしくないからよ」

戻ってきたのはジャン・バプティスト・シャンドンだった。警官のふりをしたのだ。それにだまされたことが、いまだに信じられなかった。

「まだすべてがはっきりしたわけじゃねえからな」と、マリーノが答えた。

「どうもあなたに信用されてないような気がするのは、なぜかしら？」

「アナのところへいって、寝ることだな」

「彼、車にはさわってないわ」と、断言した。「ガレージのなかには入っていないんですもの。車はだれにもさわられたくない。今夜乗っていきたいの。現場用ケースはそのままトランクに入れといて」

「今夜はだめだ」

マリーノは部屋をでていき、ドアをしめた。ぴりぴりしている神経を鎮《しず》めるために、酒が飲みたくてたまらない。でもどうすればいいのだろう？　バーへいって、スコッチをさがすあいだどこかへいっていろとでも警官たちに言うのか？　酒を飲んでも頭痛はよくならないだろうと思っても、気持ちはおさまらない。あまりにみじめなので、自分にとっていま何がよくて何が悪いのかはどうでもよくなっている。バスルームへいって、またひきだしのなかをさぐり、口紅を何本か床に落としてしまった。それらはトイレとバスタブのあいだにころがった。拾いあげようとふらふらしながらかがんで、右手でぎごちなくさぐる。左ききなので、よけいやりにくい。それから手をとめて、化粧台のうえにきちんと並べてある香水をゆっくり見た。エルメス24フォーブルの小さな金のびんをそっととりあげる。ひんやりしたびんのスプレー・ノズルを鼻にあてると、ベントン・ウェズリーが好きだったスパイシーでエロチックな香りがした。涙があふれ、心臓が二度と正常に鼓動《こどう》しないかのように思えた。この香水は一年以上使っていない。ベントンが殺されて以来、一度もだ。いま私も殺されてしまったの、ずきずきする頭のなかで彼に告げた。でも私はまだここにいるのよ、ベントン、まだここにいるの。あなたはFBIの心理分析官だった。極悪人の心理を分析して、彼らの行動を解釈したり予想したりするエキスパートだった。あなたならこうなることが予測できたでしょう？　予測して、防いでくれたはずよ。どうしてここにいなかったの、ベントン？　あなたがいれば私は無事だったのに。

だれかが寝室のドアをノックしていることに気づいた。「ちょっと待って」と、呼びかけ、咳払いして涙をふいた。冷たい水を顔にかけ、エルメスの香水をバッグに入れる。マリーノだと思ってドアをあけた。ところが入ってきたのはATFの戦闘服を着たジェイ・タリーだった。一日分の不精《ぶしょう》ひげのため、浅黒いハンサムな顔が悪党めいて見える。彼は私が知っているなかでもっとも美しい男性だった。体はみごとな彫刻のようで、官能の香りが麝香《じゃこう》のように毛穴からにじみでている。

「きみが出かける前に、大丈夫かどうか様子を見ようと思って」彼の目がくいいるように私を見つめる。三日前にフランスで彼の手と舌がしたように、その目は私をさぐり、なでまわしているかのようだ。

「なんて言えばいいの？」彼を寝室へ招き入れると、急に自分がどんなふうに見えるかが気になりだした。こんな状態の私を見せたくない。「自分の家にいられないの。もうすぐクリスマスだというのに。腕が痛むし頭も痛い。それをのぞけば大丈夫よ」

「ドクター・ゼナーの家へ送っていくよ。そうしたいんだ、ケイ」

私が今夜どこに泊まるかを彼が知っていることに、ぼんやり気づいた。私の行き先は秘密にしておくとマリーノは言っていたが。ジェイはドアをしめて私の手をとった。私は彼が病院で待っていてくれなかったことと、今度はどこかほかのところへ送ってくれようとしていることしか考えることができない。

「これをのりきるのを手伝わせてくれ。きみのことが心配だ」と、ジェイは言った。

「昨晩はだれも心配してくれなかったわ」ジェイが病院から家へ送ってくれたとき、ずっと待っていてくれてありがとうと私が言ったのに、病院にはいなかったことを彼がおくびにもださなかったことを思いだした。「あなたやATFの連中が総出で警戒していたのに、あいつはいともたやすく私の家にやってきたのよ」と、私はつづけた。「あなたはこの大物をつかまえることを目的にしたＩ　Ｒ　Ｔ《国際レスポンスチーム》を指揮するために、はるばるパリから飛んできたというのに、なんという結末。おそまつな映画みたいね。警官たちが武装して突撃銃をかまえているなかを、あの怪物《モンスター》は平気でのこのこと家へきたのよ」

ジェイの目は、私の体のあちこちをさまよいはじめた。そこを、ふたたび訪問する権利のある休憩地とでも思っているかのようだ。こんなときに彼が私の体のことを考えているという事実にショックを受けると同時に、嫌悪《けんお》を感じた。パリではジェイを愛しはじめたような気がしていた。だが彼といっしょに寝室にいるいま、古びた白衣のしたの私の体に露骨《ろこつ》な興味を示すジェイを見ると、彼をすこしも愛していないことに気づいた。

「気が動転しているだけだよ。あんな目にあえば当然だ。きみのことが心配なんだ。助けになりたい」彼は私にさわろうとし、私は身をひいた。

「あれはあの午後だけのことだったのよ」前にも同じことを言ったが、今度は本気だった。「数時間いっしょにすごした。それだけよ、ジェイ」

「あやまちだったというのか？」傷ついて声がとがり、目に暗い怒りが燃えている。

「たった半日のできごとを一生のこと、永遠に意味のあるものと思わないで。意味なんてないんだから。ごめんなさい。ほんとにもう」だんだん腹がたってくる。「私に何かを求めないでちょうだい」使えるほうの腕をふりながら、彼から離れた。

「あなたは何をしてるの？　いったい何をしてるのよ？」

ジェイは手をあげてうなだれ、私が投げつける言葉を避けながら自分の誤りを認めた。心からそう思っているのかどうかはわからない。「何をしてるのかわからない。ばかなことをしてるんだろう、きっと。きみに何かを求めるつもりはない。僕はばかだ。きみへの気持ちのためにおかしくなってるんだ。だからといって責めないでくれ。おねがいだ」真剣な目で私を見て、ドアをあけた。「きみの力になりたいんだ、ケイ。愛してる《ジュ・テーム》よ」ジェイが、もう二度と会うことができないのでは、と思わせるようなさよならの言いかたをしたことに気づいた。本能的な恐怖が胸の奥をゆさぶり、彼を呼びかえしてあやまり、近いうちに食事かお酒をいっしょにしましょうと約束したい衝動にかられた。目をとじてこめかみをもみ、ベッドの支柱にしばしもたれた。いまは自分が何をしているかわからないのだから、何もしてはいけないと、自分に言いきかせる。

マリーノは廊下にいた。火をつけないたばこを口のはしにくわえている。私を見て、ジェイがドアをしめて寝室のなかにいるあいだに、何があったかをおしはかろうとしているのがわかる。私はだれもいない廊下を見渡した。ジェイが戻ってくることをなかば期待し、同時にそれをおそれてもいる。マリーノが私の荷物をもった。私が近づくと警官たちは口をつぐんだ。彼らは私を見ないようにしながら、居間で動きまわっている。警官用ベルトがぎしぎし音をたて、彼らの扱う機器がカタカタ鳴っている。捜査官がコーヒーテーブルの写真をとり、フラッシュガンが白く光る。べつの捜査官がビデオをとり、鑑識技官がルーマ・ライトを設置している。これは肉眼では見えない指紋や薬品、体液などを検知するための代替光源だ。ダウンタウンのオフィスにもルーマ・ライトがあり、現場やモルグで遺体を調べるのに使っている。自分の家にそれがあるのを見ると、名状しがたい感情におそわれた。

指紋検出用の黒い粉が家具や壁にふりかけられ、色あざやかなペルシャ絨毯ははがされ、その下にあるアンティークのフランス産オークがむきだしになっている。サイドテーブルのうえにあったランプはプラグが抜かれ、床におかれていた。ユニット式カウチはクッションがおかれていたところにくぼみができている。空気には、ホルマリンの油っぽい刺激性のにおいがまだ残っていた。居間の先の、玄関に近いところに食堂がある。あいたドアから、証拠物件用の黄色いテープで封印された茶色い紙の袋が見えた。日付とイニシャルと、スカーペッタ衣類というラベルが貼られている。なかには私が昨晩身につけていたスラックス、セーター、ソックス、靴、ブラジャー、パンティが入っている。すべて病院で没収《ぼっしゅう》されたのだ。その袋とほかの証拠品、懐中電灯、道具類が、まるで仕事台にでもおくように、私のお気に入りのマホガニーの赤いダイニングテーブルのうえにおかれている。椅子には警官たちのコートがかけられ、どこもかしこも濡れた汚い足跡でいっぱいだ。口が渇き、恥ずかしさと怒りで関節から力がぬけていくような気がした。

「よう、マリーノ！」と、警官がどなった。「ライターがあんたをさがしてたよ」

ビューフォード・ライターは州の検事だ。あたりを見まわしてジェイをさがしたが、どこにも見当たらない。

「整理券をとって待つように、やつに言っとけ」マリーノはあいかわらず食堂の順番待ちの比喩《ひゆ》で言う。

彼はたばこに火をつけ、私は玄関のドアをあけた。冷たい空気が顔にあたり、目がうるむ。「私の現場用ケース、とってきてくれた？」と、マリーノにきいた。

「トラックのなかだ」ハンドバッグをとってきてと妻にたのまれた夫のように、恩着せがましく言う。

「どうしてライターがきたのかしら？」私は疑問を口にした。

「のぞき趣味のやつらめ」マリーノがぶつぶつ言う。

マリーノのトラックは表の通りにとめてあった。ぐしゃぐしゃの雪におおわれた前庭の芝生のうえに、二輪の巨大なタイヤが車輪の跡を残している。ビューフォード・ライターと私は、長年いろいろな事件にいっしょに取り組んできた。だから彼が家にきてもいいかと直接私にきかなかったことに傷ついた。そういえば電話で私の様子をたずね、無事でよかったと言ってくれもしない。

「俺に言わせりゃ、みんなあんたの家が見たいのさ」と、マリーノが言う。「だからいろいろ調べたいとかなんとか言うんだ」

注意深く私道を歩くあいだに、半溶けの雪が靴にしみこんだ。

「あんたの家がどんなかきくやつがどれぐらいいるか、想像もつかねえだろう。まるであんたがダイアナ妃かなんかみたいによ。それにライターはいろんなことに鼻をつっこみたがるからな。仲間はずれにされたくねえんだろう。切り裂きジャック以来のどでかい事件だからな。ライターのやつ、俺たちにうるさくつきまとってるんだ」

いきなりフラッシュガンがつづけざまに光り、あやうくすべりそうになった。思わず声にだして悪態をついた。カメラマンたちがゲートを突破して入ってきたらしい。片腕でなんとかトラックの高いフロントシートへ乗りこもうとしているところへ、カメラマンが三人、フラッシュをたきながら近づいてきた。

「おい！」マリーノがいちばん近くにいる女性カメラマンに向かって叫んだ。「やめろ、このあま！」カメラをさえぎろうと飛びだし、彼女は足をすくわれてつるつるすべる道路にどしんとしりもちをついた。カメラの機器が地面に落ちて散らばる。

「ばかやろう！」彼女はマリーノに叫んだ。「ばかやろうめ！」

「トラックに乗れ！　早く乗れ！」マリーノが大声で私に言う。

「下司《げす》やろう！」

心臓が激しく肋骨《ろっこつ》をたたいている。

「訴えてやるからね、下司やろう！」

さらにフラッシュがたかれた。私はコートをドアにはさんでしまい、またあけてしめなおさねばならなかった。そのあいだにマリーノが私のバッグを後ろにのせ、運転席にとび乗ろうとしており、エンジンがかかり、ヨットのようにごろごろ鳴りはじめる。女性カメラマンは立ちあがった。彼女がけがをしていないか確かめたほうがいいのでは、と気づいた。

「彼女がけがをしていないかどうか、見なきゃ」窓から外を見ながら言った。

「だいじょうぶだ。けがなんかしてねえよ」トラックは道路にでて、カーブをきり、スピードをあげた。

「あの人たち、だれなの？」アドレナリンがどっとあふれてきた。目の前に青い点がうかんでいる。

「いやったらしいやつらさ」マリーノはハンドマイクをとりあげ、「こちらユニット九」と、無線で流した。

「ユニット九どうぞ」通信指令係が応答する。

「私や家の写真をとられたら困るわ……」声が高くなった。体中の細胞がこの暴挙に抗議して、燃えあがっている。

「ユニット三二〇を十《テン》・五《ファイブ》して、俺の携帯に連絡するように言ってくれ」マリーノはマイクを口にあてて待った。ユニット三二〇はすぐにかけてきた。携帯電話が巨大な昆虫のようにふるえる。マリーノは電話をあけて話しだした。「どういうわけかマスコミのやつらが入りこんでる。カメラマンだ。たぶんウィンザー・ファームズのどっかに車をおいて、柵をのりこえてきたんだろう。守衛の詰め所のうしろの、草のはえた空き地をとおって。ユニットを何人か派遣して、駐車違反してる車を見つけて撤去《てっきょ》させろ。やつらが先生の敷地に足をふみいれたら、逮捕するんだ」用件が終わると、マリーノはエンタープライズ号に攻撃命令をだしたカーク艦長よろしく、携帯をぱたんとたたんだ。

守衛の詰め所でスピードを落とすと、ジョーがでてきた。彼は私立探偵の茶色い制服を着ることを誇りに思っている老人で、礼儀正しく思いやりがあり、私を守ろうとしてくれる。

だがジョーや彼の仲間には、ちょっとした迷惑行為をやめさせることぐらいしか期待していない。シャンドンが、そして今度はメディアがガードを突破して侵入したことは、すこしも意外ではない。私がトラックにのっているのを見ると、ジョーのしわだらけのたるんだ顔は、不安そうな色をおびた。

「おい」マリーノはあいた窓からぶっきらぼうに言った。「カメラマンのやつらはどうやって入ったんだ？」

「えっ？」ジョーはとたんに守りの態勢に入り、目を細めてだれもいないつるつるの道路をながめた。ナトリウム灯が高い柱の先で、ぼんやりした黄色い光をはなっている。

「先生の家の前にいる。すくなくとも三人」

「ここから入ったんじゃない」ジョーはきっぱり言った。彼は詰め所に入って、受話器をつかんだ。

私たちはそこをとおりすぎた。「俺たちにできることはたいしてない」と、マリーノが言った。「覚悟したほうがいいぞ。そこら中に写真がでることになるから」

私はクリスマスの飾りつけをした、美しいジョージ王朝風の家々をながめた。

「悪いことに、これであんたの身辺の危険度はぐんとあがったわけだ」と、マリーノがお説教した。私がすでに知っていて、いまは考えたくないと思っていることを言う。「みんながあんたの立派な家を見て、あんたがどこに住んでるかを知ってしまうからな。俺が心配してるのはだな、困ったことにこういうことがあると、真似するやつがでてくる。刺激されるんだな。そういう連中はあんたを被害者と見なして、そのことに興奮する。法廷にいって、レイプ事件の裁判をわたり歩くやつらと同じだ」

車はカンタベリー・ロードとウエストケーリー・ストリートの交差点でとまった。黒っぽい色の小型のセダンが近づいてきて速度をゆるめ、ヘッドライトが私たちを照らしだした。ビューフォード・ライターの特徴のない細い顔が、マリーノのトラックを見ているのに気づいた。ライターとマリーノはそれぞれ窓をあけた。

「どこかへいくのか……？」そう言いかけたとき、ライターの視線がマリーノをとおりこして私にそそがれ、彼はぎょっとしたような顔をした。私には絶対会いたくないと思っていたように見え、気になった。「大変だったね」ライターは不可思議な言いかたをした。まるで私の身におこっていることがちょっとしたトラブルか、不便なこと、不快なことにすぎないとでもいうようだ。

「ああ。出かけるところだ」マリーノはそっけなく言ってたばこを吸った。ライターが私の家へやってきたことをどう思っているかを、彼はすでにあきらかにしている。ライターがくる必要などないし、もし自分の目で現場を見ることがそれほど大事だと思ったのなら、なぜもっと早く、私が病院にいるあいだにそうしなかったのだろう？

ライターはコートのえりもとをかきあわせた。街灯の光が眼鏡に反射している。彼はうなずいて私に言った。「気をつけてくれ。無事でよかった」どうやら私の〝トラブル〟を認めることにしたようだ。「これはわたしたちにとってもつらいことだ」そのあと浮かんだ考えは言葉にならなかった。言おうと思ったことはひっこめられ、抹消《まっしょう》されてしまった。「あとでまた話そう」彼はマリーノに言った。

互いに窓をしめ、車は走りだした。

「たばこちょうだい」と、マリーノに言った。「彼、今日もっと早い時間に家へきたわけじゃないんでしょうね」

「いや、実はきたんだ。今朝十時ごろに」フィルターのついていないラッキーストライクの箱をさしだす。こちらに向けてつきだしたライターから、ぱっと炎があがった。

心のなかで怒りがうずまいた。首のうしろが熱く、頭の重苦しさは耐えがたいほどだった。獣《けもの》が目をさましたかのように、胸のなかで恐怖がうごめいた。意地悪な気分になり、火のついたビックのライターをさしだしているマリーノの腕を無視して、ダッシュボードのライターを押しこんだ。

「教えてくれてありがとう」と、きつい調子で言う。「ほかにだれが私の家に入ったか教えてもらえる？　その回数と、どれぐらいいて何をさわったかも？」

「おい、俺にやつあたりするなよ」マリーノが警告した。

声でわかる。彼は私のいらいらにがまんしきれなくなっている。私たちはいまにもぶつかろうとしている気圧のようだ。ぶつかってはまずい。いまマリーノとけんかなどしたくない。オレンジ色に熱されたコイルにたばこの先をつけ、深々と吸いこんだ。純粋なたばこの刺激でめまいがする。数分のあいだ、互いに押し黙っていた。ようやく口をひらいたとき、私の声には感情がこもっていなかった。熱にうかされたような頭はぼうっとし、ゆううつな気分が鈍痛《どんつう》のように肋骨《ろっこつ》にそって広がっていく。「あなたがやるべきことをやっているのはわかってる。感謝してるわ」無理に言葉を押しだした。「態度にはあらわさなくても」

「そんなこと説明する必要ねえよ」マリーノもたばこを吸い、ふたりともなかばあけた窓にむかって煙を吐きだした。「あんたの気持ちはよくわかるよ」

マリーノがつけ加える。

「わかるわけないわ」怒りが胆汁《たんじゅう》のようにのどの奥からこみあげてくる。「自分だってわからないんだから」

「俺はあんたが思ってるよりずっとよくわかってるんだぞ、いろんなことが。いつかそれがわかるよ、先生」と、マリーノが言った。「これからどんなにひどいことになるかいまはわかんねえだろうけど、あと何日か、何週間かたつと、ますます状況は悪くなっていく。そういうもんなんだ。本当のダメージはこれからだ。俺は何度も見てる。被害にあった人がどうなるかを」

そのことについては、一切ききたくなかった。

「これからいくところにいくことにしてよかったよ。まさに医者の命令どおりだ。いろんな意味でな」

「医者に命令されたからアナの家へいくわけじゃないわ」私はつっけんどんに言った。「アナが友達だから泊まりにいくのよ」

「いいか、あんたは被害者なんだ。それに対処しなきゃなんねえ。それには助けが必要だ。あんたがいくら医者で弁護士でインディアンの族長でもな」マリーノは口をとじようとしない。ひとつには、けんかしたい気分だからだ。怒りのはけ口が必要なのだ。彼がつぎに何を言おうとしているかわかった。怒りが首をはいのぼり、髪の根元が熱くなった。

「被害者になったら、どんな人間でも同じだ」この問題についての世界的権威であるマリーノがつづける。

私はゆっくり言葉を吐きだした。「私は被害者じゃないわ」炎があがっているかのように声がゆらめいた。「被害にあうのと被害者になるのとはちがう。私は異常人格者のなぐさみものにはならないわ」と、きびしい口調で言う。「彼の思いどおりにはならなかった」もちろん、シャンドンのことだ。「もし彼が目的を達していたとしても、彼が望んでいたようにはならなかった。ただ死んでただけよ。いまの私のまま。おとしめられることなく、ただ死んでいた」

いかにもマッチョな男好みの大きなトラックの向こう側の暗い空間で、マリーノがひるむのを感じた。私の言ったことも私の気持ちも理解できないのだ。たぶん永久にわからないだろう。彼は私に平手で顔をひっぱたかれたか、股間《こかん》をけりあげられたかのような反応を示した。

「俺は現実を見すえてるんだ」と、マリーノは言い返した。「俺たちのどっちかがそうしないわけにいかねえだろう」

「現実は、私が生きてるってことよ」

「ああ。まったくすげえ奇跡だよ」

「あなたがそう言うのを予想すべきだったわ」低い声でひややかに言った。「ありがちなことですもの。みんな加害者じゃなくて被害者を責める。傷つけたろくでなしではなく、傷つけられた人を非難する」暗闇のなかでふるえた。「いやなやつ。なんていやなやつなの、マリーノ」

「なんでドアをあけたのか、いまだに信じられねえよ！」マリーノが叫ぶように言った。私におこったことが、彼を無力感におちいらせているのだ。

「じゃあなたたちはどこにいたのよ？」私はまた不快な事実をつきつけた。「せめて一人か二人、私の敷地をみはっててくれればよかったのに。彼が私を襲いにくることを心配していたのなら」

「電話で話したろう、おぼえてるか？」彼はべつの角度から攻撃してきた。「あんたは大丈夫だって言ったじゃねえか。気をつけてろって俺は言っただろう。やつの隠れ家がわかった、いまはどっかをうろついて、またなぐったりかみついたりする女をさがしてるとこだろうって。それなのにおえらい法執行の先生のあんたはどうしたか？　だれかがドアをノックしたら、あけちまったんだ！　しかも真夜中に！」

ノックしたのは警官だと思った。彼はそう言ったのだ。

「なんでだ？」マリーノはいまやどなっている。かんしゃくをおこした子供のように、ハンドルをたたきながら。「えっ？　なんでだ？　教えてもらおうじゃねえか！」

殺人者がだれか、何日も前からわかっていた。それが精神も肉体もいびつなシャンドンであることが。彼がフランス人で、犯罪組織を形づくっている彼の家族がパリのどこに住んでいるかもわかっていた。だが私の家の戸口に立った人物は、フランスなまりがまったくなかった。

警察です。

警察は呼んでいないけど、とドアごしに言った。

お宅の敷地にあやしい人物が侵入したという通報を受けたのですが。大丈夫ですか？

彼にはなまりがなかった。彼がなまりのない英語を話すとは思っていなかった。そんなことは考えもしなかった。昨夜をもう一度やりなおすとしても、やはり思いつかないだろう。警報が鳴ったために、警察がきたばかりだった。彼らが戻ってくることはすこしも不自然に思えなかった。私の敷地を見張ってくれていたと思ったのだ。あっというまのできごとだった。ドアをあけるとポーチの明かりが消えており、真夜中の冷気のなかに、あの汚い濡れた動物のにおいがした。

「おい、どうした？」マリーノが大声で言って、私の肩をぐいとついた。

「さわらないで！」はっと我に返ってあえぎながら言い、マリーノから身をひきはなした。トラックは蛇行《だこう》した。その後の沈黙は重苦しく、深い水のなかにいるような気がした。陰鬱《いんうつ》な思いにひたっていると、再びおそろしいイメージが心に泳ぎこんできた。気がつかずにいたたばこの灰が長くなりすぎて、灰皿までもっていくのがまにあわない。ひざから灰をはらい落として、マリーノに言った。

「ストーニーポイント・ショッピングセンターで曲がれば。そのほうが早いから」

2

ドクター・アナ・ゼナーの館《やかた》はジェームズ川の南岸にある。ギリシャ復興様式の堂々とした緑の館は、ライトアップされて夜の闇のなかにそそりたっていた。近所の人がお屋敷と呼ぶこの邸宅には、大きなコリント式円柱がある。新しい国家の建築物は、旧世界に見られるような壮麗さと気品をそなえたものであるべきというのが、トマス・ジェファーソンとジョージ・ワシントンの信念だったが、アナの家はまさにこの地域でそれを具現した建物だった。アナは旧世界の出身だ。ドイツ系の一世なのだ。たぶん生まれはドイツだと思うが、よく考えてみると、どこで生まれたかを彼女からきいたことは一度もない。

クリスマスの白いライトが木々のうえでまたたいている。アナの家の無数の窓にともされたろうそくが、あたたかな光をはなっている。それを見ると五〇年代後半、私が子供だったころのマイアミのクリスマスを思いだした。たまに白血病の症状がおさまると、父は子供たちを車にのせてコラル・ゲイブルズへいき、立ち並ぶ豪華な邸宅を見せてくれた。父はそれらをヴィラと呼んでいたが、そのような高級住宅街を見せることのできる自分も、その世界の一部だと思っているかのようだった。優美なへいに囲まれ、ベントレーがとまっている家のなかで、毎日ステーキやえびを食べている恵まれた人たちについて、想像をめぐらしたのをおぼえている。そんな生活をしている人は貧乏や病気とは無縁で、イタリア人やカトリック信者やスカーペッタなどという名前の移民をきらう人たちから、虫けらのように扱われることは決してないのだろう。

スカーペッタというのは珍しい名前だが、その一族についてはよく知らない。スカーペッタ家は二世代にわたってこの国に住んでいると母は主張する。だが私はその人たちがだれか知らないし、会ったこともない。わが家の家系をさかのぼるとヴェローナにいきつくときかされていた。祖先はそこで農業や鉄道工事の仕事をしていたという。たしかなのは、私にはきょうだいが一人しかいないことだ。ドロシーという妹で、彼女はごく短いあいだ、年が二倍もちがうブラジル人と結婚しており、ルーシーをもうけたことになっている。なぜこんな言いかたをするかというと、ことドロシーに関するかぎり、DNAでも調べなければ、姪をみごもったときだれと寝ていたかわからないからだ。妹が四度目に結婚した相手がファリネリという男で、それ以後ルーシーは名前を変えることをやめた。私の知っているかぎりでは、母をのぞけばスカーペッタという姓をもつのは私だけだ。

マリーノは堂々とした黒い鉄の門の前でブレーキをふみ、ふとい腕をのばしてインターコムのボタンを乱暴に押した。電子音のブザーと大きながちゃっという音がして、カラスの翼のように門扉《もんぴ》がゆっくりひらいた。アナはなぜ故郷を離れてバージニアに住むようになり、一度も結婚しなかったのだろう？　どこにでもいけたのに、なぜ南部のこの地味な町で精神科医として開業したのか、彼女にきいたことはなかった。なぜ急にアナの人生のことが気になりだしたのかわからない。考えは思わぬときにふいに浮かぶものだ。慎重にトラックからおり、みかげ石の舗道《ほどう》に立った。まるでソフトウェアにトラブルが生じたかのようだ。いろんなファイルが勝手にひらいたりとじたりして、エラーメッセージがやたらに表示されているように思える。

アナが何歳なのか、正確には知らない。たぶん七十代半ばだろう。私がおぼえているかぎりでは、どこの大学や医学校へいったのかもきいたことはない。長年にわたって意見や情報を交換してきたが、お互いに弱いところや個人的なことについては、めったに話したことがなかった。

アナについて何も知らないことが突然ひどく気にかかり、恥ずかしさにおそわれた。けがをしていないほうの手を冷たい鉄のてすりにすべらせながら、きれいに雪をかいた玄関の階段を、一段ずつのぼっていった。ドアをあけてくれると、アナの鋭い顔がやわらいだ。彼女は私の曲がった厚ぼったいギプスと青いつり包帯を見て、私と目をあわせた。

「ケイ、会えてうれしいわ」と、いつもと同じように迎えてくれる。

「やあ、元気かい、ドクター・ゼナー！」マリーノがことさら力をこめて言う。自分がいかに愛想のよい人気者かを強調し、私のことなど眼中にないことを見せるためだ。「うまそうなにおいがしてるぞ。また俺のために何かつくってくれたのか？」

「今夜はちがうのよ、警部」アナはマリーノのおおげさな話しぶりにはとりあわない。彼女は私の両ほおにキスした。けがに気をつかって強く抱きしめることはしなかったが、軽く指でさわられただけで気持ちが伝わった。マリーノは私のバッグを玄関のみごとなシルクの敷物のうえにおいた。そのうえにはクリスタルのシャンデリアが、空中でかたまった氷のように輝いている。

「スープをすこしもってらっしゃい」と、アナはマリーノに言った。「どっさりあるから。とても健康的よ。脂肪がなくて」

「脂肪が入ってねえんじゃ、俺の信条に反するよ。俺は帰るぜ」マリーノは私を見ないようにしている。

「ルーシーはどこ？」アナは私がコートを脱ぐのを手伝ってくれた。やっとのことでギプスを袖からぬき、自分がまだ古い白衣を着ていることに気づいてろうばいした。

「サインはないのね」アナが私に言う。だれも私のギプスにサインしていないし、これからもしないだろう。アナにはさりげない、知的なユーモアのセンスがある。ときどき、にこりともせずにおかしなことを言う。きいているものがよほど注意深く、明敏《めいびん》でないと、冗談をききのがしてしまう。

「あんたの家じゃ満足できねえってんで、ジェファーソンにいったよ」マリーノが皮肉をこめて言った。

　アナは私のコートをかけにホールのクローゼットへいった。私の神経は急速にエネルギーを失いつつあった。憂鬱な気分が胸をしめつけ、心臓を圧迫する。マリーノはあいかわらず私を無視している。

「もちろん彼女もここに泊めてあげるわ。いつでも歓迎します。彼女にとても会いたいわ」アナが私に言った。アナのドイツ語なまりは何十年たってもとれない。いまだに言いかたが硬いし、考えを口にするときに妙な表現を用い、めったに短縮形を使わない。本当はドイツ語のほうが好きだが、しかたなく英語を使っているのだろうという気がする。

　あいたドアからマリーノが帰るのを見送った。「どうしてここに住むようになったの、アナ？」いきなり関係ない話をもちだした。

「ここ？　この家にということ？」アナは私の表情をさぐった。

「リッチモンドよ。どうしてリッチモンドにきたの？」

「簡単なこと。愛のためよ」よくも悪くも何の感情もこめずに、淡々と言う。

　夜がふけるにつれ気温が下がり、ブーツをはいたマリーノの大きな足がかたまりかけた雪をふむ、ざくざくという音がきこえる。

「どんな愛？」と、彼女にきいた。

「結局は時間の無駄とわかったある人物への愛」

　マリーノはステップをけって雪をはらい落としてから、ぶるぶる振動しているトラックにのりこんだ。大きな船のはらわたのようにエンジンがごろごろなり、排気ガスがふきだしている。彼は私が見ていることを意識して、わざとそれに気づかず、気にもしていないふりをしてドアをしめ、ばかでかい乗り物のギヤを入れた。トラックは巨大なタイヤで雪をけちらしながら、走り去った。アナはドアをしめた。私はさまざまな考えや感情のうずに巻きこまれ、その前にぼんやり立っていた。

「あなたを落ち着かせないとね」アナは私の腕にさわり、ついてくるように合図した。

私はわれに返った。「マリーノは私に腹をたててるの」

「あの人が何かに腹をたてたり、無作法な態度をとったりしなかったら、どこか具合が悪いんじゃないかと思うわ」

「彼、私が殺されかけたから怒ってるの」われながら疲れた声だ。「みんなが私に腹をたててるの」

「あなたは疲れてるのよ」アナは私の言うことをきこうと、玄関の廊下で立ちどまった。

「だれかが私を殺そうとしたからって、なぜ私があやまらなきゃいけないの？」抗議の言葉が口をついてでる。「私のせいだとでもいうの？　私が何か悪いことをしたの？　確かにドアはあけたわ。間違いはおかした。でもいまここにいるじゃない。生きてるじゃない。私たちみんな無事でいるわ。それなのになぜみんな私に腹をたてるの？」

「みんなではないわ」と、アナが答える。

「どうして私のせいなの？」

「自分のせいだと思っているの？」アナは冷徹としか形容しようのない表情で、私を見つめた。彼女は私の骨まで見とおすことができる。

「もちろん思ってないわ。自分のせいじゃないことはわかってる」

アナはドアに鍵をかけ、警報装置をセットして、私をキッチンへつれていった。最後に食事をしたのがいつだったか、今日が何曜日なのかを思いだそうとした。やがてひらめいた。今日は土曜日だ。もう何度も同じことをきいている。死にかけてから二十時間以上たつ。テーブルにはふたり分の食器がセットしてあり、大きな鍋に入ったスープが火にかけてある。パンの焼けるにおいがして、急に吐き気をもよおし、同時に空腹を感じた。そしてその一方で、あることに気づいた。ルーシーもくるとアナが思っていたのなら、なぜテーブルには三人分の用意がしてないのだろう？

「ルーシーはいつマイアミへ帰るの？」私の考えていることを見とおしたかのように、アナは鍋のふたをとって長い木のスプーンでかきまぜながらきいた。「何がいい？　スコッチ？」

「濃いのをおねがい」

アナはグレンモランジー・シェリーウッドフィニッシュ・シングルモルトウイスキーのコルクをぬき、クリスタルのカットグラスに入れた氷のうえに、貴重なばら色のエッセンスをそそいだ。

「ルーシーがいつ帰るのか知らないわ。ぜんぜん見当もつかない」アナに事情を説明しはじめた。「ATFがかかわっていたマイアミでのおとり捜査が、とてもひどい結果になったの。撃ち合いになって、ルーシーが……」

「ええ、ええ、ケイ、それは知っているわ」アナはスコッチをわたしてくれた。彼女は落ち着いているときでも、いらいらしているようにきこえることがある。「ニュースで大きくとりあげられたわ。それであなたに電話したの。おぼえてない？　ルーシーのことを話したじゃない」

「ああ、そうだったわね」と、つぶやいた。

アナは向かい側の椅子に腰をおろし、テーブルにひじをついて、身をのりだして話している。アナは驚くほどの強さをもつ情熱的な女性で、長身でひきしまった体つきをしている。ドイツの女流映画監督レニ・リーフェンシュタールのように時代を先取りした知性をもち、年齢を超越した若さがある。ブルーのスエットスーツのおかげで、彼女の瞳はそれと同じ美しい紫がかった青に見える。銀髪はきちんと後ろでたばねられ、黒いベルベットのバンドでとめられている。アナがフェイスリフトなどの美容整形を受けているのかどうかは知らないが、彼女の容貌を見ると、現代の医学が何らかの貢献《こうけん》をしているにちがいないと思う。アナは五十代といってもじゅうぶんとおるだろう。

「ルーシーは、その件の調査がおこなわれているあいだに、あなたのところにきたんでしょう」と、彼女は言った。「お役所風の対応で、いろいろ大変なんでしょうね」

おとり捜査は最悪の結果に終わった。ルーシーは国際的な銃の密売組織のメンバーをふたり殺した。その組織はシャンドン一家の犯罪組織とつながりがあるらしいことがわかっている。ルーシーは、DEA《麻薬取締局》のエージェントで当時彼女の恋人だったジョーにもけがをさせてしまった。事態はお役所風の対応などというなまやさしいことではすまなかった。

「でもジョーのことは知らないでしょう?」と、アナに言った。「ルーシーのHIDTAのパートナーの」

「HIDTAというのは何?」

「麻薬密売集中取締班のこと。凶悪犯罪にとりくむいろんな法執行機関の捜査官からなるチームよ。ATFとかDEA、FBI、マイアミデイド警察といった機関の」と、アナに説明する。「十日ほど前、おとり捜査に失敗したとき、ジョーが脚を撃たれたんだけど、その弾はルーシーの銃から発射されたことがわかったの」

アナはスコッチをすすりながらきいている。

「つまりルーシーは誤ってジョーを撃ってしまったわけ。もちろんそうなると、ふたりの関係もあかるみにでる」と、私はつづけた。「その関係はすごく不安定なものになってるの。正直にいうと、いまふたりの仲がどうなっているのかもよくわからない。でもとにかくルーシーはここにいるわ。休暇のあいだずっといるでしょうね。その先はどうなるのやら」

「ルーシーがジャネットと別れたことは知らなかったわ」と、アナが言う。

「もうだいぶ前の話よ」

「それはあいにくだわ」アナは心から残念がっているようだ。「ジャネットを気に入ってたんだけど」

わたしはスープに目を落とした。ジャネットのことが話題にのぼるのは久しぶりだ。ルーシーは彼女についてひとことも話さない。私もジャネットに会えないのはとても残念だ。彼女はルーシーを落ち着かせることのできる、しっかりした女性だったと思う。正直にいうと、ジョーはあまり好きではない。なぜかはよくわからない。たんに彼女がジャネットではないからかもしれない、とグラスに手をのばしながら思った。

「それで、ジョーはリッチモンドにいるの？」アナがさらにきいた。

「皮肉なことに、彼女はもともとここの出身なの。といっても、ふたりが親しくなったのはそのためじゃないんだけど。仕事を通じてマイアミで知りあったの。ジョーは回復するまでしばらくリッチモンドにいるでしょうね。たぶん両親のところに。どんなことになるやら。両親は根本主義のクリスチャンで、娘のライフスタイルを必ずしも認めていないから」

「ルーシーは困難な道ばかり選ぶのね」と、アナが言う。そのとおりだ。「撃ちあいばかり。どうしてルーシーはいつも人を撃つはめになるのかしら？　今回は殺さなくて本当によかった」

胸がいっそう重苦しくなった。体を流れる血液が重金属に変わったかのようだ。

「どうしてルーシーは人を殺すはめになるの?」アナはさらに追及してくる。「今回のできごとはちょっと心配だわ。もしテレビで報道されていることが事実だとしたら」

「テレビは見てないわ。どんなことが報じられているかも知らないの」スコッチをすすり、またたばこのことを考えた。これまでに何度となく禁煙しているのに。

「ルーシーはもうすこしであの男を殺すところだったのよね。あのジャン・バプティスト・シャンドンというフランス人を。彼に銃をつきつけたけど、あなたがとめたのね」アナの目が私の頭蓋骨《ずがいこつ》をつらぬいて、秘密をさぐる。「何があったのか教えて」

何がおきたのかを彼女に説明した。ルーシーはジョーを病院からつれて帰るためにMCVへいった。午前零時すぎに私の家へ戻ると、シャンドンと私が前庭にいた。私の記憶にあるその時のルーシーは、見知らぬ人のように思えた。私の知らない凶暴な人間だ。怒りのあまり人相が変わるほど顔をゆがめ、彼に銃をつきつけて引き金に指をかけていた。撃たないで、と私は懇願《こんがん》した。彼をののしり、わめきちらしているルーシーに、やめて、ルーシー、やめてと叫んだ。目が見えなくなったシャンドンは激痛にのたうちまわり、薬品で焼かれた目に雪をなすりつけ、悲鳴をあげて助けを求めていた。そこでアナは私の話をさえぎった。

「彼はフランス語で話していたの?」

予期せぬ質問にうろたえ、思いだそうとつとめた。「そうだと思うわ」

「じゃ、あなたはフランス語がわかるのね」

私はまたためらった。「ええと、高校でならっただけだけど。とにかくそのときは助けてくれと言っているように思えた。彼の言っていることがわかるような気がしたの」

「彼を助けようとしたの？」

「彼の命を救おうとしたわ。ルーシーが彼を撃つのをやめさせようとしたの」

「それは彼のためではなく、ルーシーのためね。彼の命を救おうとしたというより、ルーシーが自分の人生をめちゃめちゃにするのをとめようとしたんでしょう」

さまざまな思いがぶつかりあい、互いに打ち消しあう。私は答えなかった。

「ルーシーは彼を殺したかった」と、アナはつづける。「あきらかにそうしたかったのね」

私はうなずき、虚空《こくう》を見つめてその場面を頭のなかで再現した。ルーシー、ルーシー。くりかえし名前を呼び、彼女をとりこにしている殺意を打ち砕こうとした。ルーシー。雪におおわれた前庭をはって、彼女に近づいた。銃をおろして。ルーシー、そんなことをしてはいけない。おねがい。銃をおろして。シャンドンはころげまわってもだえ、傷ついた獣のようなおそろしいうめき声をあげ、ルーシーはひざをついて、両手で銃をにぎり、がくがくふるえる銃を彼の頭に向けていた。やがて私たちはおおぜいの人の足にかこまれた。黒い戦闘服に身をかため、ライフルやピストルをにぎったATFのエージェントや警官が、庭になだれこんできたのだ。シャンドンを撃ち殺さないように姪に懇願《こんがん》する私を見て、みなどうしたらいいかわからず立ちすくんでいた。もう人殺しはたくさん。そう言いながら骨折して動かない左腕をひきずって、ルーシーから数センチのところへはっていった。撃ってはいけない、撃たないで、おねがい。みんなあなたを愛してるのよ。

「自衛のためではないのに、ルーシーが彼を殺そうとしたのはたしかなのね？」アナがふたたびたずねた。

「ええ。間違いないわ」

「それなら、マイアミであのふたりの男を殺す必要もなかったかもしれない。そう考えることもできる？」

「あれはぜんぜん話が違うのよ、アナ。それに、うちの前で彼を見たときにルーシーがああいう行動をとったのも、無理もないの。雪のなかに彼と私がころがっていて、ふたりのあいだは三メートルと離れていなかったんですもの。彼女はここでおきたほかの事件のことも知っていたし。キム・ルオングとダイアン・ブレイの殺人ね。だから彼がなぜうちにきたのかよく知っていた。私にどんなことをするつもりだったか。もしあなたがルーシーだったら、どんな気持ちがしたと思う？」

「想像もできないわ」

「そうでしょう。実際におこってみなければ、だれもそんなこと想像できないと思う。もし車でやってきたのが私で、庭にいたのがルーシーだったら、そして彼がルーシーを殺そうとしたのだったら……」考えながら言葉を切った。最後まで考えるのがむずかしい。

「彼を殺していたでしょう」私のかわりにアナが言う。

「そうしたかもしれないわ」

「彼が危険ではないのに？　ひどい痛みに苦しんでいて目は見えず、何もできない状態なのに？」

「相手が何もできない状態かどうか判断するのは、むずかしいのよ、アナ。私だって暗いなかで、雪のうえで骨折した腕をかかえて、恐怖にふるえていたのよ」

「そう。でも彼を殺さないようにルーシーを説得するだけの判断力はあったわけでしょう」

アナは立ちあがった。彼女が鍋やフライパンがかかっている鉄のラックからひしゃくをはずし、陶製の大きなボウルにスープを入れるのを見守った。いいにおいの湯気がたちのぼる。アナはスープをテーブルにおいた。さっき彼女が言ったことについて私が考える時間を与えてくれたのだ。

「あなたの人生は、あなたが書く死亡診断書の、とりわけ複雑なケースみたいだってこと、考えたことある？」と、アナはつぎに言った。「あれが原因で、これが原因で、なんとかが原因で」指揮するように手を動かして、言葉を強調する。「あなたがいまこうなっているのはあれとこれが原因で、さらにこれとあれが原因でという具合にさぐっていくと、すべては大もとの傷につながっていく。お父さまの死よ」

自分の過去について、アナにどんなことを話したか思いだそうとした。

「あなたがいまこういう仕事をしているのは、幼いときから死が身近にあったからよ」と、アナはつづけた。「子供時代の大半を、父親が死にかけているという状況のなかですごしたわけだから」

スープはチキン・ベジタブルだった。ベイリーフとシェリーの香りがする。食べられるかどうか自信がなかった。アナはミトンをはめて、サワードウでつくったロールパンをオーブンからとりだした。小さな皿にパンをのせ、バターとはちみつをそえて食卓にだす。

「いわばその場面にくりかえし戻るのが、あなたの宿命のようね」と、彼女は分析した。「父親の死の場面、その最初の喪失《そうしつ》の体験に。そこへ戻ればそれを消すことができるとでもいうように。でも結局はそれをくりかえすだけ。大昔から人間が示すパターンよ。毎日のようにそれを見てるわ」

「これは父とは関係ないわ」私はスプーンを手にとった。「子供時代とも関係ない。はっきりいって、子供時代のことなんかいまはどうでもいい」

「あなたについて言えるのは、感じないということ」アナは椅子をひきだしてまたすわった。「感じるとあまりにつらいから、感じないようにすることをおぼえたのね」スープは熱すぎるので、彫刻のほどこされたずっしりした銀のスプーンで、ゆっくりかきまわした。

「子供のとき、家のなかの死のにおいや恐怖、悲しみ、怒りに直面することができなかった。それで心をとざしてしまった」

「ときにはそれも必要よ」

「それはよくないわ」アナは首をふる。

「生きるためにそうせざるをえないときもあるわ」と、私は反論した。

「心をとざすのは否定することよ。過去を否定すると、それをくりかえすことになる。あなたがいい例よ。最初の喪失《そうしつ》を体験して以来、何度となくそれをくりかえしている。皮肉なことに、あなたは喪失を職業にした。死者の声をきき、死者のまくらもとにすわる医師になった。トニーとの離婚とマークの死も経験している。去年はベントンが殺された。それからルーシーを銃撃戦で失いかけた。そして今度はあなた自身。あのおそろしい男が家にやってきて、あなたはあやうく自分を失うところだった。喪失につぐ喪失だわ」

ベントンを殺されたことによる苦痛は、おそろしいほど生々しい。それは永久にうすれないのだろうか。むなしさや、心のなかのからっぽの部屋のこだまや胸の痛みから、いつまでも逃れられないのだろうか。そう考えるとこわい。警官たちが私の家で何も知らずにベントンのものにさわり、彼の絵をかすり、ある年のクリスマスに彼がプレゼントしてくれた食堂の上等な絨毯に泥をつけていることを思うと、また怒りがこみあげた。だれも知らない。だれも気にかけない。

「こういうパターンはね」と、アナが言う。「ほうっておくとどんどんエネルギーをたくわえて、すべてのものをブラックホールに吸いこんでしまうのよ」

私の人生はブラックホールに吸いこまれてはいない、とアナに言った。パターンがあることは否定しない。それが見えないほどばかではない。しかしある点については、絶対に同意できない。「まるで私が彼を家におびきよせたように言われるのは、心外だわ」シャンドンのことだが、その名前を口にするのが耐えがたかった。「殺人鬼が家にきたのは私のせいだとは思わない。もしあなたがそういう意味で言っているのなら。もしそう言いたいのなら」

「それをききたいの」アナはパンにバターをつけた。「そうなのかどうか、あなたにききたいのよ、ケイ」と、落ち着いて言う。

「アナ、どうして自分が殺されるようなことを私がすると思うの?」

「そういうことをする人が実際にいるからよ。意識的にではないけど」

「私はしないわ。潜在意識的にも無意識にも」と、言いはった。

「何かをおそれていると、そのとおりになってしまうことがある。あなた、そしてルーシー。彼女は自分が戦っているものに、自分自身がなるところだった。敵を選ぶときは気をつけないと、自分も同じようになる危険がある」と、さりげなくニーチェの言葉を引用する。

アナはときどきこんなふうに、私が過去に言ったことをもちだす。

「私が彼を家にこさせたわけではないわ」また抑揚《よくよう》のない声でゆっくり言った。やはりシャンドンの名前は口にしない。現実の人間として認識することで、彼に力を与えたくないからだ。

「どうしてあなたの家がわかったのかしら？」アナは質問をつづける。

「残念ながら何年も前から、何度もニュースでとりあげられているから。それをどうやって彼が知ったのかはわからないけど」

「彼が図書館へいって、マイクロフィルムであなたの住所を調べたとでもいうの？　おそろしい姿かたちをして、日中はめったに外へでないというこの男が？　犬のような顔をして、顔も体もうすい色の細いうぶ毛でおおわれた異形《いぎょう》の人物が？　公立図書館へいったわけ？」

そんなことはありえないことをアナは強調した。

「どうやって知ったのかわからない」私はまた言った。「彼が隠れていたところは、うちからそう遠くないけど」しだいに腹がたってくる。「私を責めないで。彼のしたことについて私を責める権利は、だれにもないわ。どうして私のせいにするの？」

「人間はみんな自分で自分の世界をつくりあげる。そして自分でそれをこわす。とても単純なことなのよ、ケイ」

「よくそんなふうに思えるわね。彼におそわれることを私が望んだなんて。よりによって私が」キム・ルオングの遺体が目の前にちらついた。ラテックスの手袋をはめた手のしたで、顔の骨が砕ける感触がよみがえる。風とおしが悪くむし暑い貯蔵室にたちこめた、凝固《ぎょうこ》しかけた血の鼻をつく甘ったるいにおいも思いだした。シャンドンは死にかけている被害者をそこへひきずっていったのだ。なぐったり嚙んだり、血をぬりつけたりして、狂的な欲望を発散するために。

「あのふたりの女性も、自分に責任があったわけじゃないわ」むきになって言った。

「その女性たちとは知りあいではなかったから」と、アナは言う。「彼女たちについては何とも言えないわ」

ダイアン・ブレイの遺体が、一瞬目の前にうかんだ。傲慢《ごうまん》な美女は痛めつけられ、破壊されて、自宅の寝室のむきだしのマットレスのうえに、投げだされたように横たわっていた。彼が仕事をし終えたときには、彼女の顔は人相がわからないほど徹底的に打ち砕かれていた。彼はキム・ルオングよりも、リッチモンドへくる前にパリで殺害したと思われる女性たちよりも、いっそう激しく彼女を憎悪しているように思われた。ブレイのなかに自分と共通したものを見出し、それによって自分を憎む気持ちがつのったのだろうか、とひとりごとのようにアナに言った。ダイアン・ブレイはずるがしこく、非情だった。残酷で、呼吸をするようになんとも思わずに権力を乱用した。

「あなたは彼女を憎んで当然ね」と、アナは言った。

それをきいて思考が中断され、すぐには答えなかった。だれかを憎んでいると言ったことがあるか、あるいはもっと悪いことに、実際に憎んだことがあるかどうか考えた。人を憎むのはまちがっている。それは悪いことだ。どんな場合でも。憎むのは精神の犯罪で、それが肉体の犯罪につながる。憎しみが、あんなに多くの遺体を私のもとにもたらすのだ。ダイアン・ブレイは執拗《しつよう》に私に打撃を与えようとし、もうすこしで私を失職させることに成功した。それでも彼女を憎んではいなかったと、アナに告げた。ブレイは病的に嫉妬心が強く、野心家だった。でも彼女を憎んではいなかった。ブレイは邪悪な人間だったのね、と最後に言った。でもあんなことをされるいわれはない。もちろん、彼女が自分で招いたわけでもない。

「そう思う？」アナは私の言ったことに疑問を呈した。「彼女があなたにしていたことを、彼が象徴的にブレイにしたのだと思わない？　ブレイはあなたに執着し、こちらが弱っているときに手出しをしてきた。攻撃し、おとしめ、打ち負かそうとした。あなたを圧倒することに喜びを感じたのね。性的にも興奮したのかもしれない。あなたがよく言っていたじゃない？　人は生きたように死んでいくと」

「そういう人が多いわ」

「彼女はどう？」

「あなたが言ったように、象徴的にはそうかもしれない」

「そしてあなたはどうなの、ケイ？　やはり生きたように死にかけたの？」

「私は死ななかったのよ、アナ」

「でも死にかけたでしょう」と、ふたたび言う。「彼が家にくる前に、もうあきらめていたわ。ベントンが亡くなったときに、生きるのをやめかけたわね」

私は涙ぐんだ。

「ダイアン・ブレイが死んでいなかったら、あなたはどうなっていたと思う?」アナはつぎにきいた。

ブレイはリッチモンド市警察署を動かし、影響力のある人たちをだました。ごく短いあいだに彼女の名はバージニア中に知れわたった。皮肉なことに、ブレイの自己愛と、権力と認知への強い欲望が、シャンドンを彼女のもとにおびきよせたように見える。彼ははじめにブレイのあとをつけただろうか? 私のあとをつけまわしたのだろうか? そうしたにちがいないというのが、ふたつの問いの答えだ。

「ダイアン・ブレイが生きていたら、まだ検屍局長でいたと思う?」アナはじっと私を見つめている。

「彼女に負けはしなかったわ」スープをひとくち味わうと、胃がひっくりかえったような気がした。「ブレイがどんなにひどいやつでも、私をふみにじるような真似はさせなかった。私の人生は私のものよ。彼女のものであったことはないわ。私の人生を成功させるのも破滅させるのも、私自身よ」

「ブレイが死んでよかったと思っているのね」

「彼女がいないほうがいいのよ、みんなのために」私はプレースマットとそのうえのものをすべて遠くへ押しやった。「本当よ。世の中のためには彼女のような人間がいないほうがいい。彼もいないほうがいい」

「シャンドンがいないほうがいいと思うの？」

私はうなずいた。

「それならやっぱりルーシーが彼を殺せばよかったと思っているのね？」と、静かに言う。アナは挑発したり批判したりせずに、本音をひきだすすべをこころえている。「できればけりをつけたいんじゃないの？」

「いいえ」私は首をふった。「だれに対してもそんなことはしない。ごめんなさい、食べられないわ。せっかく手間をかけてくださったのに。かぜでもひいたんじゃないといいけど」

「今日のところはもうおしゃべりはじゅうぶんね」アナは突然、もう寝る時間よと告げる親に変身した。「あすは日曜だから、どこにも出かけずに静かに休むといいわ。わたしは月曜日の予約を全部キャンセルして、カレンダーをすっきりさせるわ。そして必要とあれば火曜も水曜も、そのあとも今週いっぱいキャンセルするわ」

私は異議をとなえようとしたが、アナはきこうとしない。

「ありがたいことに、この年になると好きなようにできるの」と、彼女は言いそえた。「緊急を要する場合は応じるけど、それだけよ。いまいちばん急を要する患者は、あなたですからね、ケイ」

「私は急患じゃないわ」そう言ってテーブルから立ちあがった。

アナはいっしょに荷物をもち、長い廊下をとおって広いやしきの西の棟へ私をつれていった。いつまでかはわからないが私が泊めてもらうゲストルームには、イチイ材の大きなベッドが部屋を圧するようにおかれている。アナの家のほとんどの家具がそうだが、このベッドも簡素で実用的なバイデマイヤー様式で、色はうすい金色だ。この家のインテリアは抑制《よくせい》がきいており、まっすぐでシンプルな線が多い。だがいくつも重ねてある羽毛《うもう》のつまったクッションや枕、絹の滝のように硬材の床にたれるこはく色のどっしりしたカーテンは、アナの人柄をあらわしている。彼女の人生における目標は人を気持ちよくさせること、人の心を癒《いや》し苦痛をとりのぞき、純粋な美を賞賛することだ。

「ほかに必要なものはない？」アナは私の洋服をつるしながら言った。

私はほかのものをドレッサーのひきだしにしまった。気がつくとまたふるえている。

「よく眠れるように何か薬をあげましょうか？」アナはクローゼットの床に私の靴をならべている。

アティヴァンなどの安定剤を飲むことには誘惑を感じたが、それをはねのけた。「習慣になるのがこわいから」と、あいまいに答える。「たばこを見ればわかるでしょう。自分が信用できないの」

アナは私を見た。「ケイ、寝ることは大切よ。落ちこんだときに眠りほどよくきく薬はないわ」

彼女が何を言っているのかよくわからないが、言おうとしていることはわかる。私はたしかに落ちこんでいる。たぶん暗い気分はずっとつづくだろう。眠れないとそれがいっそうひどくなる。昔からときどき関節炎のような突発的な不眠症になやまされてきた。だから医者になったときは、簡単に手に入る薬にたよらないよう気をつけねばならなかった。処方箋《しょほうせん》の必要な薬はいつも身近にある。だがそれらをいっさい使わなかった。

アナはでていき、私は明かりを消してベッドにすわり、暗闇を見つめた。朝がきたら、おこったことは悪い夢、意識がもうろうとしているときに心の深層から忍びでてくる、おそろしい場面のひとつにすぎないとわかるのではないか。なかば本気でそう思った。理性が懐中電灯のように心のなかを照らしたが、何も追いだすことはできない。自分がむごたらしく殺されかけたことにどんな意味があるのか、それが今後の人生にどんな影響をおよぼすのか見当がつかなかった。このことをどんなふうに感じ、何と考えればいいのかわからない。どうしたらいいのだろう。

横向きに寝て、目をとじた。私はいま眠りにつこうとしています、と母はよく寝る前のお祈りをいっしょにとなえてくれた。でもその言葉は、廊下の先で病《やまい》の床についている父にこそふさわしい、と私はいつも思っていた。ときどき母が部屋をでていってから、お祈りに男性名詞を入れた。もし彼が目覚める前に死がおとずれたら、彼の魂が神のもとに召されますように。そして泣きながら眠りについた。

3

翌朝目覚めると、家のなかで人声がしていた。一晩中電話が鳴っていたような落ち着かない気分だった。夢だったのだろうか。いっとき自分がどこにいるかわからずとまどったが、やがて過酷な現実が波のように押しよせてきた。枕を背におきあがり、しばらくじっとしていた。今日も太陽が雲に隠れて灰色の空しか見えないことが、ひかれたカーテンをとおしてわかる。

バスルームのドアの裏にかかっているぶあついタオル地のバスローブを借り、ソックスをはいてから、家のなかにほかにだれがいるのか見にいった。きているのがルーシーだといいなと思っていたら、やはりそうだった。ルーシーとアナはキッチンにいた。裏庭と鉛色の平らな川をのぞむ大きな窓から、細かい雪が舞っているのが見える。昼光を背景に黒々とうきだした裸の木々が、風にわずかにゆれていた。いちばん近い隣人の家からは、薪《まき》をもやす煙がたちのぼっている。ルーシーはMIT（マサチューセッツ工科大学）でコンピューターとロボットのコースをとっていたときの名残《なごり》の、色あせたスエットスーツを着ている。短い赤褐色の髪は、手でなでつけたように見える。いつになく暗い顔をして、目はどんよりして血走り、前の晩に飲みすぎたことを物語っている。

「いまきたばかり?」おはよう、と彼女を抱きしめた。

「実はゆうべきたの」ルーシーは私をぎゅっと抱いて言った。「どうしてもきたくなって。ちょっと寄って、夜明かしパーティをしようと思ったの。でもおばさんはもうダウンしてたのよね。そんなことないわ。そんな遅い時間にきたのが悪かったんだけど」

「そんなことないわ」がっかりして言った。「おこしてくれればよかったのに。どうしてそうしなかったの?」

「とんでもない。腕の具合はどう?」

「前ほど痛まないわ」これは事実ではない。「ジェファーソンはチェックアウトしたの?」

「ううん、まだ」ルーシーの表情からは何もよみとれない。彼女は床に腰をおろしてスエットパンツを脱いだ。したには派手な色をしたスパンデックスのランニングタイツをはいている。

「あなたの姪ごさんはどうも悪い影響をまわりに与えるようよ」と、アナが言った。「上等なヴーヴ・クリコをもってきてくれたので、ついふたりで夜ふかししてしまってね。そんな状態でダウンタウンまで車を運転して帰らせるわけにいかなかったの」

それをきいてかすかに胸がうずいた。もしかしたら嫉妬を感じたのかもしれない。「シャンパンを飲んだの? お祝いごとでもあるの?」

アナは答えるかわりにちょっと肩をすくめた。何かに心を奪われている様子だ。深刻な考えにとらわれているが、それを私に話したくないように見える。昨夜、本当に電話が鳴ったのかもしれない。ルーシーがジャケットのジッパーをおろすと、さらにあざやかなブルーと黒のナイロンが見えた。それは彼女のきたえあげた力強い体に、ペンキのようにはりついている。

「そう、お祝いよ」と、ルーシーは言った。声に苦々しげなひびきがある。「ATFから公務休暇を与えられたの」

自分の耳が信じられなかった。公務休暇とはつまり停職のこと。くびになる前の第一歩だ。アナはもう知っているのだろうかとそちらをちらっと見たが、彼女も私におとらず驚いているようだ。

「そう。浜におかれたの」これは停職を意味するATFのスラングだ。「あたしのおかした罪を列挙した手紙が、来週あたり届くはず」ルーシーは平気な顔をしているが、彼女をよく知っている私はだまされない。ここ何ヵ月か何年か、ルーシーは怒りばかり見せてきた。いまもそうだ。彼女のなかのいくつもの複雑な層のしたに、どろどろの怒りがたぎっている。

「連中はあたしをくびにする理由をいろいろあげる。それに対してあたしは不服申し立てできる。あるいはええい、めんどうとばかりやめちゃってもいい。そうしようかと思ってるんだ。あんなやつら、必要ないもん」

「なぜなの？　いったい何があったの？　彼のためじゃないんでしょうね」シャンドンのこ

とを念頭において言う。

まれな例外はあるが、ふつうエージェントが撃ちあいなどの危険なできごとに巻きこまれた場合、ただちに同僚による精神的サポートが与えられ、もっとストレスのすくない仕事にまわされる。ルーシーがマイアミでやっていたような危険な諜報《ちょうほう》活動でなく、放火事件の捜査のような仕事だ。もし精神的にまいっていたら、〝トラウマ休暇〟が与えられる。しかし公務休暇はそれとはちがう。これはまぎれもない罰則だ。

ルーシーは床から私を見上げた。脚を投げだし、手を背中のうしろについている。「どっちにころんでもろくなことにならないってことよ」と、応じる。「もしあいつを撃ってたら、大騒動になってたわ。撃たなくてもやっぱり大騒動よ」

「あなたはマイアミで銃撃戦をやって、そのあとすぐリッチモンドへきて、もうすこしでまたべつの人を撃つところだった」アナが真実を述べた。その「べつの人」が、私の家に侵入した連続殺人犯であっても関係ない。ルーシーはマイアミでの事件の前にも、武力に訴えた前歴がある。彼女の苦悩に満ちた過去が、低気圧のようにアナのキッチンに重苦しくたれこめる。

「あたしがまっさきに認めただけよ」と、ルーシーが言った。「みんなやつを撃ち殺したかった。マリーノだってそうよ」私と目を合わせる。「おばさんの家にきた警官やエージェントで、引き金をひきたくなかった人がいると思う？　みんなあたしのことを傭兵《ようへい》か、人を殺すことを楽しむ異常人格者だと思ってる。すくなくとも、そうほのめかしてるわ」

「でもあなたに休暇が必要なのはたしかよ」アナがぶっきらぼうに言う。「それだけのことで、他意はないかもしれないじゃない」

「そんなわけないわ。考えてもみて。もしあたしがマイアミでやったことを男性のエージェントがしてたら、英雄扱いされるはずよ。もしシャンドンを殺しかけたのが男性だったら、ワシントンのおえらがたはよく自分を抑えたといって、拍手喝采《かっさい》してたでしょうね。もうすこしであんなことをしたといって彼を罰するかわりに。そもそも、もうすこしで何かをしたことでだれかを罰するなんてこと、できるの？　だれかがもうすこしで何かをしたってことを、どうやって証明するの？」

「でも向こうはそれを証明する必要があるのよ」法律家であり、捜査にかかわる者でもある私は彼女に教えた。同時に、シャンドンももうすこしで私に何かをしたことを思いだした。彼が何をするつもりだったにせよ、実際にはしなかったわけだから、いずれ彼の弁護士はその点を強調するだろう。

「やつらはやりたいほうだいよ」ルーシーは悔しさと怒りをつのらせている。「あたしをくびにしてもいい。サウスダコタかアラスカの、窓もない小さな部屋のデスクにはりつけることもできる。オーディオ・ヴィジュアル課みたいな、どうでもいい部署に埋もれさすことだってできる」

「ケイ、まだコーヒーを飲んでいないでしょう」たかまってきた緊張をほぐそうと、アナが言った。

「それが問題だったのね。だから今朝はわけのわからないことばかりなんだわ」シンクのそばのコーヒーわかしのところへいった。「だれかいる?」

ほかにほしい人はいない。カップにコーヒーをついでいるあいだに、ルーシーは体を深く曲げるストレッチをはじめた。彼女が動くのを見ると感嘆せずにはいられない。流れるようになめらかで、筋肉は目立つようなおおげさな動きをしていないのに、自然に目をひきつける。幼いときはぽっちゃりしてのろまだったが、何年もかけて訓練し、自分が操縦するヘリコプターのように、要求したとおりに反応するマシンのような体をつくりあげたのだ。ブラジルの血がまじっているせいか、彼女の美貌には暗い情熱がこもっており、人目をひく。どこへいってもみんなに注目されるが、ルーシーはせいぜい肩をすくめるだけだ。

「こんな天気なのによく外へでて走ったりできるわね」と、アナが言う。

「あたし苦しいことが好きなの」ルーシーはピストルの入ったポーチを腰につけた。

「もっとこのことを話しあって、どうするか考えなきゃ」カフェインのおかげで私は頭がすっきりして、やっとまともにものが考えられるようになった。

「走ったあとはジムへいくわ」と、ルーシーは言った。「しばらく帰らないから」

「苦しいことばかりね」アナが感慨をこめて言う。

姪を見ると、彼女がどんなに並はずれた人間か、そして人生がどんなに不公平かを思わずにいられない。ルーシーは実の父親を知らない。やがてベントンがあらわれ、彼女にとってはじめての父親にかわる存在になったが、ルーシーは彼も失うことになった。母親は自己中心的な女で、たとえだれかを愛することができたとしても、競争心が邪魔してルーシーを愛せなかっただろう。そもそも妹のドロシーは、だれも愛することなどできない人間だ。

ルーシーはおそらく私が知っているなかでもっとも頭がよく、複雑な人間だろう。そのためあまり人に好かれるとはいえない。彼女は昔から衝動をおさえることができないたちだった。いま危険な武器をもってオリンピック選手のようにキッチンからとびだしていくルーシーを見ると、四歳半で小学校にあがったとき、素行《そこう》で落第点をとったことを思いだす。

「素行でどうやって落第点をとるのよ？」ドロシーが怒り心頭に発して電話をかけてきて、ルーシーの母親であることがいかに大変かをうったえたとき、私はたずねた。

「ひっきりなしにおしゃべりしてほかの子の邪魔をして、いつも手をあげて質問に答えようとするんだって！」ドロシーは不平をならべた。「先生が通信簿になんて書いたと思う？　いい、読んでみるわよ。ルーシーはほかの子供といっしょに勉強したり、遊んだりすることができません。目立ちたがりやで知ったかぶりをするし、鉛筆削りやドアノブのようなものを、すぐ分解してしまいます」

ルーシーはレズだ。おそらくいちばん不公平なのはこの点だろう。成長してそこからぬけだすとか、それに打ち勝つというわけにいかないからだ。同性愛は、不公平な扱いを生む点で不公平だ。そのため、姪が同性愛者だとわかったときは胸が痛んだ。彼女が苦しむのは、なんとしても見たくなかった。これまで明白な事実を無視してきたことを認めざるをえなかった。ATFが寛大《かんだい》な処置をとるはずがない。ルーシーはしばらく前からそのことに気づいていたのだろう。ワシントンにいる上層部は、ルーシーのなしとげたことには目を向けず、偏見と嫉妬《しっと》の色めがねで彼女を見るにちがいない。

「魔女狩りになってしまうわ」ルーシーが家をでたあとに言った。

アナはボウルに卵を割りいれている。

「連中は彼女をやめさせたいのよ、アナ」

アナは卵のからをシンクに落とし、冷蔵庫をあけてミルクのカートンをだし、賞味期限を見た。「ルーシーをヒーローだと思っている人もいるわ」

「法執行機関は女性を許容《きょよう》はするけどほめたたえはしないし、ヒーローになった女性は罰する。だれも口にしない卑劣《ひれつ》な秘密よ」

アナはフォークで勢いよく卵をかきまぜている。

「私たちの場合と同じよ」と、私はつづけた。「私たちが医学校へいったころは、男性のなかに割りこむことで肩身のせまい思いをしなきゃならなかった。仲間はずれにされたり、妨害されることもあったわ。医学校の一年のとき、クラスで女性は私のほかに三人だけだった。あなたはどうだった？」

「ウィーンでは事情がちがっていたわ」

「ウィーン？」一瞬ぽかんとした。

「そこで医学の勉強をしたの」

「そうだったの」親しい友人について知らなかった事実がまたひとつわかって、ふたたび罪悪感におそわれた。

「ここへきたら、女性をとりまく状況はあなたが言ったとおりだったわ」アナは口をぎゅっとむすんで、鋳鉄製《ちゅうてつせい》のフライパンに割りほぐした卵を流しいれた。「バージニアにきたときどんなふうだったか、おぼえているわ。どんな扱いをうけたか」

「それについてはよく知ってるわ」

「わたしはあなたより二十年以上も早かったのよ、ケイ。あなたの比ではなかったんだから」

卵が湯気《ゆげ》をあげ、ぶつぶついいはじめた。私はカウンターにもたれてブラックコーヒーを飲みながら、ゆうべルーシーがきたときおきていればよかったと思っていた。彼女と話ができなかったことが残念でたまらない。重大なニュースをこんなふうに、ほんのついでのようにきかねばならなかった。

「ルーシーはあなたには話したの？　さっきのことを」

アナは卵を何回もたたみこんだ。「いま考えると、彼女がシャンパンをもってあらわれたのは、あなたにそのことを話したかったからだと思うの。ニュースの内容を考えると、シャンパンはふさわしくないけどね」そう言って、雑穀《ざっこく》入りイングリッシュマフィンをトースターからとりだす。「精神科医はだれとでも深い内容の話をすると思われがちだけど、実際には人はめったに本当の気持ちを話してくれないのよ。一時間いくらという料金をはらっているのに」彼女は二人分の皿をテーブルに運んだ。「人はおもに、自分の考えていることを話すの。それが問題なのよね。みんな考えすぎるの」

「露骨にはやらないでしょうね」わたしはATFのことで頭がいっぱいだ。アナと私は向きあってすわった。「ひそかに攻撃してくるでしょうね、FBIみたいに。はっきり言ってFBIも同じ理由で彼女をおはらいばこにしたのよ。ルーシーは有望なスターでコンピューターの天才で、ヘリコプターの操縦ができて、人質救出チーム《HRT》初の女性メンバーだった」ひといきにルーシーの経歴を言う。アナの表情がだんだん懐疑的になってきた。私がこんなことを言う必要がないことは、お互いにわかっている。アナはルーシーを子供のころから知っているのだ。「そこへ彼女が同性愛であることが発覚した」私は話をやめることができない。

「それでルーシーはFBIをやめてATFに移った。ところがまた同じことになった。歴史はくりかえすのよね。どうしてそんなふうに私を見るの?」

「自分の問題がモンブランのように大きく立ちはだかっているというのに、ルーシーのことでくよくよしているからよ」

　ぼんやりと窓の外に視線を向けた。アオカケスが餌台で餌をついばんでいる。羽をふくらませ、ヒマワリの種がぱらぱら落ちて、雪のつもった地面に銃弾のように散らばった。曇った朝の空に薄日がさしてきた。私はテーブルのうえで、小さな円を描くようにそわそわとコーヒーカップを動かした。食べているあいだ、ひじがずきんずきんと痛む。自分がどんな問題をかかえているにしろ、私はそれについて話すことを拒《こば》んだ。口にだすとそれが現実になるかのように……まだ現実ではないとでも思っているように。アナも無理に話をさせようとはしない。ふたりとも黙っていた。フォークが皿にあたって音をたてる。また雪が激しくふりはじめ、茂みや木を白くおおい、川のうえに霧のようにただよっている。

　自分の部屋に戻り、ギプスをバスタブの横にたてかけて、熱いふろにゆっくりつかった。苦労して服を着て、片手で靴のひもが結べるようには永久にならないだろうと考えたとき、ドアベルが鳴った。ややあってアナがノックし、人に会えるかどうかたずねた。

　不安な思いが頭をもたげ、嵐のようにふきあれた。だれかに会う予定などない。

「だれなの？」ときいた。

「ビューフォード・ライター」とアナは答えた。

4

リッチモンド在住の州検事ビューフォード・ライターは、いろいろなあだ名で呼ばれている。イージー・ライター（彼は弱い）、ライター・ロング（つまらない男）、ファイター・ライター（これは皮肉）、ブーフォード（臆病者）などだ。どんなときもはめをはずさない優等生のライターは、出身地である馬の産地キャロライン郡でしこまれた、生粋《きっすい》のバージニア紳士だ。だれからも愛されないかわりに、憎まれもしない。おそれられもせず、尊敬もされない。ライターには情熱がない。彼が感情をあらわにするのは見たことがない。事件がどんなに残酷で、胸をえぐられるようなものであってもだ。さらに困るのは、私が法廷へもちこむディテールをこわがることだ。もっぱら法に焦点をあわせ、その法が破られたときにもたらされる、目をそむけたくなるような人間の惨状は無視しようとする。

モルグを避けてきた結果、彼は検事として当然身につけているべき法科学や医学の知識にも乏しい。実際、経験をつんだ検事のなかで、死因を文書に明記することをいやがらないのは、私の知るかぎりライターぐらいなものだ。つまり彼は法廷で検屍官の証言のかわりに、紙に書かれた記録を読ませることで事足れりとする。こんなばかな話はない。私に言わせればそれは職務怠慢《たいまん》だ。検屍官が法廷にいなければ、ある意味で遺体もそこにはない。したがって陪審員は被害者のことや、被害者が非業《ひごう》の死をとげる過程をまざまざと思いうかべることができない。文書に書かれた客観的な言葉は、恐怖や苦しみを喚起《かんき》する力が弱い。そのため、死因を文書で提出したがるのはふつうは弁護人のほうで、検事ではない。

「ビューフォード、元気？」手をさしだすと彼は私のギプスとつり包帯をちらっと見てから、視線を落として結んでいない靴ひもや、はみだしたシャツのすそに目をやった。ライターは私がスーツ姿で、自分の職業的地位にふさわしい環境にいるところしか見たことがない。彼は眉をひそめた。その表情はひかえめな同情と理解、それにわれわれ凡人を支配すべく神によって選ばれたエリートの、謙虚さと思いやりをあらわしているつもりらしい。この手の人間は、バージニアの名門といわれる一族によく見られる。特権をもつさもしい連中で、このような階級に属すことがさも重荷であるかのようにふるまうことで、そのエリート意識と傲慢さを巧妙に隠している。

「それより、きみこそどうなんだい？」ライターは、川を一望できるアナの居間にすわった。ここは丸天井におおわれた楕円形の優雅な部屋だ。

「何と答えたらいいかわからないわ、ビューフォード」私は揺り椅子に腰をおろした。「だれかにそうきかれるたびに、頭がリセットされたような気分になるの」アナは暖炉に火をおこしてから、姿を消したようだ。彼女がここにいないのは、たんに邪魔しないようにしようという配慮だけではないような気がして、不安になった。

「無理もないよ。あんな目にあったあとでそんなにちゃんとしていられるのが、ふしぎなくらいだ」ライターはべたつくようなバージニアなまりで話す。「いきなりやってきて悪かったね、ケイ。実はあることがおきたんだ。予想外のことが。すてきな家だね」またまわりを見まわす。「彼女が建てたのかな、それとももともと建っていたんだろうか?」

そんなことは知らないし、知りたいとも思わない。

「きみたちはかなり親しいんだろう」

ライターが世間話をしているつもりか、何かをさぐろうとしているのかわからない。「アナはいい友達よ」と、答えた。

「アナはきみのことをすごく大切に思ってる。ということは、彼女に世話になっていれば安心てことだな」

私がまるで入院患者のように、だれかの世話になっているといわんばかりの言いかたが気にさわり、彼にそう言った。

「そうか」ライターはあいかわらず薄いローズ色の壁にかかった油絵や工芸ガラス、彫刻、ヨーロッパの家具などに目をやっている。「じゃ、医者と患者の関係ではないんだね。いままで一度も?」

「正確にはね」つっけんどんに言った。「予約をとったことはないわ」

「彼女に薬を処方してもらったことは?」彼は平然とつづけた。

「ないと思うわ」

「もうすぐクリスマスだなんて、信じられないな」ライターはためいきをつき、外の川からこちらへ注意をもどした。

ルーシーの言葉をかりると、彼はださいかっこうをしている。ボタンのついたババリア風の緑色をしたぶあついウールのズボンのすそを、底の厚いフリースつきのゴムのブーツのなかにたくしこんでいる。バーバリーらしい格子縞のセーターは、ボタンをうえまでかけていた。今日は山にのぼるかスコットランドでゴルフをするか決めかねているとでもいうようだ。

「ええと、僕がどうしてここにきたか言おう。二、三時間前にマリーノが電話してきてね。シャンドンの事件に思いがけない展開があったんだ」

裏切られたという思いが胸をつらぬいた。マリーノからは何もきいていない。彼は今朝の私の様子を見にきてもくれない。

「できるだけ簡潔に話すよ」ライターは足を組み、きどったしぐさで両手をひざにのせた。細い結婚指輪とバージニア大の記念指輪が、ランプの明かりに光っている。「ケイ、きみも知ってるだろうが、きみの家でおこったことと、その後シャンドンが逮捕されたことは、国中で報道された。まさに全国津々浦々でね。むろんきみもニュースを追っているだろうから、これから僕が言うことの重要性がわかるはずだ」

恐怖はふしぎな感情だ。私はつねづねそれに注意をはらっている。いつも人に言っていることだが、恐怖のしくみを理解するには、べつの車の前にいきなり入りこんでぶつかりそうになったときの、後ろの車のドライバーの反応を思いだすとよい。パニックはたちまち怒りに変わり、相手は警笛をならすか卑猥《ひわい》なしぐさをしてみせるか、いまのご時世では銃をぶっぱなすかもしれない。私もこの一連の心の動きを完璧になぞり、強い恐怖が憤怒《ふんぬ》に変わった。「私はニュースを追ってはいないし、その重要性に思いをめぐらすつもりもないわ。プライバシーを侵害されるのは大きらいなの」

「キム・ルオングとダイアン・ブレイの殺害も注目を集めたけど、今回の事件……あなたに対する殺人未遂は、それどころではない」と、ライターはつづけた。「じゃ、今朝のワシントン・ポストも見てないんだね？」

私は怒りに燃えながら、だまって彼を見つめた。

「シャンドンが担架《たんか》にのせられて、救急室へ運ばれていく写真が第一面にのってる。毛むくじゃらの肩が、まるで毛足の長い犬みたいにシーツからはみだしている。もちろん顔は包帯でおおわれているけど、それでも彼がいかにグロテスクなやつかはわかる。タブロイド紙がどんな扱いをしてるか、想像がつくだろう。狼男リッチモンドにあらわるだの、美女と野獣だの」扇情的《せんじょうてき》な見出しは汚《けが》らわしいと思っているかのように、声に軽蔑がまじる。彼が妻と寝ている場面が、意に反して目にうかんだ。靴下をはいたままセックスしているところが見えるようだ。ライターはセックスを恥ずべきものと考えているのだろう。高尚《こうしょう》な自分が、生物としての原始的な判断に支配されてしまうとでもいうように。いろいろなうわさを耳にしている。トイレでは絶対に人のいるところで便器を使わないとか、強迫観念にとらわれているように手を洗うとか。彼があいかわらず行儀よくすわって、シャンドンのおかげで私がさんざん人目にさらされていることを話しているあいだ、こうしたことが頭のなかをかけめぐった。

「私の家の写真がどこかに出たかどうか知ってる?」それをきかないわけにはいかなかった。「昨晩、私道からでてきたときにカメラマンがいたんだけど」

「さあ。今朝、家のうえをヘリコプターがとんでいたのは知ってるよ。だれかがそう言っていた」ライターの答えをきいたとたん、あやしいと思った。彼はまた私の家へいって、自分でそれを見たのではないだろうか。「空中写真をとっていたそうだ」彼はふりしきる雪をながめた。「この天気ではもうできないだろうけど。ゲートのところで守衛が車を何台も追いかえしている。マスコミややじ馬だ。きみがドクター・ゼナーのところに泊まっていてよかったよ。何が幸いするかわからないものだ」言葉を切り、また川のほうへ視線をやる。カナダガンの一群が、管制塔からの指示を待ってでもいるように、円をえがいて舞っている。

「ふだんなら、裁判が終わるまで家へ帰らないようにすすめるところだが……」

「裁判が終わるまで?」彼をさえぎった。

「もしここで裁判がおこなわれるのならね」そう言って、つぎの新事実へ話をすすめていく。裁判地が変わったと言いだすのだろうと直感した。

「つまり、裁判はリッチモンド以外のところでおこなわれるってことね」と、口をはさんだ。「ふだんならというのは、どういう意味?」

「その話をこれからするところだ。マンハッタン地区検事からマリーノのところへ電話があってね」

「今朝? 新たな展開ってそのことなの?」わけがわからず、きいた。「ニューヨークがこの事件とどう関係あるの?」

「二、三時間前のことだ」と、ライターはつづけた。「性犯罪課の責任者の、ジェイミー・バーガーという女性から。妙な名前でね。J-A-I-M-Eとつづるんだが、ジェイミーと発音する。彼女のことはきいたことがあるかもしれない。知りあいだったとしても驚かないね」

「会ったことはないわ。でもきいたことはある」

「二年前の十二月五日、金曜日」と、ライターはつづけた。「二十八歳の黒人女性の遺体が、ニューヨークのアパー・イーストサイドで発見された。セカンド・アヴェニューと七十七番ストリートの角にあるアパートで。その女性はテレビで天気の解説をやっていた。CNBCの天気予報にでていたんだ。その事件のこと、きいたことがあるかな?」

意思に反して、つながりが見えはじめた。

「その朝……五日の朝早く、彼女がスタジオにあらわれないし、電話にもでないので、だれかが様子を見にいった。被害者は」ライターはズボンの尻ポケットから小さな革の手帳をとりだして、ページをめくった。「スーザン・プレスという名前だ。彼女の遺体は奥の寝室で見つかった。ベッドのそばの絨毯《じゅうたん》のうえだ。上半身の衣服がはぎとられ、顔と頭は、飛行機事故にあったのかと思うぐらいひどくなぐられていた」そこで私を見上げる。「それは引用だ、飛行機事故のくだりは。たぶんバーガーがマリーノに話したとき、そう言ったんだろう。きみがよく使っていた言葉、なんだっけ？　よっぱらったティーンエージャーたちが小型トラックに乗って猛スピードで走ってるときに、ひとりが窓から上半身をだして、運悪く木にぶつかったという事件があっただろう？」

「ひしゃげる、よ」彼の言ったことを考えながら、力なく答えた。「強い衝撃によって顔面がつぶれたようになる。飛行機が墜落したり、高いところから落ちたりとびおりたりして、顔が地面にぶつかったような場合に。二年前ですって？」頭が混乱してくる。「どういうことかしら？」

「詳細は省くよ、血なまぐさいから」ライターは手帳のページを繰りながら言った。「しかし噛んだあとがあった。手や足にもね。それに奇妙なうすい色の長い毛が血に付着していた。最初は動物の毛だと思われた。毛の長いアンゴラ種の猫かなにか」目をあげて私を見る。「わかるだろう、どういうことか?」

今回シャンドンはリッチモンドへきたが、アメリカへくるのは彼にとって今回がはじめてだとみな思っていた。はっきりした根拠があったわけではない。ただシャンドンのことをノートルダムのせむし男のような存在とみなし、強大な力をもつ一家の、パリにある屋敷の地下室に隠れて一生をすごしてきたものと思いこんでいたのだ。また彼が弟の遺体とともに、アントワープから船でリッチモンドへきたと思っていた。それも間違いなのだろうか? ライターにこの問いを向けた。

「インターポールがどんな推測をしているかは知ってるだろう」と、彼は言った。

「彼が偽名を使ってシリウスに乗っていたというのね」思いだして言う。「パスカルという名で。十二月はじめに船がリッチモンドについたとき、その男はすぐに空港へ送られた。家族に変事がおこったために、すぐヨーロッパへ戻らなければならないということで」先週、リヨンのインターポール本部へいったとき、ジェイ・タリーが教えてくれた情報をそのまま話した。「でも彼が実際に飛行機にのりこむところはだれも見ていない。だからパスカルが実はシャンドンで、彼はどこへもいかずにここへとどまって、殺人をはじめたのだろうと思われていたの。でももしこの男が自由にアメリカへ出入りしていたなら、どれぐらいアメリカにいたのか、いつきたのかがまったくわからない。さっきの仮説はなりたたないわ」

「まあ、全容がわかるまでには、いろんな仮説が修正されるだろうね。べつにインターポールやほかのだれかをけなすつもりはないけど」ライターは足を組みなおした。妙に満足そうな顔つきだ。

「居所はつきとめられたの？　そのパスカルという男の？」

知らない、とライターは言った。だが本物のパスカルがだれであれ――そもそも彼が実在するとして――おそらくシャンドン一家の犯罪組織とかかわりのあるろくでもないやつだろうという。「そいつも偽名を使ってるんだろうな。もしかすると仲間かもしれない。貨物船のコンテナのなかの、死んだ男の」と、ライターは考えながら言った。「遺体はシャンドンの弟のトマ・シャンドンだったな。彼が家族の犯罪にかかわっていたことはわかっている」

「バーガーはシャンドンがつかまったというニュースや、彼がおかした殺人のことをきいて、電話してきたんでしょうね」

「そう、同じ手口だとすぐに気づいたんだな。スーザン・プレス殺害のことが、いつも頭にひっかかっていたそうだ。バーガーはDNAを比較したくてうずうずしている。精液が残されていて、そのDNAのプロファイルはわかっているというんだ。二年前から」

「スーザンの事件で回収された精液は分析されているわけね」それをきいてちょっと驚いた。研究所はどこも山のような仕事をかかえているうえ、財政的にもきついので、比較できる容疑者がいないかぎり、DNA鑑定などしないのがふつうだからだ。とくに、プロファイルを照合して合致するのを見つけるための、広範なデータバンクがなければ、DNAの分析はしない。二年前にはニューヨークにはまだデータバンクがなかったはずだ。

「ということは、最初は容疑者がいたということ？」と、きいた。

「一人いたけど、違ったらしい。とにかく彼らがプロファイルをつかんでいることはたしかだ。こちらは至急シャンドンのDNAをニューヨークの地区検事局へ送ることになった。いまもう運ばれているところだ。あたりまえのことだが、シャンドンがリッチモンドで罪状認《ざいじょうに》否《んぴ》のために召喚《しょうかん》される前に、DNAが一致するかどうかを知る必要がある。いちはやくね。幸い、彼の病状……化学薬品による目のやけどのため、すくなくとも数日はかせげる」それが私とは無関係におこったことのように言う。「きみがよく言っていた黄金の時間みたいなものだな。ひどい事故かなにかにあった人を救うための、貴重な短い時間。いまがわれわれの黄金の時間だ。DNAを比較して、シャンドンが二年前にニューヨークであの女性を殺した人物かどうかを調べなきゃならない」

ライターには、私が前に言ったことを引用するいやな癖がある。そうした事例をひきあいにだせば、大事なことを知らなくても許されるとでも思っているかのようだ。「嚙んだあとは？」と、私はきいた。「それについて何か情報はあるの？　シャンドンはとても変わった歯をしてるんだけど」

「それがねえ、ケイ、そういうくわしい話はしなかったんだよ」

そうだろうとも。私は本当のこと、彼が今朝私に会いにきた本当の理由をさぐろうとした。「もしDNA検査の結果、シャンドンが犯人らしいとわかったらどうなるの？　リッチモンドでの彼の罪状認否手続きの前に結果を知りたいのね？　なぜ？」質問の形で言ったが、答えはわかっている。「彼をここで裁きたくないんでしょう。彼をニューヨークのほうにひきわたして、最初に向こうで裁判にかけさせたいのね」

ライターは私の目を避けている。

「なぜそうしたいの、ビューフォード？」話しているうちに、彼はそう決めたにちがいないと確信した。「そうすれば彼とかかわらずにすむから？　彼をライカーズ島に送りこんで、厄介払《やっかい》いするの？　こちらでおこった事件については彼を裁かないつもりなの？　正直に言って、ビューフォード。もしマンハッタンで彼が第一級謀殺《ぼうさつ》で有罪になったら、もうこちらで彼を裁判にかけるつもりはないんでしょう？」

ライターは真剣な顔で私を見た。「きみはこれまでみんなに尊敬されてきた」彼の言葉にぎょっとした。

「これまで？」冷水をあびせられたように、恐怖が体をつきぬける。「これからはそうじゃないというの？」

「いや、きみの気持ちはよくわかると言いたいだけだ。きみや、あの気の毒な女性たちのことを考えれば、彼にもっとも重い罰を受けさせるのが……」

「私に対してやろうとしたことについては、あいつは罪を問われないわけね」かっとなって彼をさえぎった。胸の底に苦痛がよどんでいる。拒否された痛み、見捨てられた痛みが。

「あなたの言う気の毒な女性たちにしたことについても、彼は罰を受けない。そうでしょう?」

「ニューヨーク州には死刑制度がある」と、ライターは答える。

「やめてよ」うんざりして言った。子供のとき、虫めがねで太陽の光を集めて、紙や枯れ葉に穴をあけたことがある。怒りをこめてライターをにらみつけた目は、そのレンズの焦点を思わせただろう。「実際にニューヨークで死刑が執行されたことがある?」一度もないことを彼は知っているはずだ。マンハッタンで注射による死刑に処せられたものはいない。

「バージニアでも執行されるという保証はないぜ」ライターがもっともなことを言う。「被告はアメリカ人ではないし、妙な病気だか障害だかがある。英語を話せるかどうかもわからない」

「私の家にきたときにはちゃんと英語を話したわ」

「精神異常の申し立てをして、罪をのがれる可能性だってある」

「それは検事の腕しだいよ、ビューフォード」

ライターはまばたきして、歯をくいしばった。ハリウッド映画にでてくる、ボタンをきっちりうえまでとめて小さなめがねをかけた会計士が、いやなにおいをかがされたときのようだ。

「バーガーと話したの？　話したにちがいないわ。自分ひとりでそんなことを考えるはずがない。ふたりで取引したんでしょう」

「話はしたよ。いろいろ圧力があるんだ。それはわかるだろう、ケイ？　第一に彼はフランス人だ。バージニアでフランス国民を死刑にしようとしたら、フランス人がどんな反応を示すと思う？」

「何ですって？」思わず言った。「これは死刑がどうのこうのという話じゃない。ただ刑罰を与えることについての話なのよ。私が死刑についてどう思ってるかは知ってるでしょう、ビューフォード。死刑には反対よ。年をとるにつれて、ますますその気持ちが強くなるわ。でも彼はバージニアでしたことについて、罰を受けるべきよ、絶対に」

ライターは何も言わずにまた窓の外を見ている。

「あなたとバーガーは、もしDNAが一致したらシャンドンをマンハッタンにひきわたすことで合意したのね」私は結論を述べた。

「考えてみろよ。裁判地が変わるという点で、これはわれわれにとって都合のいい展開なんだ」ライターはふたたび私と目をあわせた。「これだけ騒がれている事件の裁判を、リッチモンドでおこなえるわけがない。それはきみにもわかるだろう？　われわれはみんな、はるか遠くの田舎の裁判所へ送られることになる。何週間も、ひょっとすると何ヵ月も、そんなところにいなきゃならないんだよ」

「そうよね」立ちあがって火かき棒で薪をつついた。熱が顔にあたり、火花がおびえたムクドリの群れのように煙突をのぼっていく。「不便な思いをするのはごめんよね」火を消そうとしているかのように、使えるほうの腕で思いきり薪をつく。上気した顔でまた椅子にもどった。突然涙がでそうになった。外傷後ストレス障害《PTSD》についてはよく知っており、自分がいまそれにかかっていることもわかる。不安でたまらず、ちょっとしたことにもどきっとする。すこし前、ローカル放送のクラシック音楽のチャンネルをつけたら、パッヘルベルの曲が流れだしたとたん悲しみにおそわれ、泣きだしてしまった。症状はわかっている。ごくんとつばをのみこみ、気持ちを落ち着かせようとした。ライターは無言で私を見つめていた。いかにも高貴な者が悲しんでいるという風情《ふぜい》で、苦しい戦いを回想するロバート・E・リー将軍よろしく、疲れた表情を見せている。

「私はどうなるの？」と、きいた。「あの無残な殺人事件にかかわったことなどないように、知らん顔で生きていくの？　彼の被害者の検屍をしたり、彼に家に押しいられて命からがら逃げだしたりしたこともないように？　もし彼がニューヨークで裁かれたら、私はどんな役割をはたすことになるの、ビューフォード？」

「それはミズ・バーガーしだいだよ」と、ライターは答える。

「ただめし」正義をまっとうしてもらえなかった犠牲者のことを、私はこう呼んでいる。はやい話、ライターが提案しているシナリオにしたがうと、私はただめしになってしまう。なぜなら、リッチモンドで私にしようとしたことについて、シャンドンがニューヨークで裁かれることはないからだ。もっと不条理なのは、ここでおかした殺人に対して、彼は手をひっぱたかれるほどの罰も与えられないのだ。「あなたはいわばこの町全体を、オオカミに投げ与えたのよ」と、彼に言った。

期せずしてその言葉に二重の意味がこめられたことに、ライターも私と同時に気づいた。彼の目を見るとそれがわかった。リッチモンドはすでにシャンドンというオオカミのえじきになっている。フランスで殺しをはじめたとき、彼はルガル、つまり狼男とサインした手紙を送ってよこした。いまやこの町の犠牲者のための正義は、他人の手にゆだねられることになる。いや、より正確にいえば、正義はもたらされないだろう。どんなことでもおこりうる。いろんなことがおこるにちがいない。

「もしフランス政府が彼の引き渡しを要求したら？」と、ライターに詰問《きつもん》した。「そしてニューヨークがそれに応じたら？」

「おこりうる事態について言いはじめたら、きりがないよ」

私はあからさまな軽蔑をこめて、彼をにらみつけた。

「私情をさしはさまないほうがいいよ、ケイ」ライターはまたあの殊勝《しゅしょう》げで悲しそうな顔をしてみせた。「これを自分の戦いと考えるのはよくない。とにかくあの野郎を社会から葬《ほうむ》り去ればいいんだから。それをするのがだれであろうと関係ない」

私は椅子から立ちあがった。「いいえ、関係あるわ。大いに」と、彼に言う。「あなたは臆病者よ、ビューフォード」くるりと背を向けて、部屋をでていった。

数分後、私のいる棟の閉じたドアの向こうから、アナがライターを送りだすのがきこえた。彼はしばらくとどまって、アナと話をしていたようだ。私についてどんなことを言ったのだろう？　途方に暮れて、ベッドのはしに腰かけた。これほど孤独と恐怖にかられたことは、かつてない。アナが廊下を歩いてくる音がきこえると、ほっとした。彼女はドアを軽くノックした。

「どうぞ」ふるえ声で言った。

アナは戸口に立って、私を見た。自分が子供のように無力で意気地なしで愚かしく感じられる。「ライターを侮辱してしまったわ。たとえ事実であっても、言うべきじゃなかった。彼を臆病者と呼んだの」

「彼はあなたが平静を失っていると思っているわ」と、アナが言う。「心配しているみたい。彼のような人間を、アイン・マン・オーネ・リュックグラート、気骨のない男というのよ、わたしの国では」彼女はちょっとほほえんだ。

「アナ、私、平静を失ってなんかいないわ」

「せっかく暖炉の火が楽しめるのに、なぜこんなところにいるの？」

アナは私と話をするつもりらしい。「いいわ」譲歩して言った。「あなたの勝ちよ」

5

私はアナの患者だったことはない。そもそもサイコセラピーのたぐいは一度も受けたことがない。といっても、それを必要としたことがなかったわけではない。もちろん必要なときもあった。適切なカウンセリングから恩恵《おんけい》を受けない人などいないだろう。私がサイコセラピーを受けないのは、プライバシーを守りたいという思いが強く、あまり人を信じないからだ。それにはじゅうぶん理由がある。完全に秘密を守るのはなかなかできることではない。私は医者であり、ほかの医者を知っている。医者は同僚や家族、友人と話をする。そうした折にはヒポクラテスに誓ってだれにもしゃべらないと約束した秘密を話す。アナはランプを消した。雪がやんだ遅い朝の空はくもって黄昏《たそがれ》のように暗い。ローズ色の壁が暖炉の火を受け、居間はこのうえなく居心地よく感じられる。

急に落ち着かない気持ちになった。アナは私の心のベールをはぐためのステージを整えたのだ。私は揺り椅子にすわり、アナはオットマンをそばにひきよせてそのはしに腰かけ、巣のうえにうずくまる大きな鳥のように私のほうを向いた。

「黙っていたらいつまでも乗りこえられないわよ」情け容赦《ようしゃ》なく、ずばりと言う。

悲しみがのどもとにこみあげ、それを飲みこもうとした。

「あなたはトラウマを経験したのよ」と、アナはつづけた。「ケイ、あなたは鉄でできているわけではない。こんな目にあったのに、なにごともなかったように生きつづけることは、あなたにもできないわ。ベントンが殺されたあと何度も電話したのに、いつも時間がとれないと言って会おうとしなかった。どうして？ あなたが話したくなかったからでしょう」

今度ばかりは感情を隠すことができなかった。涙がほおをつたい、血のようにひざにしたたった。

「問題に直面しようとしない患者には、いつかそのつけを払うことになるといつも言ってきたわ」アナは身をのりだし、力をこめて私の心にまっすぐ言葉を放ってくる。「今日があなたの清算の日よ」私を指さし、じっと見つめた。「さあ、わたしに話すのよ、ケイ・スカーペッタ」

私はかすんだ目でひざを見おろした。スラックスに涙のしみがついている。完全な球形をしているのは、九十度の角度で落ちたからだなどという、ばかげた考えがうかんだ。

「私は決してそれから逃れることはできないわ」絶望感に打ちひしがれ、小声で言った。

「何から逃れられないの？」アナは興味をおぼえたようだ。

「自分のすることから。あらゆることが仕事に関連した何かを思いださせるの。それについて話したことはないけど」

「いま話してちょうだい」

「ばかばかしいことよ」

アナは私が釣り針をつついているのを知り、忍耐強い釣り人のように待った。やがて私は食いついた。ばかげているとは言わないまでも、口にするのが恥ずかしいような例をアナに話した。私が絶対にトマトジュースやV8やブラディメリー・オンザロックを飲まないことを。氷がとけはじめると、凝固《ぎょうこ》した血液が血清から分離しているところのように見えるからだ。医学校にいるころからレバーを食べなくなった。どんな種類であれ、内臓を口にする気にはとうていなれない。

ある朝ヒルトン・ヘッド島でベントンといっしょに浜辺を散歩していたとき、引き潮のために灰色の砂のうえにできたもようを見て、胃の内壁《ないへき》にそっくりだと思ったことがある。さまざまな思いが交錯し、フランスへ旅行したときのことを何年かぶりに思いだした。ベントンと私が仕事から離れることができためったにない機会に、ブルゴーニュの偉大なワイン生産地を旅し、ドルーアンやデュガといった名高い醸造元に迎えられ、シャンベルタン、モンラッシェ、ミュージニー、ヴォーヌ・ロマネの樽から酒を味わった。

「口では言えないほど感動したのをおぼえている」もう忘れたものとばかり思っていた記憶を語った。「早春の光が丘陵《きゅうりょう》や刈りこまれた冬のぶどうのねじれた枝にあたって、変化していくの。すべての木が同じように枝をのばして、持てる最高のもの、木のエッセンスを私たちに提供してくれる。でも私たちはその真髄《しんずい》にふれないことが多いのね。微妙なハーモニーを味わったり、上等なワインが舌のうえで奏《かな》でるシンフォニーに耳をかたむけたりするための、ゆったりした時間をとれないから」声がとぎれた。アナは黙って私が戻ってくるのをまっている。「みんなが私の扱う症例のことしかきかないのと同じだわ」と、つづけた。「私が目にするおそろしいもののことしかきかない。ほかにもいろいろなことがあるのに。私は安っぽい刺激がつまったねじぶたつきのびんじゃないのに」

「あなたは孤独なのよ」アナがやさしく言う。「それに誤解されている。あなたの患者の死者たちと同じように、人間性を剝奪《はくだつ》されているのかもしれない」

私はそれには答えず、似たものの説明をつづけようと、ベントンといっしょに数週間かけて汽車でフランスを横断して、ボルドーへいったときの話をした。南へいくにつれて屋根の色が赤くなり、春の最初の訪れが木々をおぼろな緑に輝かせていた。身体の血脈がすべて心臓からはじまり心臓へもどってくるように、小川や川はみな海へむかって流れていた。

「私、自然との類似にいつも感動するの。上から見ると川と支流は循環系のように見えるし、岩は古いばらばらの骨みたい。脳は最初はすべすべしているけど、時がたつにつれてしわが刻みこまれていく。山が何千年もかかってはっきりした特徴をそなえていくように。自然も人間も同じ物理の法則に支配されている。それでいて、違いがある。たとえば、脳はそれほど複雑な機能をもつようには見えない。ざっと見ただけでは、マッシュルームほどにもおもしろくないわ」

アナはうなずいている。そうしたことをベントンに話したことがあるか、と彼女はたずねた。ないわ、と私は言った。アナは、なぜそんなあたりさわりのない話を恋人であるベントンにしなかったのかを知りたがる。それについてはすこし考えてみる必要がある、と彼女に言った。自分でも答えがわからないのだ。

「だめよ」アナは私をうながした。「考えてはだめ。感じなくては」

私は思案した。

「だめ。感じるのよ、ケイ。ここで」手を心臓のうえにあてる。

「考えないわけにいかないの。考えることで今日の地位を築きあげてきたんですもの」弁解がましく言った。急にわれに返り、さっきまでいた不案内な場所からぬけだして、アナの居間に戻った。自分におこったことはすべてわかっている。

「あなたは知ることによっていまの地位を手に入れたわ」と、アナが言った。「知るというのは、五官で知覚すること。知覚したことを分析するのが考えること。考えることでしばしば真実が隠されてしまうのよ。なぜ自分の詩的な面をベントンに見せなかったの？」

「そういう面を認めていないからよ。無用なものだから。法廷で脳をマッシュルームにたとえてもしようがないでしょう」

「ああ」アナはまたうなずいた。「あなたは法廷で何かを説明するときに、たとえを使うことがよくある。だからインパクトのある証人になれるのよ。たとえで話すとふつうの人がわかるようなイメージがわくから。どうしていま話してくれたような連想のことを、ベントンには言わなかったの?」

私は椅子を揺らすのをやめ、骨折した腕の位置をかえてギプスをひざにおいた。アナから目をそらし、川のほうを見た。急にビューフォード・ライターのように、おどおどした気持ちになった。何十羽ものカナダガンが、スズカケノキの古木のまわりに集まっている。首の長い黒いヒョウタンのようなガンは芝生のうえにすわり、羽をひろげてぱたぱたさせたり、えさをついばんだりしている。

「想像の世界に入っていくようなことはしたくないの」と、アナに言った。「ベントンに話したくなかったわけじゃない。だれにも話したくない。口にだしたくないの、そのことは。自然にうかんだイメージとか連想を話さなければ、なんていうか、あの……」

アナは今度は深くうなずいた。「そういったものを認めなければ、仕事に想像力が入りこむことを防げるのね」私が言いかけたことを終わらせる。

「冷静で客観的でなければいけないから。あなたにはよくわかるはずよ」

アナは私をじっと見てから答えた。「それが理由? それとも仕事に想像力を入りこませたら浮かんでくるにちがいない、すさまじい苦痛を避けようとしているんじゃないの?」ますます身をのりだし、両ひじをひざについて手ぶりもいれながら言う。「たとえばね」劇的効果をねらうように間をおいた。「もし科学と医学の知識に想像力を加えて、ダイアン・ブレイの生涯の最後の数分をくわしく再現できたとしたら？　映画のようにその場面を見ることができたら？　彼女がおそわれ、血を流し、嚙まれ、打たれて死んでいくところを？」

「考えただけでぞっとするわ」やっとの思いで答えた。

「もし陪審員がそれを見ることができたら、どんなに強い効果をおよぼせるか」

無数の小魚が皮膚のしたでうごめいているように、神経がざわざわする。

「あなたが言うように、想像の世界に入っていったら」と、アナはつづけた。「どこまでいくと思う？」両手をあげる。「どこまでもいって、最後はベントンが殺害される場面を見ざるをえなくなるかもしれない」

私は目をつぶった。彼女の言うことに抵抗する。どうぞ神さま、そんなものを見せないでください。暗がりで銃をつきつけられたベントンの姿が、一瞬目の前にあらわれた。カチリという音、そして手錠をはめるパシッという音がひびく。彼らはベントンをあざけるだろう。ミスター・FBI、あんたは頭がいいからわかるだろう、これから何をされるか、えっ、ミスター・プロファイラー？　おれたちの心が読めるか？　何をするつもりか予測できるか？　えっ？　ベントンは答えないし、何もたずねないだろう。彼らはペンシルバニア大学の西のはしにある町の小さな食料品店が午後五時にしまったあと、彼をそこに押しこんだ。ベントンは死ぬことになる。彼らはベントンを苦しめ、痛めつけるだろう。ベントンは必死で考える。時間があれば必ず彼らが自分に与えるだろう苦痛と辱《はずかし》めを、どうすれば最小限にとどめられるかを。暗闇とマッチをする音。ふたりのおぞましい異常人格者が歩きまわるたびに小さな炎がふるえ、その光にてらされたベントンの顔がゆらめく。彼らがいるのはパキスタン人が所有する小さなみすぼらしい食料品店の、空調用の小区画室《プレナム》だ。ベントンを殺したあと、ふたりは店に火をつけた。

ぱっと目をあけた。アナが話しかけている。冷や汗が虫のようにゆっくり脇を伝うのを感じた。「ごめんなさい。なんて言ったの?」

「つらいでしょう」私への同情でアナの顔がやわらいだ。「想像もできないわ」

ベントンが頭のなかに入りこんできた。お気に入りのカーキ色のズボンにランニングシューズをはいている。ソーコニーのランニングシューズだ。ソーコニー以外のブランドのものははかなかったので、こうるさい人ねと言ったことがある。彼は本当に何かが好きだと、あくまでもそれにこだわるからだ。上はルーシーにもらったUVA《バージニア大》の古いスエットシャツを着ている。ダークブルーにあざやかなオレンジ色の字がかかれているが、長年のあいだに色あせ、生地がやわらかくなっている。袖は短すぎるので切ってしまっていた。私はその古びたスエットシャツを着たベントンが、彼の銀色の髪とすっきりした横顔、なぞを秘めた黒い真剣な目を見るのが好きだ。彼は椅子のひじかけにそって軽く手をまげる。ピアニストのように長くほっそりして、話すときに豊かな表情を見せるその指は、私にふれるときはいつもやさしい。彼が私にふれることは時とともに少なくなっていく。こうしたことを、アナに話してきかせた。一年以上前に死んだ男のことを、現在形で語っている。

「ベントンはどんな秘密をもっていたの？」と、アナがきいた。「彼の目のなかにどんななぞを見たの？」

「そうねえ。おもに仕事のことね」声がふるえ、不安に心臓が高鳴っている。「細かいことをたくさん、自分だけの胸にしまっていたわ。いろんな事件で見たディテール。あまりにむごたらしくて、ほかの人には見せたくないと思うようなこと」

「あなたにも？　あなたがこれまでに見ていないことなんてあるの？」

「被害者の苦痛」低い声で言った。「私はその人たちの苦痛を見なくてもすむ。悲鳴をきかなくてもすむ」

「でも頭のなかでそれを再現するわけでしょう」

「実際に見たりきいたりするのとはちがうわ。そう、絶対ちがう。ベントンが扱った殺人者の多くは、被害者にしたことを写真にとったり録音したり、場合によってはビデオにとったりしていたの。ベントンはそれを見なければならなかったし、きかなければならなかった。いつもわかったわ。暗い顔で帰ってくるの。夕食のあいだあまり話をしないし、食べない。そういう日の夜は、ふだんよりたくさんお酒を飲んだわ」

「それでもあなたには話さなかった……」

「絶対に」と、熱をこめて言った。「一度もよ。それは彼の聖域で、だれも足をふみいれることは許されなかったの。昔セントルイスで、死因に関する講習の講師をしたことがあるの。キャリアのはじめのころよ。まだここへくる前、マイアミで副検屍局長をしていたとき。溺死《できし》についての講義をしたんだけど、どうせここにいるんだからと思って、一週間の講習に全部でることにしたの。ある日の午後、法精神科医によるセックス殺人についての講義があってね。生きている被害者のスライドを見せられたの。そのひとつは椅子にしばりつけられた女性のものだった。片方の乳房はロープでかたくしばられて、乳首に針が何本も刺してあった。いまだに彼女の目が忘れられないわ。地獄の苦しみに満ちたふたつの黒い穴だった。悲鳴をあげる口は、大きくひらかれていた。ビデオも見たわ」抑揚《よくよう》のない声でつづける。「誘拐された女性がしばられ、拷問《ごうもん》されて、最後に頭を撃たれようとしているの。彼女は弱々しい声で母親を呼んでいた。泣きながら命乞《いのちご》いをして。どこかの地下室にいたんだと思う。画面は暗くて、ぼんやりしていたわ。銃声がして、あとはしんとした」

アナは何も言わない。火がはじけ、パチパチ音をたてた。

「六十人ほどの警官のなかで、私が唯一の女だったの」と、私は言いそえた。

「それじゃなお悪いわね。被害者はみんな女性で、あなたがたったひとりの女性では」

何人かの男性がスライドやビデオを見つめていた様子を思いだすと、怒りがこみあげた。

「女性が性的に痛めつけられるのを見て、興奮する人たちもいたわ。顔を見ればわかった。プロファイラーのなかにもそういう人がいた。捜査支援課の、ベントンといっしょに仕事をしていた人たちよ。バンディが首をしめながら後ろから女性を犯す様子を描写するの。被害者は目と舌がとびだしている。彼女が息絶えると同時に、彼はクライマックスに達するの。ベントンの同僚の男性たちは、それを話すことを楽しんでいた。どんな気がするかわかる?」鋭い目でアナを見つめる。「遺体や、暴力をふるわれて恐怖におののき、苦しんでいる女性の写真やビデオを見ながら、まわりの人はひそかにそれを楽しんでいる、それをセクシーだと思っていると気づいたとき」

「ベントンはそれをセクシーだと感じていたと思う?」

「いいえ。彼は毎週、もしかすると毎日そういうものを見ていたのよ。セクシーだなんて、とんでもない。ベントンは彼女たちの悲鳴をきかなくてはならなかったのよ」私はとりとめなくしゃべりはじめていた。「泣いたり懇願《こんがん》したりするのをきかなければならなかった。その気の毒な人たちは知らなかったのよ。もし知っていたとしても、そうせずにはいられなかったでしょうけど」

「知らなかった?　その気の毒な人たちは何を知らなかったというの?」

「性的なサディストは、相手が泣いたり懇願したりおびえた様子を見せると、ますます興奮することを」

「ベントンは犯人たちに拉致《らち》されてあの暗い店につれていかれたとき、泣いたり命乞いをしたと思う?」アナはとどめの一撃を加えようとしている。

「彼の検屍報告書を見たけど」私は客観的になれる隠れ家へ逃げこんだ。「死ぬ前に何がおきたのかをはっきり示すようなものはなかったわ。遺体は火事でひどく損傷していたの。組織がほとんど燃えてしまっていたから、切られたときにまだ血圧があったかというようなことは、わからないの」

「頭に銃創《じゅうそう》もあったんでしょう？」

「ええ」

「どっちが先だったと思う？」

黙って彼女を見つめた。彼がどのように死んでいったのか考えたことはない。どうしてもそれをすることができなかった。

「想像してごらんなさい、ケイ」と、アナが言う。「わかっているんでしょう？　これだけたくさんの遺体を扱ってきたのだから、何がおこったのかわからないはずがないわ」

私の頭のなかはまっ暗だ。フィラデルフィアのあの食料品店のなかのように。

「彼は何かをしたのよね？」アナはオットマンのいちばんはしにすわり、かがみこむようにして私をせっついた。「彼は勝った。そうでしょう？」

「勝った？」私は咳払いした。「勝ったですって！」大声をあげる。「やつらは彼の顔を切りとって、遺体を焼いたのよ。それなのに彼が勝ったというの？」

アナは私が気づくのを待った。私が黙っていると立ちあがって暖炉のほうへいった。そばをとおるとき、軽く私の肩にさわる。もう一本薪をくべ、私を見て言った。

「ケイ、ひとつきくけど、ことが終わったあとで彼を撃つ理由がある？」

私は目をこすってためいきをついた。

「顔を切りとるのは彼らの手口の一部だった」と、アナはつづけた。「ニュートン・ジョイスが被害者にそうするのを好んだ」ニュートン・ジョイスは悪の化身のようなキャリー・グレセンの邪悪なパートナーだ。異常人格者であるふたりに比べると、ボニーとクライドなどは子供のころ土曜日の朝に見ていたアニメのような、かわいらしいものに思える。

「顔を切りとって、記念品としてフリーザーに保存する。ジョイス自身の顔があばた面でひどくみにくかったから。自分の嫉妬するもの、つまり美しい顔を盗んだ。そうでしょう？」

「まあ、そうね。人がなぜあることをするかについてのそういった仮説が、ある程度信頼できるものとすれば」

「注意深く、顔を傷つけないように切りとることがジョイスにとっては大事だった。だから被害者を撃つことはしなかった。とくに頭は。顔や頭皮に傷をつけるリスクをおかしたくなかったから。それに撃つのは簡単すぎる」アナは肩をすくめた。「一瞬で終わってしまう。慈悲《じひ》深いとも言えるかもしれない。のどをかき切られるよりは、撃たれたほうがずっとましだわ。ではなぜニュートン・ジョイスとキャリー・グレセンはベントンを撃ったの？」

アナは私を見おろすように立った。私は彼女を見上げた。「彼が何かしたのね」ついにゆっくり答えた。「そうにちがいないわ」

「そうよ」アナはまた腰をおろした。「そう、そう」交差点をわたれと車に指示するときのように手を動かして、私をうながす。「何を？ 何をしたの？ 教えて、ケイ」

ベントンがニュートン・ジョイスとキャリー・グレセンに何と言ったのかはわからない、と答えた。だがふたりのどちらかが自分を抑えられなくなるようなことを、言ったかしたにちがいない。どちらかが衝動的にベントンの頭に銃をつきつけ、引き金をひいた。バン。そして楽しみは終わった。ベントンは何も感じなくなった。そのあとのことはいっさい認識していない。その後彼らが何をしようと関係ない。ベントンはすでに死んでいたか死にかけていた。意識がなかった。ナイフがあてられるのは感じなかった。それを見ることもなかったのかもしれない。

「あなたはベントンのことを知りつくしている」と、アナが言った。「それに彼を殺したやつらのことも知っていた。すくなくともキャリー・グレセンは知っていたわね。過去にかかわったことがあったから。ベントンは何を、だれに言ったのだと思う？ どちらが彼を撃ったの？」

「そんなこと……」

「わかるはずよ」

私はアナを見た。

「かっとなったのはどっち?」アナは、とても到達できないと思っていたところへ私を押しやる。

「彼女のほう」心の奥から答えをひきだした。「キャリーよ。個人的な感情があったから。昔からベントンとかかわっていたから。最初から。彼女がクワンティコの技術開発研究所《ERF》にいたころから」

「キャリーはそこでルーシーと出会ったのね。昔の話だけど。もう十年近く前」

「そう、ベントンは彼女を、キャリーを知っていたわ。ああいう異常な人間の心を理解できるとすれば、ベントンほどそれがよくわかっていた人はいないわ」と、言いそえる。

「ベントンは彼女に何と言ったの?」アナの目は私を見据えている。

「たぶんルーシーのことでしょうね。ルーシーに関することで、キャリーを侮辱するようなこと。ベントンはキャリーを侮辱した、ルーシーのことで彼女をあざけった。きっとそうだと思う」潜在意識と舌が直接つながっているかのようだ。考える必要もない。

「クワンティコにいるとき、キャリーとルーシーは恋人同士だったのね」アナがもうひとつの事実をつけ加える。「ふたりとも技術開発研究所で人工知能コンピューターの仕事をしていた」

「ルーシーは実習生だったの。まだ十代で、ほんの子供だった。そのルーシーをキャリーが誘惑したの。ふたりはいっしょに、あるコンピューターシステムの開発にたずさわっていた。ルーシーをそこで実習させるように手配したのは私なの」苦々しい思いで言いたす。「そうよ。影響力のあるえらい伯母である私」

「ことはあなたが思っていたようにはいかなかったのね」と、アナが言う。

「キャリーは彼女を利用した……」

「ルーシーをゲイにした？」

「いいえ、そこまでは言えないと思う。人をゲイにするなんてことはできないもの」

「ベントンに死をもたらした？　そこまでは言える？」

「わからないわ、アナ」

「過去のいろいろなできごとに個人的なかかわり。そう、ベントンはルーシーのことを何か言い、キャリーはかっとして思わず彼を撃った」アナはひとことで言う。「ベントンは彼らが計画したようには死ななかった」勝ち誇ったような声だ。「ぜったいそうよ」

私は外を見ながら静かに揺り椅子をゆらした。陰鬱《いんうつ》な朝の天気は荒れもようになってきていた。強風にちぎりとられた枯れ枝やつるが、アナの裏庭から吹きとばされていく。それを見ると、『オズの魔法使い』で怒った木がドロシーにリンゴを投げつける場面を思いだした。

やがてアナはつと立ちあがった。まるで診察時間は終わったとでもいうようだ。私をそこに残して、家のほかの用事をするために部屋をでていった。いまのところはもうじゅうぶん話した。私はキッチンへひっこむことにした。

昼ごろ、ルーシーがトレーニングから帰ってきたとき、私はそこにいた。ホールトマトの缶をあけていると、ルーシーが入ってきた。レンジのうえではつくりはじめたばかりのマリナーラソースが煮えていた。

「手伝おうか？」ルーシーはまな板にのっているたまねぎとピーマンとマッシュルームを見た。「片手でいろんなことをするの、大変でしょう」

「スツールをもってらっしゃい」と、彼女に言った。「私が独力でやるところを見せて感心させてあげる」おおげさにいばってみせ、ひとりで缶をあけた。ルーシーは笑って、カウンターの向こうからスツールをもってきてすわった。まだランニングウェアのままで、目には秘密の光がやどっている。明け方、川面《かわも》が太陽の光を受けてきらめくさまを思いだした。動かすことのできない左手の二本の指でたまねぎをおさえて、スライスしはじめた。

「昔やったあのゲームおぼえてる？」スライスしたたまねぎを平らにおいて、刻みはじめる。「あなたが十歳のころ。それともそんな昔のことは忘れちゃった？　私は絶対忘れないけど」彼女がいかに手に負えない子だったかを思いださせるような口調で言った。「あなたは知らないでしょうけど、できることならこの子を追いだしたい、と何度思ったかしれないんだから」あえて言いにくい事実を口にした。アナと腹をわって話したことで、大胆な気持ちになっていたのかもしれない。あの話しあいで動揺してはいたが、心がうきたってもいた。

「それほどひどくはなかったわよ」ルーシーの目が輝く。子供のころ私の家に泊まりにきたとき、自分がいかに悪ガキぶりを発揮したかをきくのが大好きなのだ。

刻んだたまねぎを手ですくってソースに加え、かきまぜた。「真実のお酒。おぼえてる、あのゲーム？」と、ルーシーにきく。「私が家に帰ってくる。たいてい仕事からね。あなたの顔を見ると、何かろくでもないことをしでかしたことがわかる。そこで居間の大きな赤い椅子にあなたをすわらせる。おぼえてる、あれ？　ウィンザー・ファームズの家の暖炉のそばにあった椅子。そしてコップにジュースを入れてもってきて、これは真実のお酒だと言う。するとあなたはそれを飲んで、告白するの」

「おばさんがいないあいだに、コンピューターを初期化しちゃったときとか」ルーシーはげらげら笑っている。

「たった十歳で、私のハードディスクを初期化しちゃうんだから。あやうく心臓発作をおこすところだったわよ」思いだして言う。

「あら、でも最初にファイルのバックアップを全部とっといたじゃない。どきっとさせたかっただけよ」ルーシーは大いに楽しんでいる。

「もう少しで家に追い返すところだったわ」ギプスがたまねぎくさくならないように、左手の指をふきんでふきながら、感傷にひたった。最初にルーシーがリッチモンドの私の家に泊まりにきたのがなぜだったかはおぼえていない。だが私は子育てには向いていなかったし、新しい職についたばかりで大変なプレッシャーのもとにあった。ドロシーのほうに何か事情があったのだろう。またがれかとかけおちして結婚したのか、あるいは私がうまくのせられたのか。ルーシーは私をあがめていたが、こちらはあがめられるのに慣れていなかった。マイアミにいる彼女のもとを訪れるたびに、ルーシーは家中わたしのあとをついてまわる。どこへいっても、サッカーボールのように私の足もとにくっついて歩いてくるのだ。

「家に追い返すつもりなんかなかったくせに」ルーシーは挑《いど》むように言ったが、その目に疑いの色があるのを見逃さなかった。自分が求められていないという不安は、彼女の人生の事実にねざしているものだ。

「あなたの世話をする自信がなかったからよ」シンクにもたれて言った。「あなたのことを好きじゃなかったからではなくて。まったく手のかかるとんでもない子ではあったけどね」ルーシーがまた笑う。「でもそのとおりよ。家に返す気なんかなかった。そんなことしたらお互いにがっくりきてたでしょうよ。とてもできなかったわ」私は首をふった。「とにかくあのゲームがあってよかったわ。あれはあなたが何を考えているのか、私が仕事や何かで家をあけているあいだにどんないたずらをしたのか、さぐりだす唯一の方法だったのよ。そういうわけで、ジュースかワインをつぎましょうか？　それとも、そんなことをしなくても何があったのかさっさと話してくれる？　私は昨日生まれたわけじゃないのよ、ルーシー。理由なくホテルに泊まるはずないでしょう。何かしようとしてるのよね」

「連中がくびにした女性は、あたしがはじめてじゃないわ」

「くびにしたもっとも優秀な女性ってことになるでしょうね」と、応じた。

「ティウン・マガヴァンをおぼえてる?」

「一生忘れないわ」ティウン・マガヴァンは、ATFのフィラデルフィア地方局でのルーシーの上司だった。すばらしく有能な女性で、ベントンが殺されたとき、とてもよくしてくれた。「まさかティウンに何かあったんじゃないでしょうね」心配になって言う。

「彼女、六ヵ月ぐらい前にやめたの。ATFは彼女をロサンゼルスへ移して、そこの局のSACにさせるつもりだったらしい。最悪の任務よ。だれもロスへなんかいきたがらない」SACとは特別捜査官長のことだ。女性が連邦法執行機関の地方局の責任者になるケースは、きわめてすくない。ルーシーの話では結局マガヴァンはATFをやめ、私的な捜査機関をつくることにしたという。「ラスト・プリシンクト《最終管区》っていうの」ルーシーはますます興奮してきた。「かっこいい名前でしょう? ニューヨークが本部なの。ティウンは協力してくれる人をいろいろ集めてる。放火捜査官や爆弾処理の専門家、刑事、弁護士といった人たち。まだ半年もたっていないのに、もうクライアントがついてるの。秘密結社みたいな感じになってきてるわ。ちまたでうわさになってるらしい。困ったらラスト・プリシンクトに連絡しろって。ほかにたよるところがないときに、いくところよ」

ぐつぐついっているトマトソースをかきまわし、味をみた。「フィラデルフィアを離れてからも、ティウンとは連絡をとりあってたのね」小さじに何杯かのオリーブオイルを入れる。「残念。ソースはこれでもいいけど、ドレッシングには使えないわ」オイルのびんをもちあげて、顔をしかめた。「種が入ったままオリーブをしぼるのは、皮のままオレンジをしぼるようなものでね。それなりの味になっちゃうのよ」

「アナはイタリアのものが大好きってわけじゃなさそうだけど、なぜかしら？」ルーシーが冗談ぼく言う。

「教育してあげなきゃ。買い物のリスト」電話のそばのメモ帳とペンをあごでさした。「まずエクストラヴァージンオイル。イタリア式に種をとってからしぼったもの。もしあればミッション・オリーブ・スプリーモがいいわ。苦みがまったくないの」

ルーシーはそれをメモしながら言った。「ティウンとはずっと連絡をとりあってたの」

「ティウンがやってることに、何らかの形でかかわってるの？」会話がそちらの方向へ向かっていることはわかる。

「まあね」

「つぶしたニンニク。冷蔵品のところにあるわ。小さなびんに入ったのが。ちょっと手抜きをするの」赤身の牛ひき肉の入ったボウルをとりあげた。肉はよく炒めて、脂《あぶら》をきってある。「いまは自分でニンニクをつぶすわけにいかないから」肉をソースに加える。「どんなふうにかかわってるの？」冷蔵庫へいき、ひきだしをあけた。やはりアナは生のハーブをおいていない。

ルーシーはためいきをついた。「それがねえ、ケイおばさん。ちょっと言いにくいの」

つい最近まで、姪と私はあまり話をしなかった。こみいった話はとくにだ。この一年は、会うこともめったになかった。ルーシーはマイアミへ移り、ベントンが死んでからはお互いに殻のなかにとじこもってしまったのだ。ルーシーの目にひそんでいるものを読みとろうとした。たちまちさまざまな可能性が頭にうかぶ。マガヴァンとルーシーの関係に疑念をもった。去年、私たちがバージニア州ワレントンでの、凄惨な放火事件の現場に呼びだされたときから疑っている。その放火は殺人を隠すためのもので、キャリー・グレセンが首謀者としておこなった一連の犯行の最初の事件だった。

「生のオレガノとバジルとパセリ」買い物リストに加えるように言った。「それからパルミジャーノ・レジャーノをひとかけ。ルーシー、本当のことを言って」私はスパイスをさがした。マガヴァンは私と同じぐらいの年で、独身だ。すくなくとも最後に会ったときはそうだった。戸棚の戸をしめて、ルーシーと向きあった。「ティウンとは恋人同士なの?」

「前は?」

「前はそうじゃなかったけど」

「おばさんにそんなことを言う資格あるの?」ルーシーは淡々と言った。「おばさんとジェイはどうなのよ?」

「ジェイは私のもとで働いてるわけではない。もちろん私も彼の下で働いてはいないわ。ジェイのことは話したくない。あなたのことを話してるのよ」

「そんなふうにあっさり片づけないでほしいわ、ケイおばさん」ルーシーは静かに言った。「そういうつもりはないのよ」おわびのつもりで言う。「ただ、いっしょに仕事をしている人と個人的な関係になるのはどうかなと思って心配してるだけ。一定のルールというものがあると思うから」

「おばさんだってベントンと仕事をしてたじゃない」ルーシーは私自身のルール違反を指摘する。

私は鍋の内側にスプーンを軽く打ちつけた。「自分はやったけど、あなたにはやってほしくないことはたくさんあるわ。やらないように言うのは、自分が先に間違いをおかしたからよ」

「おばさん、アルバイトってしたことある？」ルーシーは腰をのばし、肩をまわした。

私は眉をひそめた。「アルバイト？　したことないわ」

「じゃあ本当のことを言うわ。あたしはひそかにアルバイトをしてる極悪人なの。ティウンの最大の後援者があたし。つまり〝ラスト・プリシンクト〟の大株主ってわけ。さあ、これが真実よ。きかせてあげるわ」

「すわりましょう」いっしょにテーブルへいき、椅子をひきだした。

「すべては偶然からはじまったの」ルーシーは話をはじめた。「二、三年前に、自分で使うための検索エンジンをつくったの。そのうち、インターネット・テクノロジーで巨万の富を築いたというような話がさかんに耳に入ってきた。それで、かまやしないと思って七十五万ドルでその検索エンジンを売ったの」

私は驚かなかった。自分で選んだ職業によって制限されていなければ、ルーシーはいくらでももうけることができるだろう。

「そのあと手入れでコンピューターを何台か押収《おうしゅう》したとき、あることを思いついたの」と、ルーシーはつづける。「消去されたeメールを復元するのを手伝っているとき思ったんだけど、コンピューターで通信してると、あとでそれを復元されて利用される危険があるでしょう。それでeメールをスクランブルする方法を考えだしたの。いわばシュレッダーにかけるわけ。いくつかのソフトウェアパッケージにそれが使われてね。おかげでがっぽりもうけたの」

単刀直入《たんとうちょくにゅう》にきかずにはいられなかった。犯罪者のeメールを法執行機関が復元することをはばむようなソフトを彼女が発明したことを、ATFは知っているのだろうか？　どうせそのうちだれかがそういうソフトをつくりだすに決まっているし、ふつうの市民のプライバシーも守る必要があるから、というのがルーシーの答えだ。ATFは彼女が企業家として活動していることや、インターネットに関連した発明や株式投資をしていることは知らない。

現時点では、ルーシーが自家用のヘリコプターを発注するような億万長者であることを知っているのは、彼女の財務顧問とティウン・マガヴァンだけだ。

「それでティウンはニューヨークのような物価の高い都市で、自分の事業をはじめることができたのね」と、憶測した。

「そのとおり」と、ルーシーが言う。「あたしがATFと闘わないのもそのため。すくなくともそれが理由のひとつ。もし彼らと闘えば、プライベートな時間に何をしてたかがばれちゃうでしょう。部内事項課や監察部が徹底的に調査するから。官僚主義の十字架にあたしをかけて、あたしの評判をさらに落とすべく釘を打ちこむわ。みすみすそんなことをさせるわけにいかないわよ」

「不正と闘わなければ、ほかの人がそのために苦しむのよ、ルーシー。たぶんその人たちは人生を新たにはじめようと思っても、何百万ドルというお金やヘリコプターやニューヨークの会社なんかもってないでしょうから」

「ラスト・プリシンクトはまさにそのためにあるのよ」と、ルーシーは答える。「不正と闘うために。あたしは自分のやりかたで闘うわ」

「法的にいうと、副業をしていることは、ATFがあなたに懲罰《ちょうばつ》を与える根拠のなかには含まれないでしょう」私のなかの弁護士が言う。

「でもサイドビジネスで金もうけすることは、あたしの誠実さを疑う根拠になるんじゃない？」ルーシーは向こうの立場にたって言った。

「ＡＴＦは誠実さに欠けると言ってあなたを非難したことがある？　不正直だと言ったことがある？」

「それはないわ。どんな文書にもそういうことを書くはずはない。それはたしか。でもね、ケイおばさん、あたしが規則を破ったことは事実よ。ＡＴＦやＦＢＩをはじめとする法執行機関に雇われているあいだは、ほかの手段でお金をもうけてはいけないことになってるの。でもその禁止事項には反対だわ。不公平だもの。警官はアルバイトができるのに、われわれはできない。あたしはどうせ連邦機関にはそう長くいられないって、前から思ってたの」テーブルから立ちあがる。「だから将来のことを考えたわけ。なにもかもいやになっちゃったの。一生、人の指図《さしず》を受けて生きていくのはごめんだわ」

「ＡＴＦをやめたいのなら、自分の決断でそうしなさい。彼らの決断でなく」

「自分でそう決めたのよ」かすかにいらだちをこめて言う。「そろそろ買い物にいってくるわ」

ルーシーと腕を組んでドアまでいった。「ありがとう。話してくれてすごくうれしいわ」

「ヘリコプターの操縦のしかたを教えてあげるわ」ルーシーはコートを着た。

「それもいいかも」と、答えた。「今日はいったことのないところへあちこちつれていかれたから。いく場所がすこしばかり増えたところで、どうってことないわ」

6

何年も前から、バージニアの住民は芸術のためにニューヨークへいき、ニューヨークの人々はごみのためにバージニアへくるという、無礼なジョークがまかりとおっている。ジュリアーニ市長と当時のバージニア州知事、ジム・ギルモアが反目《はんもく》しあっていることはメディアにさかんにとりあげられたが、ジュリアーニは南部の埋め立て地に、何メガトンもの北部のごみをマンハッタンから船で送りこむ権利をギルモアに要求して、あやうく第二の南北戦争をひきおこすところだった。いまやわれわれは正義のためにもニューヨークへいかねばならないらしいといううわさが広まったとき、人々はいったいどんな反応を示すことだろう。

私がバージニア州の検屍局長に就任してから現在にいたるまでのあいだ、ジェイミー・バーガーはマンハッタンにある地区検事局の性犯罪課の責任者をつとめている。会ったことはないが、彼女と私はいっしょに言及されることが多い。私は全国でもっとも有名な女性法病理学者で、バーガーはもっとも有名な女性検事であると言われる。これまでそのような言いぐさに対する私の唯一の感想は、私は有名になりたくないし、有名な人は信用しないというものだった。それに、女性という言葉は形容詞として使うべきではない。成功した男性について、男性医師とか男性大統領とか男性社長というような言いかたはしないのだから。

ここ数日間、アナのコンピューターを使って何時間もかけて、バーガーのことをインターネットで調べている。圧倒されたくはなかったが、舌を巻かざるをえなかった。彼女がローズ奨学金を受けていることも、クリントンの就任後、司法長官の候補にあがっていたことも知らなかった。タイム誌によると、かわりにジャネット・リノが任命されると、彼女は内心ほっとしたという。バーガーは犯罪を告発することをやめたくなかったのだ。判事の職や民間の法律事務所からの無数の申し出をことわってきたのも、同じ理由からだろう。彼女を尊敬する検事たちにより、バーガーの母校であるハーバード大学に、彼女の名前を冠したスカラシップ（奨学金制度）が設けられている。ふしぎなことに、バーガーの私生活についてはほとんど記述がない。わかっているのはテニスをすることぐらいだ。むろん腕前は一級だ。ニューヨークのアスレチッククラブで週三回、午前中トレーナーについてトレーニングをし、毎日五、六キロ走る。ひいきにしているレストランはプリモーラだ。彼女がイタリア料理を好むことを知って、ちょっとほっとした。

いまは水曜日の夕方だ。ルーシーとふたりでクリスマスのショッピングをしている。あちこち見て歩き、耐えられる限界まで買い物した。頭のなかは心配ごとでいっぱいだし、ギプスで固められた腕はかゆくてたまらず、たばこを吸いたいという強烈な欲望におそわれている。ルーシーはリージェンシー・モールのなかで、自分の買い物をしている。うごめく群集から離れられるところはないかとさがした。何千人という人々がクリスマスの三日前になって、大事な人への心のこもったとくべつな贈り物をさがすためにくりだしたらしい。人声と絶えまない動きがまぜあわさってとぎれなくつづく轟音《ごうおん》となり、考えることも話をすることもできない。有線放送で流されるクリスマス音楽が、すでにざわついている神経をますますいらだたせる。シードリーム・レザーショップの正面のガラスの前に立って、人込みに背を向けた。後ろではぎごちなくピアノをひくように、人々が何の喜びもなくあくせくと動いてはとまり、無理に先へすすんでいく。

携帯電話をしっかり耳にあてた。最近、私はその中毒になっている。日に十回ぐらいボイスメールをチェックせずにはいられない。それが以前の私といまの私とを人知れず結ぶ、細いきずなだ。録音されたメッセージをきくことが、家へ帰る唯一の方法なのだ。

メッセージは四つ入っていた。秘書のローズが、私の様子をたずねるために電話してくれている。母は人生全般についての不平を長々と述べていた。あとは請求書についておききしたいというAT&Tの顧客サービスと、話があるという副検屍局長ジャック・フィールディングからの伝言だ。すぐフィールディングの自宅にかけた。

「よくきこえないよ」彼のしゃがれ声が片方の耳にきこえた。もう一方の耳は手でおおっている。

「話しにくい場所にいるの」と、彼に言った。

「ぼくもだよ。別れたワイフがきてるんだ。喜びの世界だ」

「何があったの？」

「ニューヨークの検事がさっき電話してきた」

ぎくりとしたが無理に落ち着いたふりをして、さりげなくその人の名前をたずねた。ジェイミー・バーガーが数時間前に自宅に電話をかけてきた、とフィールディングは言った。私が手がけたキム・ルオングとダイアン・ブレイの検屍を手伝ったかどうかきいたという。

「おもしろいわね」と、私は言った。「自宅の番号はのってないんじゃないの？」

「ライターが彼女に知らせたんだ」

疑いが頭をもたげ、裏切られたという思いに胸がきりきり痛んだ。ライターは私の番号ではなく、ジャックの番号を教えたというのか？

「ライターはどうして私に電話するように言わなかったの？」

フィールディングはしばし黙った。またべつの子供が泣き声のコーラスに加わった。「わからない。ぼくは公式には助手をつとめていないと彼女に話した。検屍をやったのはあなたで、ぼくは立会人として記録されてはいないからね。バーガーはあなたと話す必要があると言ってた」

「あなたの答えをきいて、彼女はどんな反応を示した？」

「質問をしはじめた。検屍報告書のコピーをもっているようだ」

またライターだ。検屍官がおこなう検査の最初の報告書と検屍記録は、州検事のところへ送られるのだ。私はめまいを感じた。ふたりの検事にはねつけられたような気がする。不安ととまどいがどうもうなアリの大群のように押しよせ、体のなかでうごめき、心をちくちく刺した。これほど不可解で残酷なことがあるだろうか？　どんなに動揺したときでも、こんなひどい事態を想像したことはない。私の内心のカオスを映しだすかのような雑音にはばまれて、ジャックの声が遠くにきこえる。バーガーはとても冷静で、自動車電話からかけているようにきこえたと言っているようだ。それから、特別検察官のことを何か言った。「大統領がかかわってるときとか、ウェーコの事件みたいなときだけ呼ばれるのかと思ってたよ」急に電話がよくきこえるようになり、フィールディングがどなった。たぶん前妻にだろう。「そいつらをべつの部屋につれてってくれないか？　電話中なんだから。まったくもう」私にもらす。「子供なんかもつもんじゃないぞ」

「特別検察官て、何のこと？　特別検察官がどうしたの？」

フィールディングはためらった。「この事件を裁くのをファイター・ライターがしりごみしてるんで、かわりに彼女が呼ばれたのかなと思ってるんだ」彼は急にそわそわしだした。言いのがれしようとしているようにもきこえる。

「ニューヨークである事件があってね」慎重に言葉を選びながら言った。「そのためにバーガーがかかわっているの。私はそうきいてるけど」

「事件て、ここであったのと同じようなのが？」

「そう、二年前に」

「ほんとか？　知らなかったな。そうか。彼女はそのことは何も言わなかった。こっちの事件についてきいただけだ」

「午前中の分は、いまのところ何件？」明日、手がける仕事についてきいた。

「五件だ。奇妙なのがひとつあって、手がかかりそうだ。若い白人の男性……もしかするとヒスパニックかもしれないが、モーテルの部屋で発見された。部屋には火がつけられたあとがある。身元は不明だ。腕に注射針がささっていたから、麻薬の過量摂取《せっしゅ》か煙による窒息死かわからない」

「携帯電話でそういう話をするのはまずいわ」彼をさえぎってまわりを見まわした。「明日の朝、話しましょう。そのケースは私がやるわ」

驚いたような長い間のあと、「ほんとに大丈夫か？　僕は……」。

「大丈夫よ、ジャック」今週は一度もオフィスへでていない。「じゃ、あしたね」

七時半にウォルデン書店の前でルーシーと待ちあわせているので、意を決してまた人込みのなかへ戻った。約束の場所についたとたん、見慣れた顔が目に入った。気難しそうな大男が上りのエスカレーターに乗っている。マリーノはやわらかいプレッツェルをかじって指をなめながら、一段上にいるティーンエージャーの女の子を見つめている。彼女のぴっちりしたジーンズとセーターが、体のカーブやくぼみやでっぱりをあらわにしている。この距離からでも、マリーノが彼女の体の道すじを想像し、そこをたどったらどんなだろうと考えているのがわかる。

彼が込みあった鉄の階段を運ばれていくのをながめた。プレッツェルにかぶりつき、口をあけてむしゃむしゃやりながら、欲情をそそられている。色あせただぶだぶのジーンズが、つきでた腹のしたにひっかかっている。NASCAR《全国自動車レース協会》の赤いウインドブレーカーのそでからつきだしている大きな手は、まるでグローブのようだ。はげかけた頭にNASCARの帽子をかぶり、エルヴィスが愛用していたようなばかでかいワイヤーぶちのサングラスをかけている。ぼってりした顔はいかにも不満そうで、眉間《みけん》にしわが刻まれている。しまりのない赤らんだ顔は、放縦《ほうじゅう》な生活ぶりを物語っているかのようだ。自分の肉体にとじこめられたマリーノが、いかにみじめな思いをしているかに気づいて、はっとした。彼は太ることに必死に抵抗しているが、いまや体はまったくいうことをきかないのだ。マリーノを見ると、手入れをまったくせずに車を酷使し、さびたりガタがくるとそれを激しく憎む人を思いだす。マリーノが力まかせにボンネットをしめ、タイヤをけりつけているところが目にうかんだ。

マリーノとはじめていっしょに仕事をしたのは、私がマイアミからここへきてまもなくのことだ。彼は最初から無愛想で粗野《そや》で、人を見下したような態度をとった。バージニア州検屍局長のポストを受けたのは、生涯で最大の間違いだったと私は思ったものだ。マイアミでは警察や、医学と科学の世界で尊敬されるようになっていた。メディアからもまずまずの扱いを受け、ちょっとしたスターなみの地位にのぼることで、自信と安心感を得ていた。私が女であることは問題にはならないように思えた。だがそれもピーター・ロッコ・マリーノに出会うまでの話だった。ニュージャージーの働き者のイタリア系移民の子供として生まれたマリーノは、ニューヨーク市警の警官だった。いまは幼なじみだった妻と離婚している。息子がひとりいるが、彼のことは一切口にしない。

マリーノは化粧室の強いライトのようだ。彼のなかに映った自分の姿を見るまでは、自分にそこそこ満足していた。いまの私は、彼が映しだす私の欠点はおそらく本当なのだろうと思うぐらい心が乱れている。マリーノは店のガラスの前で、買い物の袋を足元において携帯電話をバッグに戻している私に気がついた。私は彼に手をふった。マリーノは大きな図体で人込みをかきわけてくるのに手間どった。まわりの人々は目下クリスマスのことで頭がいっぱいで、殺人犯や裁判やニューヨークの検事のことなど考えていない。

「こんなところで何やってるんだ？」マリーノはまるで私が不法侵入でもしているかのようにきいた。

「あなたにあげるクリスマスプレゼントを買いにきたの」マリーノはまたプレッツェルをほおばった。プレッツェル以外には何も買っていないようだ。「あなたは？」

「サンタのひざにのった写真をとってもらいにきたんだ」

「じゃどうぞ私にかまわないでいってちょうだい」

「ポケットベルでルーシーに連絡したら、このジャングルのどこにあんたがいるか教えてくれた。だれかに荷物をもってもらわなきゃなんねえだろうと思ってね。目下のところ人手が不足してるだろ。そんなものくっつけて、どうやって検屍するつもりなんだ？」ギプスをさして言う。

マリーノがなぜここへきたのかわかる。情報がなだれのようにこちらへ押しよせてくる気配がする。私はためいきをついた。ゆっくりと、しかし確実に、事態は私にとってますます悪くなっていくという事実を認めざるをえない。

「オーケー、マリーノ、今度は何？」と、たずねた。「何がおきたの？」

「明日の新聞にでるよ、先生」マリーノはかがんで買い物袋を手にとった。「ちょっと前にライターが電話してきた。ＤＮＡが一致したそうだ。どうやら二年前に天気予報のご婦人をやったのも狼男らしい。やつはＭＣＶを退院してもいいって気分になってる。ニューヨークへ引き渡されることには抵抗してねえんだと。バージニアからでられるのがうれしくてたまんねえんだろうよ。あの野郎がブレイの追悼式の日に町をでることになったのも、妙な偶然だよな」

「追悼式？」さまざまな思いが頭のなかでぶつかりあう。

「セント・ブリジェットであるんだ」

ブレイがカトリックの信者で、私と同じ教会のメンバーだったことも知らなかった。背筋が冷たくなるような感覚におそわれた。ブレイは私がどんな世界にいようと、そこへ侵入してきて私を日陰に追いやることを使命とこころえていたようだ。私が信徒である、ごく庶民的な教会でまでそれをやろうとしたかもしれないと思うと、あらためて彼女の冷酷さと傲慢《ごうまん》さを思わずにいられない。

「つまりシャンドンは、自分が殺した最後の女性にわれわれがさよならを言うことになってる日に、リッチモンドから移送されるわけだ」マリーノは、ぞろぞろとおりすぎていく買い物客を、ひとりひとり見ながらつづけた。「そのタイミングが偶然なわけはねえ。やつが何かするたびに、記者連中がどっと押しよせる。やつのおかげでブレイの影はうすくなる。やつにお株をとられちまうわけだ。メディアはシャンドンの動きのほうに興味をもつからな、やつの犠牲者の葬式にだれがくるかってことよりも。そもそもブレイの葬式にくるやつがいればの話だ。俺はいかねえぞ。ブレイにさんざんな目にあわされたんだから。ああ、それから、バーガーはいまこっちへ向かってるとこだ。バーガーなんて名前から察すると、クリスマスは関係ねえんだろうな」と、つけ加える。

がやがや騒いでいる何人かの少年たちと同時に、ルーシーを見つけた。彼らは流行のファンキーな髪型をしている。カーゴ・ジーンズは細い腰からずり落ちそうだ。おおげさにぎょっとしたそぶりをして、ルーシーに熱い視線を送っている。ルーシーは黒いタイツと傷だらけのアーミー・ブーツに、どこかの古着屋から救出してきたらしい古びたフライトジャケットといういでたちだ。マリーノはルーシーをうっとりながめている少年たちをにらみつけた。もし憎しみのこもった視線が皮膚をやぶって主要な臓器《ぞうき》をつきさすことができるなら、彼らは死んでいるところだ。大きな革のバスケットシューズをひきずるようにしてはねまわっている少年たちを見ると、育ちきっていない子犬を思いだす。

「俺に何買ってくれた？」マリーノがルーシーにきいた。

「一年分のマカ・ルート」

「なんだ、そのマカ・ルートってのは？」

「今度セクシーな女性とボーリングにいったとき、あたしのプレゼントが大いに役にたつわよ」と、ルーシーが言う。

「まさかほんとじゃないでしょうね」私は半信半疑だ。

マリーノは鼻をならした。ルーシーはけらけら笑う。億万長者だろうとなかろうと、くびにされかかっている人間にしてはやけに陽気だ。外の駐車場へでると、空気はしめっていてとても寒かった。ヘッドライトが暗闇をまぶしくてらし、どこを見ても目に入るのは急ぐ車と人だけだ。街灯に飾られた銀のリースが光っている。ドライバーたちはモールの入り口にすこしでも近いスペースを見つけようと、サメのようにぐるぐるまわっている。まるで五、六十メートル歩くのが大変な難行《なんぎょう》とでもいうように。

「あたしこの季節って大きらい。ユダヤ人ならよかったな」マリーノがさっきバーガーの民族的特徴についてほのめかしたのを知っているかのように、皮肉をこめてルーシーが言う。

「あなたがニューヨークで仕事をはじめたころ、バーガーは地区検事だったの?」私の荷物をルーシーの古びたグリーンのサバーバンにのせているマリーノにきいた。

「なりたてだったな」テールゲートをしめる。「俺は会ったことはねえ」

「どんな評判だった?」

「胸がでかくてセクシーだって」

「マリーノ、あなたって最低ね」と、ルーシーが言う。

「なんだよ」マリーノは別れのあいさつがわりに、頭をぐいっと動かした。「答えを知りたくねえなら最初からきくなよ」

彼の黒っぽい巨体が、ヘッドライトと買い物客と影がまじりあったなかを動いていくのをながめた。欠けた月に照らされた空は乳白色で、細かい雪がゆっくり舞い落ちてくる。ルーシーは駐車スペースからバックでサバーザンをだし、車の流れにのった。彼女のキーチェーンには、ワーリー・ガールズのロゴが彫りつけられた銀のメダルが下がっている。ワーリー・ガールズとは一見軽薄な名前のようだが、実は本格的な活動をおこなっている女性ヘリコプター操縦者のための国際的な協会の名前だ。ルーシーはどんな団体にも属さない主義だが、この協会だけはべつで、熱心なメンバーだ。あらゆることがうまくいっていないが、すくなくともルーシーへのクリスマスプレゼントだけは、ありがたいことに袋のひとつに安全にしまいこまれている。数ヵ月前にシュワルツチャイルド宝石店と相談して、ルーシーのためにワーリー・ガールズの金のネックレスをつくってもらったのだ。ついこのあいだルーシーが打ち明けた今後の人生計画を考えると、タイミングはぴったりだ。

「自家用のヘリコプターで何をするの？　本当に買うつもりなの？」と、きいた。ひとつには、ニューヨークとバーガーのことから話をそらせたかったからだ。フィールディングが電話で言ったことにまだいらだっており、暗い気持ちになっていた。ほかにも気がかりなことがあるのだが、それが何かはっきりしない。

「ベル四〇七をね。そう、ほんとに買うつもりよ」ルーシーは、パーハム・ロードをのろのろ進んでいく赤いテールランプの、はてしない流れのなかに車を入れた。「それで何をするかって？　もちろん飛ばすのよ。そしてビジネスに使うの」

「その新しいビジネスだけど、つぎは何をするの？」

「ティウンがニューヨークに住んでるから、本部はそこになるわ」

「ティウンのことをもっときかせて」と、うながした。「家族はいるの？　クリスマスはどこですごすの？」

ルーシーはまっすぐ前方を見ながら運転している。何かを操縦するとなると、つねに真剣になる。

「ちょっと前にもどって、いままでのいきさつを話すわ。彼女、マイアミでの銃撃戦のことをきいて、連絡してきたの。それからあたしはニューヨークへいって、すごくみじめな思いをしてね」

そのことはよくおぼえている。ルーシーが姿を消し、私はあわてふためいた。彼女がグリニッチ・ヴィレッジにいることをつきとめ、ハドソン川沿いのルービーフルートという、ヴィレッジで人気のあるバーに電話してルーシーと話した。ルーシーはとり乱しており、酒を飲んでいた。ジョーとのことで傷つき、怒っているのだと思った。ところがいまきいてみると、事情はまったくちがっていた。ルーシーは去年の夏から経済的な面でティウン・マガヴアンとかかわっていたが、自分の人生を変えることを決意したのは、先週ニューヨークでこの一件があってからのようだ。

「だれか連絡のとれる人はいないかってアンがきいたの」と、ルーシーは説明した。「あたしはとてもひとりでホテルへ戻るような気分じゃなかったから」

「アン？」

「元警官だった人。ルービーフルートのオーナーなの」

「ああ、そうだったわね」

「あたしはべろんべろんだった。それでティウンにかけてみてとアンにたのんだの。気がつくとティウンがバーに入ってきた。あたしにコーヒーをいっぱい飲ませてね、ふたりで夜通し話をしたの。あたしとジョーの関係、ATFとの関係、その他いろんなものとの関係について。あたしはすべてにいやけがさしてた」ちらっと私を見る。「長いあいだ変化を求めてたのね。その晩、決意したの。あのことがおこる前に、もう心は決まってたのよ」あのこととは、シャンドンが私を殺そうとしたことだ。「ありがたいことにティウンがいてくれたから」バーにいてくれたという意味ではない。マガヴァンが彼女の支えになっていることを言っているのだ。ルーシーの心の深いところから幸福感がにじみでているのを感じた。一般的な心理学によると、他人や仕事は自分を幸せにすることはできないという。自分を幸せにするのは自分自身だと。だがこれは完全に真実であるとは言えない。マガヴァンと〝最終管区《ラスト・プリシンクト》〟は、ルーシーを幸せにしているようだ。

「ラスト・プリシンクトとはもうかなり前からかかわっているのね?」ルーシーに話をつづけさせようときいた。「去年の夏から?　そのころそのアイディアがうかんだの?」

「冗談みたいにしてはじまったのよ。昔、フィラデルフィアにいるころに。ティウンとあたしは、ロボトミーを受けたみたいな官僚どもにうんざりしてたの。足をひっぱるようなことばかりする。一方で罪のない被害者が、お役所仕事のなかで押しつぶされていく。それでふたりで理想の組織を考えだして、あたしがラスト・プリシンクトと名づけたの。どこにも行き場所がなくなったとき、どこへいけばいいか?　ここへどうぞってわけ」ルーシーの笑顔はぎこちない。この楽天的なニュースは、どうやらあまり面白くない展開をたどろうとしているらしい。ルーシーは私のききたくないことを言おうとしている。

「そういうわけで、ニューヨークへひっこさなきゃならないの」と、彼女は言う。「すぐに」ライターは事件をニューヨークへ引き渡し、今度はルーシーがニューヨークへいってしまう。ヒーターの温度をあげ、コートの前をかきあわせた。

「ティウンがアパー・イーストサイドにアパートを見つけてくれたらしいわ。セントラルパークからかけ足で五分くらいのところ。六十七番ストリートとレキシントン・アヴェニューが交差するところよ」

「ずいぶん早いのね。スーザン・プレスの殺害現場のそばじゃない」それが不吉なしるしであるかのように、言いたした。「なぜそのあたりにしたの？　ティウンのオフィスはその近くにあるの？」

「数ブロックのところよ。第十九分署の数軒先で、そこに勤務するニューヨーク市警の連中を何人か知ってるらしいの」

「それなのにティウンはスーザン・プレスのこと、あの殺人のことを知らなかったの？　現場から通りをいくつかへだてたところに仕事場をもつことになったとは、なんだか妙な感じね」つい否定的なことを言ってしまう。自分でもどうすることもできない。

「おばさんのことについて話したから、いまはティウンも殺人のことを知ってるけど」と、ルーシーは答えた。「それより前はきいたことがなかったって。あたしもよ。あのあたりではイーストサイド・レイプ魔のことが最大の関心事なの。あたしたちもその事件にかかわるかったんだけど。五年間もレイプ事件がつづいていてね。全部同じ犯人で、三十代から四十代前半のブロンドの女性ばかり選ぶの。被害者はたいていお酒を飲んで、バーから帰ってアパートに入ろうとするところをおそわれる。ニューヨークではじめてDNA鑑定をしたケースよ。DNAはわかってるけど、だれのものかはわからないの」すべての道はジェイミー・バーガーに通じているかのようだ。イーストサイド・レイプ魔は、バーガーのオフィスにとって最優先されるべき事件にちがいない。

「あたし髪をブロンドに染めて、夜遅くバーから歩いて帰ることにする」ルーシーはおどけたように言うが、たぶん本当にそうするつもりだろう。

彼女の選んだ道はすばらしくて私もわくわくしていると言いたいが、言葉がでてこない。ルーシーはこれまでもリッチモンドから離れたいろいろな場所で暮らしている。だがなぜか今回は巣立っていってしまうような、大人になって手の届かないところへいってしまうような気がした。急に私の母のように批判したり、悪い面や欠点を指摘したくなった。家の掃除をしたとき、敷物をもちあげてたった一つだけやり残した個所を見つけ、オールAの通信簿を見ながらともだちがいないのは残念だねと言い、私の料理を味見して何かものたりないねと言った母親のように。

「ヘリコプターはどうするの？　そっちへおいとくの？」気がつくと姪に言っていた。「どこへおくかが問題ね」

「たぶんティーターバローにおいとくわ」

「じゃヘリコプターに乗るときはわざわざニュージャージーまでいかなきゃならないわけ?」

「そんなに遠くないわ」

「向こうは生活費がかかるわよ。それにあなたとティウンは……」ぶつぶつ言いつづける。

「あたしとティウンがどうだっていうの?」ルーシーの声からうきうきした調子が消えた。

「どうしてそのことにばかりこだわるの?」怒りをこめていう。「もう彼女の下で働いてるわけじゃない。ティウンはATFのエージェントでもあたしの上司でもないのよ。あたしたちが仲良くすることのどこがいけないのよ」

ルーシーが傷つき、失望させられた現場には、私の指紋がそこら中に残っている。もっと悪いことに、私の声には妹のドロシーの影がまじっている。自分が恥ずかしくなった。心から恥ずかしい。「ルーシー、ごめんなさい」手をのばし、ギプスで固定されたほうの腕の指先で彼女の手をとった。「あなたがいってしまうのがいやなの。わがままね。わがままなことを言ってしまった。ごめんなさい」

「いってしまうわけじゃないわ。しょっちゅうくるわよ。ヘリコプターでたった二時間ですもの。大丈夫よ」そう言って私を見る。「おばさんもあたしたちといっしょにやらない?」

これがたんなる思いつきではないことがわかる。彼女とマガヴァンは私のこともかなり話しあったにちがいない。そのなかには、彼らの会社で私が何らかの役割をになう可能性もふくまれていたのだろう。そう気づくと、奇妙な思いにとらわれた。将来のことを考えまいとしてきたのに、突然大きな空白のスクリーンのようにそれが目の前にあらわれたのだ。これまでのような生活はもう終わったと頭ではわかっているが、心はまだその事実を認めていない。「州政府にああしろこうしろと言われるより、独立して仕事したほうがよくない？」と、ルーシーがつづける。「本気でそれを考えたことある？」

「いつも将来の計画として先送りしてきたのよ」

「その将来がいまよ」と、ルーシーは言った。「あとちょうど九日で今年も終わるんだから」

7

もうすぐ夜中の十二時だ。私は暖炉の前の、アナの家にある唯一の田舎風家具である手彫りの揺り椅子に腰かけている。アナがすわっている椅子は、微妙な角度におかれている。アナは私を見ることができるが、私は自分の心についての気になる証拠を発見したときは彼女を見なくてもすむような向きだ。アナと話していると、思いもよらない事実が見つかることが最近わかった。まるで自分の心が、はじめて捜索する犯罪現場のように思える。居間の明かりは消されている。暖炉の火は消える直前の臨終期《りんじゅうき》にあり、オレンジ色のおき火がしだいに白く変わりはじめていた。

私は二年近く前のある日のことを、アナに話していた。日曜日の夜、ベントンがめずらしく私に思いやりのない態度をとったときのことだ。

「めずらしくというのは、どういう意味？」アナが特有の、おだやかだが力強い口調できいた。

「ベントンは夜遅く私が家のなかをうろつくのに慣れていたの。私が寝る気になれなくて、遅くまで仕事をすることがときどきあったから。その夜、彼はベッドで本を読みながら寝ちゃったの。よくあることよ。これで自分だけの時間がもてる、と思った。まわりが寝静まって何も要求してこなくなったときの静寂と、完全な孤独が、私にはぜひ必要なの」

「昔からそうだった？」

「昔からよ。そういうときにいちばんいきいきする。完全にひとりになったときに、自分をとり戻せる。だからその時間が必要なの。どうしても」

「その夜、何があったの？」

「私はおきあがって彼のひざから本をとって、電気を消した」

「ベントンは何を読んでいたの？」

思いがけない質問だ。私は考えこんだ。はっきりおぼえていないが、ベントンはジェームズタウンに関する本を読んでいたような気がする。ジェームズタウンはリッチモンドの東、車で一時間たらずのところにある、アメリカではじめての英国人による植民地だ。ベントンは歴史が大好きで、大学では歴史と心理学の両方を専攻していた。考古学者たちがジェームズタウンの発掘をはじめて昔の砦《とりで》を発見したことにより、ベントンはこの土地に興味をもつようになった。しだいに記憶が戻ってきた。ベントンがベッドで読んでいた本はたくさんの記述を集めたもので、その多くはジョン・スミスによって書かれていた。タイトルはおぼえていない、とアナに言った。たぶんその本はまだ家のどこかにあるのだろう。いつかそれを見つけたときのことを思うと、胸が痛む。私は話をつづけた。

「寝室をでてそっとドアをしめて、廊下の先の書斎へいったの。ご存知でしょうけど、検屍をするときすべての臓器と、場合によっては傷口の組織をとるの。それは組織研究室へ送られて検鏡用のスライドに加工される。それをまた私が調べるわけ。検鏡結果の口述がまにあわないので、いつもスライドを家にもって帰っていた。もちろんそれについては警察にさんざんきかれたけど。おかしなことに、自分がふだんやっていることはごくあたりまえの、きくまでもないことのように思ってるの。でもほかの人にそれを調べられると、はじめて自分がみんなとはちがった生きかたをしてることに気がつく」

「あなたが家においているかもしれないスライドのことを、警察はなぜききたがったのだと思う？」と、アナがたずねる。

「あらゆることを知りたかったからよ」そう言って、ベントンの話に戻った。私は書斎で顕微鏡のうえにかがみこみ、触角のある紫と金の一つ目の生き物の群れのように見える、重金属で染色したニューロンを夢中で見ていた。後ろに人の気配を感じてふりかえると、あいた戸口にベントンが立っていた。その顔は、雷雲が近づいたときのセントエルモの火《先端放電》のような、気味の悪い不吉な輝きをはなっていた。

眠れないのか？　彼は人がちがったような意地の悪い皮肉な声で言った。私は高性能のニコンの顕微鏡の前から椅子を押しさげた。そいつにセックスすることをおぼえさせたら、僕はまったく必要なくなるね。ベントンはそう言って、私が見ていた細胞のような激しい光をたたえた目でこちらをにらんだ。パジャマのズボンだけはいており、デスクのランプからもれる光を受けて、青白く見えた。胸は波うち汗で光っており、腕の静脈がもりあがり、銀髪はひたいにはりついている。いったいどうしたのときくと、彼は指をつきつけてベッドへもどれと命令した。

ここでアナが話をさえぎった。「その前に何か予兆《よちょう》はなかったの？　彼のそういう行動を予想させるような？」アナもベントンをよく知っている。これはおよそベントンらしくなかった。まるでなにものかがベントンの体にのりうつったかのようだった。

「何もなかったわ。予兆なんて何も」ゆっくり椅子をゆらしつづけた。くすぶっている薪《まき》がはじけた。「そのときは、彼といっしょにベッドへ入りたくないと心から思ったわ。彼はFBIの有能なプロファイラーだったかもしれない。でも人の心を読むことにあれだけたけていても、まるで石みたいに冷たく自分の心をとざしてしまうこともあったの。私に背を向けて黙って息を殺しているベントンのとなりで、一晩中暗闇を見つめてすごすつもりはなかった。でも、彼は暴力をふるったり、残酷なことをしたりはしなかった。あんなふうに私を侮辱し、傷つけるようなことを言ったのは、はじめてだったわ。お互いに尊敬の気持ちだけはあったのよ、アナ。どんなときでも相手に敬意をはらったわ」

「ベントンは何が気にさわったのかを話した？」アナは容赦なくきく。

私は苦々しく笑った。「顕微鏡にセックスすることをおぼえさせるとかいう、下品な発言をきいてわかったわ」ベントンが私の家に住むことにふたりとも慣れていたが、彼はいつまでもお客のような気分がぬけなかったらしい。そこはあくまでも私の家で、あらゆるものが私の趣味にそくしていた。死ぬ前の一年間、彼はそれまでの仕事に幻滅し、いま思い返すと疲れて漫然と日をすごし、年をとることをおそれていた。そうしたことが私たちの関係にも影響をおよぼした。ふたりの関係の性的な部分は、使われなくなった空港のようになった。遠くからは正常に見えるが、管制塔にはだれもいない。着陸も離陸もない。たまに一瞬着地してすぐ上昇するタッチ・アンド・ゴーがあるだけ。それも義務感と手軽さと、おそらく習慣からにすぎない。

「セックスをするときは、どっちが誘うことが多かったの?」と、アナがきいた。

「最後のころは、いつも彼のほうだった。欲求を感じたというより、やけくそになって。あるいはフラストレーションからかもしれない。そう、たぶんそれだわ」と、はっきり言う。

アナは私を見つめていた。顔は陰になっており、火が消えるにつれそれが濃くなっていく。ひじかけにひじをつき、人さし指にあごをのせている。ここ何日かつづけている夜ごとの真剣な話しあいのとき、彼女はいつもこのポーズをとる。居間はほの暗い告白の場となり、私は恥ずかしさを感じることなく心のうちをさらけだし、新たな自分を見出す。こうした時間はセラピーというより友人への告解《こっかい》であり、神聖で安全なものに思われた。私は自分がどんな人間かを、べつの人間に打ち明けはじめたのだ。

「ベントンがひどく怒った夜のことに話を戻しましょう」と、アナが指示した。「いつごろのことかおぼえてる？」

「殺される二、三週間前よ」赤く光るわに革のように見える石炭に目をこらしながら、冷静に言った。「私にはひとりでいたいという欲求があることを、ベントンは知っていたわ。愛しあった夜でさえ、彼が寝つくのをまって、まるで不倫でもしているようにこっそりおきあがって、廊下の先の書斎にすべりこむことがよくあった。ベントンは私の不貞を大目にみてくれたわ」暗闇のなかでアナがほほえむのを感じた。「手をのばしたとき、ベッドの私の側がからっぽになっていても、めったに不満はもらさなかった。ひとりになりたいという私の要求を受けいれてくれた。すくなくともそのように見えた。あの晩、書斎へ入ってくるまで、私が夜中におきだすことで彼がどんなに傷ついていたか気づかなかったの」

「夜中におきだすことが問題だったの？」と、アナがきいた。「あなたのよそよそしさではなくて？」

「自分がよそよそしいとは思わないけど」

「人と心を通じあわせることのできる人間だと思う？」

　自分を分析し、胸の奥をさぐって見つけることをおそれている真実をさがした。

「ベントンとは心を通わせることができたの？」と、アナはつづける。「まず彼からはじめましょう。あなたのいちばん大事な人だったんだから。いちばん長くつきあったのも彼ね」

「ベントンと心を通じあわせることができたか？」サーブしようとするボールのように、質問を投げあげた。どっちの方向に、どうスピンをかけて、どれぐらい強く打つか決めかねている。「どっちとも言えないわ。ベントンはこれまでに会ったなかでもっとも思いやりのある、すばらしい男性だった。感受性が強くて、思慮深くて、知性があった。彼にはどんなことでも話せたわ」

「でも実際にそうした？　しなかったような印象を受けるけど」アナはすかさず追及する。

私はためいきをついた。「だれにも、ほんとに何もかも話したことはないような気がする」

「ベントンは安全な相手だったんじゃない？」と、アナが言う。

「たぶんね。心の奥に、ベントンにも手の届かない場所があったのはたしかよ。そこまで手をのばしてほしくなかったの。そこまで深く、そこまで親密になりたくなかった。最初があういう関係だったこともあるでしょうね。彼は結婚していた。いつも妻のいる家へ、コニーのもとへ帰っていった。何年もそういう関係がつづいたの。私たちのあいだには壁があって、向こうとこっちにへだてられていた。人目をしのんでふれあうことしかできなかった。もう絶対にあんなことはしないわ、だれが相手だろうと」

「罪悪感のため？」

「もちろん。よきカトリック信者ならだれだって罪の意識をもつわ。最初のうちは罪悪感にさいなまれた。昔からルールは守る主義なの。ルーシーとはちがう。というより、ルーシーが私に似ていないのね。彼女はくだらないルールや不備なルールは平気で破る。でも私はスピード違反もしないのよ、アナ」

　ここでアナは身をのりだして、手をあげる。それが彼女の合図だ。私が何か重要なことを言ったのだ。「ルールね」と、彼女は言う。「ルールって何？」

「その意味？　ルールの定義を言えというの？」

「あなたにとってのね。あなたにとってはどんな意味なの？」

「正しいことと間違っていること。合法的なことと違法なこと。道徳的なことと不道徳なこと。人の道にそったこととそれにそむくこと」

「既婚者と寝ることは不道徳なこと、間違ったことで、人の道に反している？」

「とにかく、愚かなことであるのはたしかね。そう、それに間違ったことでもある。致命的な過《あやま》ちとか許しがたい罪、違法行為ではないけれど、不正直なこと。ルール違反ね」

「じゃあ、自分が正直でないことをする場合もあると認めるのね？」

「愚かなことをする場合はあるわ」

「不正直なことは？」アナは質問をはぐらかすことを許してくれない。

「だれだって場合によってはどんなことでもするわ。ベントンとの不倫は不正直なことだった。自分のしていることを隠す必要があったから、間接的にうそをついた。コニーもふくめて、ほかの人に本当でない自分を見せていた。偽りの自分を。だからうそをつくことがあるかときかれたら、あると答えざるをえないわ」そう告白すると、気がめいった。

「殺人についてはどう？　殺人のルールは何？　間違ったこと？　不道徳なこと？　殺人はどんなときでもいけない？　あなたは人を殺したことがあるわね」

「身を守るためにね」それは確信をもって言える。「選択の余地がないときだけ。そうしないと自分かほかの人が殺されるというとき」

「あなたは罪をおかした？　汝《なんじ》殺すなかれ、でしょう？」

「いいえ、罪なんかおかしてない」だんだん腹がたってきた。「道徳的見地とか理想主義的見地にたって、離れたところから物事を批判するのはたやすいわ。でもだれかののどもとにナイフをつきつけたり、私を殺そうと銃に手をのばしている殺人犯が目の前にいるときはべつよ。むしろ何もしないこと、罪のない人を死なせること、みすみす殺されることが罪になる。後悔はしていないわ」

「何を感じる？」

しばし目をとじた。暖炉の光がまぶたを横ぎる。「気分が悪くなる。あの殺人について考えるといつも気分が悪くなるわ。私のしたことは間違ってはいなかった。選択の余地はなかった。でも正しいことだったとも言えない。そのちがいがわかる？　目の前でテンプル・ゴールトが血を流して助けを請《こ》いながら死んでいったとき、どんな気持ちがしたか、いま思いだしてどんな気持ちがするか、とても言葉では言えないわ」

「それはニューヨークの地下鉄でおこったできごとね、四、五年前に？」アナが質問し、私はうなずいた。「彼はキャリー・グレセンの前のパートナーね、犯罪の。ある意味でゴールトが彼女の指導者だった。そうでしょう？」私はふたたびうなずいた。「おもしろいわね」と、アナが言う。「あなたがキャリーのパートナーを殺し、それから彼女があなたのパートナーを殺した。何かつながりがあるのかしら？」

「見当もつかないわ。そんなふうに考えたことはなかったから」その見方にぎょっとさせられた。これまで一度も思いつかなかったが、たしかにそのとおりだ。

「ゴールトは死んで当然だと思う？」アナはつぎにきいた。

「彼はこの世にいる権利を失った、彼がいなくなって助かったという人もいるでしょうね。でも私は死刑の執行をおこなう人間にはなりたくなかったわ、アナ。絶対に。彼の指のあいだから血がほとばしっていた。目にはおそれ、恐怖、パニックがあった。邪悪な面は消えて、死にかけているひとりの人間がいるだけだった。彼にそれをもたらしたのは私よ。彼は泣きながら、出血をとめてくれと哀願した」私は椅子をゆらすのをやめた。アナがこちらに注意を集中しているのを感じる。「そうよ」と、しまいに言った。「そう、ほんとに無残だった。ときどき彼の夢をみるの。彼を殺したから、ゴールトは永久に私の一部になってしまった。それが私のはらう代償《だいしょう》よ」

「ジャン・バプティスト・シャンドンは？」

「私、もうだれも傷つけたくない」消えかけた火を見つめた。

「すくなくとも彼は生きてるわ」

「それは慰めにならない。だってそうでしょう？　ああいう人間は刑務所に入れられても人を傷つけるのをやめない。悪は生きつづけるのよ。それがむずかしいところ。彼らが殺されることは望まないけど、生きているかぎりどんな被害をおよぼすかもわかっている。負けよ、どっちにころんでも」

アナは何も言わない。意見を述べずに黙っているのが彼女のやりかただ。胸のなかで悲しみが脈うち、心臓が不安げにカタカタとなっている。「もしシャンドンを殺していたら、罰せられてたでしょうね。でも殺さなかったために罰せられるのもたしかだわ」

「あなたはベントンの命を救うことができなかった」アナの声がふたりのあいだの空間を満たす。私はうなずいた。涙があふれてくる。「ベントンを助けるべきだったと思うの？」と、アナがきく。私はつばをのみこんだ。ふいに深い喪失感におそわれ、しゃべることができなくなった。

「彼を見捨てたの、ケイ？　そのつぐないのためにほかの怪物を退治するの？　ベントンのために？　彼が怪物どもに殺されるのを防げなかったから？　彼を救わなかったから？」

無力感と激しい怒りがこみあげてきた。「彼は自分を守ることができなかったのよ。ベントンは犬や猫がふらっとどこかへ死ににいくように、死に神に自分をゆだねてしまった。時期がきたからといって。なんてことかしら！」とうとう言ってしまった。「なんてことよ。

ベントンはしわがふえたとかたるんできたとか、あっちが痛いこっちが痛いとぐちばかり言ってたわ。私たちの関係がはじまったばかりのころからよ。彼が私より年上だったことは知ってるでしょう。それでよけい老けることをおそれていたのかもしれない。よくわからないけど。とにかく五十代の半ばになると、鏡を見るたびに首をふってこぼしてたわ。『年をとりたくないよ、ケイ』いつもそう言ってた。

ある日の夕方、いっしょにおふろに入っているとき、また体のことでぶつぶつ言いだしてね。だから『だれだって年をとるのはいやなのよ』としまいに言ったの。『でも僕は本当にいやなんだ。生きていられないような気がするほど』というのが、彼の答えだった。『それでも生きなきゃ。そうしないのはわがままよ』と、私は言ったわ。『それに、私たち若いころだってなんとか生きのびてきたじゃない』って。おかしいわね。彼は私が皮肉を言ってると思ったらしい。でもそうじゃなかったの。若いとき、明日を待ちながらすごした日がどれぐらいあったかと彼にたずねたわ。明日になればきっとよくなると信じて。ベントンはそれについてしばらく考えた。バスタブのなかで私をひきよせて、ラベンダーの香りの湯気がたちこめるなかで、私を愛撫《あいぶ》しながら。そのころはどうすれば私をその気にさせられるか、彼はよく知っていたの。ふれあうだけで、お互いに細胞がざわめいたわ。愛しあうのが楽しかったあのころ。『そうだな』と、ベントンは考えながら言った。『たしかにそうだ。僕はいつも明日を待っていた。明日になればよくなるだろうと思って。それが生きのびるってことだよ、ケイ。もし明日、来年、さ来年のほうがよくなると思えなかったら、生きていてもしようがないさ』」

言葉を切り、椅子をゆらした。それからアナに言った。「彼は生きていてもしようがないと思うようになったのよ。ベントンが死んだのは、将来のほうが過去よりいいと信じることができなくなったから。命を奪ったのがだれだろうと関係ない。そう決めたのはベントン自身よ」涙は乾き、心がからっぽになったような気がした。打ちひしがれ、やり場のない怒りにもえている。残り火を見つめると、かすかな光が顔にあたった。「ひどいわ、ベントン」

煙をあげる熾《おき》に向かってつぶやいた。「あきらめてしまうなんてひどい」

「それでジェイ・タリーと寝たの？」と、アナがきいた。「ベントンにしかえしするために？　あなたを残して死んでしまったから？」

「もしそうだとしたら、無意識にやったことよ」

「どんなふうに感じる？」

私は感じようとつとめた。「麻痺《まひ》したようだった。ベントンが殺されてから……？」それについて考える。「無感覚だったわ。麻痺したように。何も感じなかった。考えてみると、たぶんジェイと寝たのは……」

「考えるのではなくて、どう感じるかよ」アナがおだやかに注意する。

「そう。それなのよ。感じたかったの。何かを、どんなことでもいいから感じたかった」

「ジェイと寝たことで何かを感じた？　どんなことでも？」

「よく考えると、自分が安っぽく感じられたわ」と、答えた。

「考えるのではなくて」アナがまた注意する。

「感じたのは渇望《かつぼう》、肉欲、怒り、自我、自由。そう、自由を感じたわ」

「ベントンの死からの自由、あるいはベントンからの自由？　彼はどちらかというと、抑制《よくせい》のきく人だったでしょう？　安全だったわね。強い超自我のもちぬしだったから。ベントン・ウェズリーはものごとをきちんとやる人だった。彼とのセックスはどんなだった？　きちんとしていた？」と、アナがきく。

「思いやりがあったわ」と、答えた。「やさしくて繊細だった」

「なるほど。思いやりね。それはたいしたものだわ」アナは私がいま言ったことに注意を向けるように、かすかな皮肉をこめて言った。

「激しくはなかった。純粋に官能的だったことは一度もない」と、率直に言った。「正直に言って、セックスの最中に何かを考えることがよくあった。あなたと話しているときに考えるのもよくないけどね、アナ。でもセックスしているときに考えるなんて、もってのほかだわ。何も考えずに、ひたすら快楽に身をゆだねるべきなのに」

「セックスは好き？」

私は驚いて笑った。そんなことをきかれたのははじめてだ。「そりゃ、好きよ。でもいろいろあるわ。すばらしいセックス、いいセックス、まあまあのセックス、退屈なセックス、いやなセックス。セックスはふしぎな生き物よ。自分がセックスについてどう思っているのかもよくわからない。でも、グラン・クリュのセックスを味わうのはまだこれからだと思いたいわ」最高級のワインにたとえて言った。セックスはワインに似ている。

正直に言うと、恋人との愛の交歓はたいてい、ヴィラージュのワイン程度で終わる。斜面の下のほうのぶどうでつくる、ごくふつうの味の、値段も高くないワイン。とびきりの味というわけではない。

「最高のセックスはまだ経験していないと思う。このうえないほど深くエロチックに、だれかと性の歓びを分かちあったことは。ないわ。まだ。一度も」べらべらと話しつづけた。理解しようとする一方で、本当にそれを理解したいのかを自問するように、ぎくしゃくとしゃべる。「よくわからない。どれぐらい重要であるべきなのか、どれぐらい重要なのか、考えてるんだけど」

「あなたの職業を考えたら、セックスがどんなに重要かわかるはずよ。セックスは力よ。生死にかかわるものよ」と、アナは言う。「もちろん、あなたの目にふれるのは、主に力がひどく乱用されたケースだけど。シャンドンがいい例ね。彼は力で圧倒することで性的な満足をえる。相手を苦しませ、神のようにだれを生かし、だれをどのように死なせるかを決めることで」

「そうね」

「力を行使することで彼は性的に興奮する。みんなそうだけどね」と、アナが言う。

「最高の催淫剤《さいいんざい》ね」と、私も同意した。「みんなが正直に認めれば」

「ダイアン・ブレイはもうひとつの例ね。美しい挑発的な女性で、相手を圧倒し、支配するために自分のセックスアピールを使った。すくなくともわたしはそういう印象を受けたけど」と、アナが言った。

「たしかにそういう印象を与えたわ」

「彼女はあなたに性的にひかれていたと思う？」アナがきく。

それについて冷静に考えた。あまり愉快な考えではない。自分から離して、解剖している臓器のように客観的に見た。「そんなふうに思ったことは一度もないわ。だからそんなことはなかったんでしょうね。もしあったら、シグナルに気づいたはずですもの」アナは黙っている。「たぶんね」私はあいまいに言った。

アナは信じていないようだ。「彼女はマリーノを通じてあなたと知りあおうとしたと言ってたわね」思いださせるように言う。「あなたとランチをいっしょにして、親しくなろうとした。マリーノを使ってそれをやろうとしたんでしょう？」

「マリーノはそう言ってたわ」

「彼女があなたに性的魅力を感じていたからじゃないの？　そうなれば究極的にあなたを圧

倒することになるでしょう？　キャリアをつぶすだけでなく、その過程で肉体まで自分のものにすれば、あなたのすべてを蹂躙《じゅうりん》したことになるから。シャンドンのような連中はみんなそうでしょう？　相手にひかれてもいるのよ。ただ、ふつうの人とちがうやりかたでその気持ちをあらわすわけね。シャンドンがあなたへの気持ちを行動にあらわそうとしたとき、あなたが彼に何をしたかはわかっている。彼は大きな間違いをおかした。欲情のこもった目であなたを見た。そしてあなたは彼を盲目にした。すくなくとも一時的にね」言葉を切り、指にあごをのせて、私をじっと見る。

私もいまはまっすぐ彼女に視線をあてている。またあの感情がもどってきた。警告ともいえるような感情だ。それを何と呼べばいいのかわからない。

「ダイアン・ブレイがあなたに性的にひかれていたとして、もし彼女がその気持ちを行動にあらわそうとしたら、どうしたと思う？　彼女があなたに言い寄ろうとしたら？」アナは追及の手をゆるめない。

「好ましくない相手からの誘惑をかわすすべはこころえているわ」

「相手が女性でも？」

「相手がだれであろうと」

「じゃ、女性に言い寄られたこともあるのね」

「これまでに何度か」あたりまえの質問に対するあたりまえの答えだ。私は穴ぐらにこもって生活しているわけではない。「私に興味を示す女性はいたわ。それには応じられなかったけど」

「応じることができなかったの、それとも応じようとしなかったの？」

「両方よ」

「あなたを欲しているのが女性だと、どんなふうに感じる？　男性の場合とはちがう？」

「私が同性愛をきらっているかどうかをさぐろうとしているの、アナ？」

「きらっているの？」

それについて考えた。同性愛に嫌悪感をもっていないか、自分の気持ちをできるだけ深くさぐった。同性との恋愛には苦労が多いが、その点をのぞけば同性愛には何の問題もないと思うとルーシーにはいつも言っている。「同性愛をいやだとは思わない」と、アナに言った。「本当よ。ただ私の好みではないだけ。私はそれを選ばない」

「人は同性愛を選ぶの？」

「ある意味ではね」これについては確信がある。「つまり、人はいろいろなものにひかれるけど、自分でそれがいやだと思えば行動にはださない。ルーシーのことは理解できるわ。ルーシーが恋人といっしょにいるところを見ると、その仲のよさがうらやましく思えるの。人とちがったことをするための苦労はあるけど、女同士の特別な友情をもてるという利点もある。男と女のほうが、心が通じあうような深い友情を育てにくいもの。それだけは認めるわ。でもルーシーと私のいちばん大きなちがいは、私は男性と親友になれるとは思っていないし、ルーシーのほうは男性に圧倒されるように感じること。相手と自分のあいだで力のバランスがとれていないと、本当の親密さはうまれないわ。私は男性に圧倒されるようには感じないから、セックスの相手として男性を選ぶ」アナは何も言わない。「それ以上はわからないわ。たぶんこの先も」と、つけ加えた。「すべてのことを説明できるわけではないわ。ルーシーがだれに魅力を感じてどんな欲求をもつかは説明できない。私の場合も同じよ」

「男性とは心を通わすことができないと本当に思っているの？　それは期待が低すぎるんじゃない？　どう？」

「その可能性は大いにあるわ」笑いだしそうになった。「期待が低いのも当然よ。あれだけいくつもの関係をだめにしてきたんだから」と、言いたす。

「女性にひかれたことはある？」アナがやっときいた。そうくるだろうと思っていた。

「魅力を感じた女性はいたわ」と、認めた。「思春期のころ、先生に熱をあげたことが何度かある」

「熱をあげるというのは、性的な気持ちのこと？」

「性的な気持ちもふくまれているわ。子供っぽい無邪気なものではあっても。女生徒が女の先生に熱をあげるのはよくあることよ。とくにミッションスクールで女の先生しかいないような場合は」

「尼さんね」

私はにやにやした。「そう、尼僧に熱をあげるなんて、信じられる？」

「尼僧同士で熱をあげることもあるんでしょうね」と、アナは言った。

不安と疑惑が黒雲のように胸に広がり、意識の底で警告が発せられているのを感じた。なぜアナがこれほどセックス、とくに同性とのセックスにこだわるのかわからない。ひょっとして彼女はレズビアンで、そのために結婚したことがないのだろうか？　それとも長年秘密にしていたあげく、ようやく本当のことを言ったら私がどんな反応を示すかをさぐっているのか？　どう思われるかをおそれて、彼女がそんな大事なことを私に隠していたと思うと悲しい。

「リッチモンドへきたのは愛のためだと話してくれたわね」今度はこちらがさぐる番だ。「結局相手はつまらない人間だったと。ではなぜドイツへ帰らなかったの？　どうしてリッチモンドにとどまったの、アナ？」

「わたしはウィーンの医学校へいったの。オーストリアの出身なのよ、ドイツではなく。ドナウ河畔《かはん》のリンツのそばに、何百年も前からわが家に伝わるシュロス、つまりお城があって、そこで育ったの。戦争中はナチスがこの家に住んでいたの、家族といっしょに。父と母とふたりの姉、それに弟。十五、六キロ先にある火葬場の煙が窓から見えたわ。そこにマウトハウゼンという、悪名高い強制収容所があったの。そこは大きな採石場でね。囚人たちはそこで花崗岩《かこうがん》を切りだして、巨大な塊をかついで何百段もある階段をのぼらされたの。もしよろけると、殴られたり、奈落《ならく》につき落とされたりした。ユダヤ人、スペインの共和党員、ロシア人、それに同性愛者。

くる日もくる日もまっ黒な死の雲が地平線を染めていた。だれも見ていないと思ったときに父がそれをながめて、ためいきをついているのを見たわ。父が感じている苦悩と恥ずかしさがわかった。おこっていることについて何もできないので、否定するのがいちばん楽だった。だからほとんどのオーストリア人は、自分たちの小さな美しい国でおこっていることに目をつぶっていた。わたしにとっては許しがたいことだったけど、しかたがなかったの。父にはお金も影響力もあったけど、ナチに反抗したら収容所に入れられるか、その場で銃殺されてしまう。家のなかの笑い声やグラスのふれあう音が、いまだに耳に残っているわ。そのけだものどもは友達きどりだったの。そのうち、ひとりが夜わたしの寝室にやってくるようになった。私が十七のときよ。それが二年間つづいたわ。両親には黙っていた。父にはどうすることもできないことがわかっていたから。父はそのことを知っていたと思う。知っていたにちがいないわ。姉たちも同じ目にあっているのではないかと心配だった。

同じことがおこっていたに決まっている。戦後、教育を終えてから、ウィーンで音楽の勉強にきているアメリカ人に会ったの。優秀なヴァイオリニストで、ウィットに富んだすてきな男性だった。彼といっしょにアメリカへきたの。もうオーストリアで暮らすことができなかったからというのが、主な理由よ。私の家族が良心にそむいて生きてきたところにいるのが、耐えられなかったの。いまでも祖国の田舎を見ると、その風景があの黒い不吉な煙に汚されているように感じるの。あの光景は心にやきついている。一生消えることはないわ」

アナの居間は寒くなってきた。ところどころに火が残った燃えかすは、暗闇のなかで光るさまざまな形の目のように見える。

「アメリカ人の音楽家はどうなったの？」と、彼女にたずねた。

「現実に目覚めたんでしょうね」アナの声は悲しみをおびた。「世界でもっとも美しくロマンチックな町で、オーストリア人の若い女性精神科医と恋におちるのはいい。でも彼女をバージニアへ、かつての南部連合国の首都へつれて帰るとなると、話はややこしくなる。いまだに南部連合の旗があちこちに飾られているような土地ですもの。私はレジデントとしてMCVで働きはじめ、ジェームズは数年間リッチモンド交響楽団でひいていたわ。その後、彼はワシントンへ移って、わたしたちは別れたの。結婚していなくてよかった。すくなくともそれにともなう煩雑《はんざつ》さはなかったし、子供もいなかったから」

「ご家族は？」

「姉たちはもう亡くなったわ。弟はウィーンにいる。父と同じように銀行関係の仕事をしているわ。さあ、そろそろ寝なきゃ」

シーツのあいだにすべりこんだとき、思わずふるえた。足をひきあげ、骨折した腕のしたに枕を入れる。アナと話したことで、土砂くずれをおこす前の崖のように、心の周辺が不安定になっていた。すぎさった過去のできごとについて、幻想痛を感じる。アナの人生にまつわる話をきいたことで、ますます重苦しい気分になっていた。彼女が過去について語りたがらないのも無理はない。ナチと関係があったという事実は、いまだにひどく不名誉なことなのだ。それを考えると、彼女のふるまいや、特権階級としてのライフスタイルが、これまでとちがった色あいをおびて見えた。家族と暮らしていた家にだれが泊まろうが、十七歳のときだれと寝ようが、彼女に選択の余地はなかったのだが、世間はそうは見ない。ほかの人に知られたら、許されないだろう。「なんということかしら」暗いゲストルームの天井を見上げてつぶやいた。「ほんとになんということ」

またおきあがり、暗い廊下を歩いて居間をとおりぬけ、東の棟に入った。主寝室は廊下のつきあたりにある。アナの部屋のドアはあいていた。窓からもれる薄い月の光が、ふとんのしたのアナの姿をぼんやりとふちどっている。「アナ？」小声で呼んだ。「おきてる？」

彼女は身動きして、ベッドにおきあがった。近づいたが顔はよく見えない。白髪が肩のあたりまでたれ、ひどく年とって見える。「どうしたの？」眠そうな声に心配そうなひびきがまじっている。

「ごめんなさい」と、彼女に言った。「どんなに申しわけなく思っているか、口では言えないほどよ。アナ、私はひどい友達だったわね」

「あなたはいちばん信頼している友達よ」アナは私の手をとって、ぎゅっとにぎった。やわらかいたるんだ皮膚のしたの骨は小さく、弱々しげに感じられる。これまで私の目にうつっていた、タイタンのような力強い女性の姿はそこにはない。アナが急に年老いて、もろくなったように思えた。おそらく彼女の話をきいたせいだろう。

「ずいぶん苦しんで、ひとりで重荷を背負ってきたのね」そっと言った。「力になれなくて悪かったわ。ほんとにごめんなさい」と、もう一度あやまった。身をかがめ、ギプスのはまった腕でぎごちなく彼女を抱き、ほおにキスした。

どんなに悩み、とり乱しているときでも、自分がすばらしい職場で働けることはありがたいと思う。私が局長をつとめる検屍局は、世界一とは言えないにしても、おそらくその種の機関では全米一であるといつも思っている。バージニア州犯罪科学研究所の責任者も兼任しているが、これは国内でのはじめての教育機関だ。私はこれまでに見たなかでもっとも進んだ法医学研究施設のなかで、仕事をしている。

8

検屍局は、三千万ドルの建設費をかけてつくられた、広さ十三万平方フィートの新しいビルのなかにある。バイオテック2と呼ばれるこのビルは、バイオテクノロジー・リサーチ・パークの中心だ。パークの建設により、使われなくなったデパートや廃屋《はいおく》が、れんがとガラスのエレガントな建物にかわり、リッチモンドのダウンタウンはめざましい変貌をとげた。北部からの侵入者が最後の銃弾をはなってからも、不当な目にあわされつづけていた町を、バイオテックが復活させたのだ。

私がここへきたころには、リッチモンド市はつねに、一人当たりの殺人率が全国でもっとも高い都市のひとつに数えられていた。商店や会社は、近隣の郡へ脱出した。仕事が終わってからダウンタウンへいく人は、まずいなかった。しかしいまはちがう。驚くべきことに、リッチモンドは科学と啓蒙《けいもう》の町として再生しつつある。正直言って、そんなことが可能だとは夢にも思っていなかった。いまだから言うが、最初にここへきたときには、リッチモンドが大きらいだった。その理由は、マリーノにいやがらせをされたとか、マイアミが恋しいといったことより、ずっと根深いものだった。

町にも個性がある。その町に住み、そこを支配する人たちのエネルギーがのりうつるのだ。いちばんひどかったころのリッチモンドは頑固で心がせまく、かつて支配していた、あるいは所有していた人間から命令される身となった、落ちぶれた貴族のようないじけた傲慢《ごうまん》さをもっていた。腹立たしいほど排他的《はいたてき》で、そのため私のような人間は見下されているように感じて、孤独をおぼえた。そうしたさまざまなことに、遺体にあるのと同じ古傷や、虐待のあとを見るような気がした。夏のあいだ、沼やはてしなくつづくいじけた松の木のうえに、戦場の砲煙のようにたれこめるわびしげな靄《もや》に、この町の悲しみを感じた。靄は川のうえをただよい、れんがの山や工場や、あのおそろしい戦争のなごりの捕虜収容所などの傷痕をおおいかくす。私は哀れみをおぼえた。リッチモンドを見捨てなかった。今朝私は、リッチモンドのほうがこちらを見捨てたのではないかという思いにさいなまれていた。

ダウンタウンの地平線にそびえる高層ビルの上は、雲に隠れている。雪がふりしきっていた。部屋の窓から外をながめ、舞い落ちる大きな雪片に気をとられているあいだにも電話が鳴り、人々は廊下を行き交っている。州と市の政府機関が大雪のため閉鎖されるのではないかと心配だった。よりによって仕事に復帰したその日に。

「ローズ?」となりの部屋にいる秘書に呼びかけた。「天気がどうなるか知ってる?」

「雪だそうです」彼女の声が戻ってくる。

「それは見ればわかるわ。まだどこも閉鎖されたりはしてないんでしょう?」この町を襲った白い嵐の獰猛《どうもう》さに驚嘆しつつ、コーヒーに手をのばした。

バージニア州では、シャーロッツヴィルより西とフレデリクスバーグ以北は、冬になると雪にとざされることがめずらしくない。だがたいていリッチモンドはそれをまぬがれる。すぐそばを流れるジェームズ川のおかげで空気があたためられ、雪が冷たい雨にかわるからだという。雨はグラント将軍の率いる大軍のように町をおそい、地面を凍結させる。

「二十センチの積雪が予想されます。雪は午後おそくには弱まり、気温は零下七度前後まで下がるでしょう」ローズはインターネットの気象情報を見ているらしい。「この先三日間は、最高気温が零度をこえないでしょう。どうやらホワイトクリスマスになりそうですよ。すてきじゃないですか」

「クリスマスには何をするつもり、ローズ?」

「とくに何も」と、返事がかえってくる。

うずたかく積まれたケース・ファイルと死亡証明書の山に目をやり、電話の伝言を書いた紙や郵便物、オフィス内のメモなどを押しやった。デスクは書類におおわれ、どこから手をつけたらいいかわからない。

「二十センチ？　きっと警戒宣言がだされるわ」と、答えた。「学校のほかに閉鎖される施設があるかどうか、調べなきゃ。私の予定で、まだキャンセルされてないものは何？」

ローズは壁ごしに大声をあげるのがいやになったらしく、部屋に入ってきた。グレーのパンツスーツに白いタートルネックのセーターというきりっとした装いで、グレーの髪は結い上げている。つねに手離さない私の大きなスケジュール帳をあけた。半月形の読書用めがねを通して今日の予定をながめ、指でなぞる。「はっきりしているのは、いまのところ検屍の予定が六件あることです。まだ八時にもならないのに」と、知らせてくれる。「法廷に召喚《しょうかん》されてますけど、それはとりやめになるでしょうね」

「どのケース？」

「ええと、メイヨー・ブラウン。だれだかおぼえていないわ」

「遺体が埋められていた事件ね」思いだして言った。「毒殺だけど、証明がむずかしいの」

デスクのうえのどこかにそのケース・ファイルがあるはずだ。それをさがしはじめると、首と肩の筋肉が緊張した。ビューフォード・ライターと最後にオフィスで会ったのは、このケースをめぐってだった。私の努力にもかかわらず、これが法廷で大混乱をひきおこすことは、目に見えていた。この遺体に防腐保蔵処置をほどこすと薬物の濃度がうすめられること、この処置をされた組織の薬物の分解の度合いをはかる方法はないことを、四時間もかけて彼に説明した。弁護側は薬物の濃度の低さを指摘するにちがいないので、それに反論できるよう、毒物検査報告書をライターに読ませた。血液のかわりに防腐保蔵液が注入されるので、薬物の濃度がうすくなることを、彼にたたきこんだ。遺体から検出されたコデインのレベルが致死量の最低量に達しているなら、防腐保蔵処理をする前にはそのレベルはもっと高かったはずだ。裁判ではこの点を強調しなければならない。なぜなら弁護側はヘロインとコデインのちがいをもちだして、焦点をぼやかそうとするだろうから。私は口をすっぱくしてライターにそれを説明した。

ライターと私は、局長専用の会議室の楕円形《だえんけい》のテーブルに、書類を広げてすわっていた。ライターは混乱したり、いらいらしたり、うんざりしたときは、わめきちらす傾向がある。彼は報告書をとりあげてはしかめ面をしてそれに見入り、またテーブルにおくことをくりかえし、そのあいだ文句を言いつづけていた。「やっちゃいられないよ」と、何度となく言う。「六モノアセチルモルヒネがヘロインのマーカーだが、それが検出されなかったからといって必ずしもヘロインがなかったわけではない、でも検出されればヘロインもあったことになるなんてことを、いったいどうやって陪審員に理解させるんだ？　コデインが医療目的に使われたものかどうかなんてこともだ」

だからそれをもちだしてはいけないと言ってるのよ、と私は再度強調した。濃度が低下したという点を、検察の攻撃のポイントにするの。防腐保蔵処理をされる前には、濃度がもっと高かったことをね、と彼に教えた。モルヒネはヘロインの代謝産物だ。そしてコデインの代謝産物でもある。血液中でコデインが代謝されると、ごく低レベルのモルヒネがつくられる。このケースでは決定的なことは何も言えない。わかっているのはヘロインのマーカーは発見されず、コデインとモルヒネは一定量が検出されていることだけだ。これは被害者が死ぬ前に何らかの薬物を――自発的にか否かはわからないが――飲んだことを示唆《しさ》している。私はそういうシナリオをライターのために用意した。さらに、防腐保蔵処置をしたために濃度は低くなっているが、実際に摂取《せっしゅ》した薬物の量はかなり多いはずである点も強調した。でも、男の妻がタイレノール・スリーか何かを飲ませて彼を毒殺したことが、この結果から証明できるかどうかといえば、答えはノーよ。だから、とにかく六モノアセチルモルヒネの泥沼にはまって、動きがとれなくならないよう気をつけてね、とくりかえしライターに言った。

気がつくと、いつまでもそのことにこだわっていた。デスクにすわって、たまったペーパーワークをいらいらと片づけながら、ライターのためにさんざん苦労して裁判の準備をしたことを考えた。どんなときでも協力するからと約束したことを思うと、腹立たしい。残念ながら、向こうはまったくそのことに恩義を感じていないようだ。私はいわば、ただめしだ。シャンドンのバージニアでの被害者はみな、ただめしだ。私はそれを容認することができず、ジェイミー・バーガーにも憎悪を感じはじめていた。「じゃ法廷のほうはチェックして」

と、ローズに言った。「ところで、彼は今朝MCVから退院するのよ」ジャン・バプティスト・シャンドンの名前を口にすることは拒否する。「いつものようにメディアが電話攻勢をしかけてくるから、覚悟して」

「ニューヨークから検察官がきていることをニュースできましたけど」ローズは私の予定帳をめくり、こちらを見ないようにしている。「雪にふりこめられたら大変ですね」

私はデスクから立ちあがり、白衣を脱いで椅子の背にかけた。「彼女からは何も言ってこないでしょう？」

「ここには電話はないわ。先生あてには」ローズの口ぶりでは、バーガーがフィールディングか、すくなくとも私以外のだれかに連絡をとったことは知っているらしい。

私は仕事に没頭することで、避けたいと思っていることをだれかがさぐろうとするのをかわすのがうまい。「時間を節約するために」ローズが、いつもの意味深な目でこちらを見る前に言った。「スタッフ・ミーティングはやめましょう。天気がこれ以上悪くなる前に、いまある遺体を運びださなきゃ」

ローズは十年以上私の秘書をつとめている。オフィスでの私の母親のようなものだ。だれよりも私のことをよく知っているが、立場を利用して私がやりたくないことをやらせるような真似はしない。いま彼女はジェイミー・バーガーのことを知りたくてうずうずしている。その目に疑問があらわれているのが見える。だが彼女は何もきかない。リッチモンドでなくニューヨークでこの事件の裁判をすることを、私がどう思っているかを知っている。それについて私が話したくないことも心得ている。「ドクター・チョンとドクター・フィールディングはもうモルグにいらっしゃるようです」と、ローズは言っていた。「ドクター・フォーブスはまだお見かけしてませんけど」

もし雪のために裁判所が閉鎖されず、メイヨー・ブラウン事件が今日裁かれるとしても、ライターは電話してこないだろうと思った。彼は私の報告を書面で提出し、証人としては毒物学の専門家を出廷させるだけで、お茶をにごすだろう。私に臆病者よばわりされたあとで、私と顔をあわせることはしないに決まっている。私の言葉が事実であり、自分でもうすうすそれを知っているはずだから、なおさらだ。たぶんライターは何らかの方法で、この先ずっと私を避けつづけるだろう。その不愉快な考えはさらにべつの考えを呼びおこし、廊下を歩きながら私は思った。こうしたことは、私がどうなることを意味するのだろう？

化粧室のドアを押しあけ、羽目板や絨毯《じゅうたん》のある快適な環境から、いくつかの更衣室をとおりぬけてべつの世界に足をふみいれた。生物学的危険と五感にとっての不快な刺激に満ちた、殺風景な世界だ。そこへいくまでに靴と服を脱ぎ、青緑色のロッカーにしまう。解剖室へ入るドアのそばに、仕事用のナイキのスニーカーをおいている。この靴が生きているものの世界で履《は》かれることは二度とない。使えなくなったときは、焼却する。ずきずきする左腕をかばいながら、スーツの上着とスラックスと白いシルクのブラウスをハンガーにかけた。

足首まであるメガシールド・ガウンに、苦労して身を包む。これは前面のパネルとそでが抗ウイルス性の布でできており、縫い目はとじてある。えりはスナップできっちりしまるスタンドカラーだ。靴カバーをはめ、手術用のキャップをかぶり、マスクをつけた。最後に、肝《かん》炎《えん》ウイルスやHIVなどの脅威をふくんでいるかもしれない飛沫《ひまつ》から目をまもるため、フェースシールドをつけた。

ステンレスの自動ドアがあき、解剖室に入った。バイオハザードに対応したエポキシ樹脂《じゆし》をはった、黄褐色のビニールの床を歩くと、カサカサ音がする。手術着を着た医師たちが、スチールのシンクに接続された、五台のぴかぴか光るステンレスの解剖台のうえに、かがみこんでいる。水が流れる音と、水を吸いこむホースの音がする。白黒写真を展示するギャラリーのように、ライトボックスのうえにレントゲン写真がならんでいる。臓器の形をした影と不透明な骨、それに弾丸のキラキラした小さな破片が見える。それらはヘリコプターのはがれかけた金属のかけらのように、ものを壊し、もれを生じさせ、生命を維持している器官の働きをとめる。安全ガラスのキャビネットのなかには、血液をたらしたDNAの標本カードがクリップにとめられて下がっている。フードのしたで乾燥させられているそれらのカードは、奇妙なことに小さな日本国旗のように見える。角に設置されている有線テレビのモニターから、救急車だまりにとめられた車のエンジンの音が、大きくきこえる。遺体を運びこんだ、あるいはひきとりにきた葬儀社の車だ。ここが私の劇場だ。私はここでパフォーマンスを見せる。ドアをあけたとたんに私を迎える不快なにおいと光景と音は、ふつうの人をたじろがせるのにじゅうぶんだ。しかし私は急に深い安堵《あんど》をおぼえた。医師たちが顔をあげ軽く頭を下げてあいさつするのを見ながら、心がうきたつのを感じた。水をえた魚のような気分だ。自分がもっともいきいきと活動できる場へ、戻ってきたのだ。

天井の高い細長い解剖室のなかに、煙のような異臭がただよっている。シーツでおおわれた移動ベッドが邪魔にならないよう通路の脇におかれ、そのうえに煤《すす》まみれのほっそりした裸の遺体がのっているのが見えた。物言わぬ冷たい遺体は、ひとりぼっちで自分の番をまっている。私をまっているのだ。私は彼が意味のある言葉で話をする最後の人間だ。爪先につけられた名札に油性マジックマーカーで書かれた名前は、あわれにもジョン・ドとなっている。本名がわからないときに用いるジョン・ドウという名前のスペルを、だれかが間違えたらしい。ラテックスの手袋の包みを破ってあけた。手袋がじゅうぶんのびてギプスのうえまできたので、ほっとする。腕はさらに防水の袖で守られている。吊り包帯はしていないが、しばらくのあいだ右手だけで検屍をしなければならない。右利きが大勢《たいせい》をしめるこの社会では、左利きにとって不便なことが多い。だがそれなりの利点もある。左利きの多くは両手が使えるか、すくなくともある程度はどちらの手も使うことができる。しかしずきずきする骨折した腕は、どんなにがんばって仕事をしても、どんなにそれに没頭しても、私の世界の何かがおかしいことをつねに意識させる。

ゆっくり遺体のまわりを歩き、かがんでよく見た。右腕のひじの内側にまだ注射器がささり、上半身は第二度のやけどのため火ぶくれになっている。火ぶくれのふちの部分はまっ赤だ。皮膚には煤《すす》が黒いすじを残している。鼻と口の内側に煤が厚くこびりついていることは、火がもえはじめたときに彼がまだ生きていたことを物語っている。煙を吸いこんだのは息をしていたからだ。またやけどをした個所に火ぶくれができ、そのふちが赤くなっているのは、そこに体液が送りこまれたから、つまり血圧があったからだ。火がつけられ、注射針が腕にささっているという状況は、自殺の可能性を示唆《しさ》している。だが右の太ももの上部に打撲傷があり、みかんほどの大きさに赤くはれあがっている。それにさわってみた。硬化して石のようになっている。最近の傷のようだ。どうやってできたのだろう？　針は右腕にさっているから、もし自分でさしたのなら、彼は左利きだと思われる。しかし右腕のほうが左より筋肉が発達しているところを見ると、たぶん右利きだろう。

なぜ裸なのだろう？

「まだ身元はわからないの？」声をあげてジャック・フィールディングに呼びかけた。

「情報は入ってない」彼はメスに新しい刃をはめた。「刑事がくるはずになってるんだが」

「裸で見つかったの？」

「そう」

髪の色を見ようと、手袋をはめた手で煤まみれのふさふさした髪をすいた。洗ってからでないと確実なことは言えないが、体毛と恥毛は黒っぽい。頬骨が高く、とがった鼻と角張ったあごをもち、きれいにひげをそっている。身元をさぐるために写真をまわすことになったら、葬儀社にメーキャップをしてもらって額とあごのやけどを隠す必要がある。死後硬直がすすんでおり、両腕はまっすぐ脇にのばされ、指はわずかに曲がっている。死斑《しはん》、つまり重力によって遺体の下面に血液が沈下する現象も見られる。死後、壁や床にあたっていた両脚の側面と臀部《でんぶ》が赤紫色になり、反対側の部分は白くなっている。遺体の脇を下にして支え、背中に傷がないか調べた。肩甲骨《けんこうこつ》のうえに何本かのすり傷が平行についている。これはひきずったときにできた傷だ。肩甲骨のあいだと首のうしろの下のほうに、やけどのあとがある。そのひとつに、ビニールの切れはしのようなものが付着していた。五センチほどの長さで細長く、白地に小さな青い活字が印刷されている。食品のパッケージの裏についている字に似ている。ピンセットでそれをつまんで、手術用ランプの光にかざした。それは紙というより薄いぺらぺらのビニールのようで、キャンディやスナック菓子の包装を思わせる。「この製品は」という言葉と、9-4ESTという文字、それにフリーダイアルの番号とウェブサイトのアドレスの一部が読みとれた。その切れはしを証拠品袋に入れた。

「ジャック？」フィールディングを呼び、白紙の用紙や人体の線図がかかれた紙をとって、クリップボードにはさんだ。

「そんなギプスをつけて仕事するなんて、信じられないよ」フィールディングはそう言いながら、部屋の向こうからやってきた。腕の筋肉がもりあがり、手術着の短いそでがはちきれそうだ。みごとなボディで知られる副検屍局長だが、いかにウエートリフティングに精をだし、高タンパクのマイオプレックス・チョコレートクリームをせっせと飲んでも、髪がうすくなるのはくいとめられないようだ。最近、彼の薄茶色の髪は気味が悪いようにみるみる抜けはじめ、服についたり、羽毛のように空中をとんだりしだした。まるで彼が溶けはじめたかのようだ。

フィールディングは名札のスペルの間違いを見て、顔をしかめた。「運搬サービスのやつはアジア人なんだろうな。ジョン・ドだとさ」

「担当の刑事はだれ?」と、私はきいた。

「スタンフィールド。知らないやつだ。手袋に穴をあけないように気をつけないと、二、三週間バイオハザードを身につけてすごすことになるぞ」ラテックスの手袋をかぶせたギプスをさして言う。「実際のところ、もしそうなったらどうするんだい?」

「はずして新しいのをつけるわ」

「ここに使い捨てのギプスを用意しといたほうがいいかな」

「どっちにしてもはずしたいわ。このやけどのパターン、なんだか変ね。遺体は火からどれぐらい離れていたの?」

「ベッドから三メートルぐらいのところで見つかった。燃えたのはベッドだけで、それも一部だけだったらしい。遺体は裸で、壁を背にして床にすわっていた」

「どうして上半身にしかやけどを負っていないのかしら？」一ドル銀貨ほどの大きさと形の、それぞれ離れたやけどのあとを指さした。「両腕と胸。左肩にもひとつある。顔にもよ。背中にもいくつかある。壁にもたれていたなら、背中にやけどを負うはずがないのに。ひきずられたあとはどうしたのかしら？」

「僕のきいたところでは、消防隊員が現場に着いたとき、遺体を駐車場へひきずりだしたそうだ。とにかく、火が燃えはじめたときには彼は意識がなかったか、動けなくなっていたのはたしかだ。それでなけりゃ、だれがおとなしくすわってやけどを負ったり、煙を吸いこんだりするものか。もっとも、いまは楽しいクリスマスの時期だからね」副検屍局長は二日酔いで疲れているようだ。どうやらさんざんな夜をすごしたらしい。別れた妻とまた大げんかでもしたのだろうか。「みんなが自殺したがる。あそこの女性は」と、第一解剖台のうえの遺体を指さす。そこではドクター・チョンが脚立《きゃたつ》に乗って、写真をとるのに忙しい。「キッチンの床のうえで死んでいた。枕と毛布がそばにあったそうだ。隣人は一発だけ銃声をきいている。母親が遺体を発見した。遺書も見つかっている。それから二番目のドアのうしろのは」と、第二解剖台を見つめる。「自動車事故死だが、警察は自殺を疑っている。体中に傷を負っている。立ち木にぶつかったんだ」

「彼女の衣服もきているの？」

「ああ」

「足のレントゲンをとって、検査室のほうで靴の底を調べてもらいましょう。木にぶつかったとき、ブレーキをかけていたのかアクセルをふんでいたのかを知るために」人体図に、煤のついている部分をかきこんだ。

「それから、麻薬の過量摂取の前歴のある糖尿病患者《とうにょうびょう》がいる」フィールディングは今朝の客をひとりひとりあげていく。「庭で見つかった。麻薬かアルコールか凍死か」

「あるいはその組み合わせか」

「そうだな。このやけど、たしかにおかしいね」よく見ようと身をかがめる。しきりにまばたきする。彼はコンタクトレンズをはめているのだ。「全部同じ大きさと形なのも妙だな。手伝おうか？」

「ありがとう。でもひとりで大丈夫よ。あなたはどうなの？」クリップボードから目をあげた。

フィールディングは疲れたような目をしており、少年ぽいハンサムな顔はやつれている。

「いつかいっしょにコーヒーでも飲もう。そのうちね。それよりあなたの具合をきかなきゃいけないな」

大丈夫というしるしに、彼の肩をたたいた。「まあまあよ、ジャック」と、つけ加える。

ジョン・ドウの外景検査をはじめた。まずPERKをおこなった。これは遺体からさまざまなサンプルを採取する、あまり愉快とは言えない作業だ。体の開口部を綿棒でふいて内容物をとったり、爪を切ったり、毛髪や体毛、恥毛をぬいたりといった作業がふくまれる。自然死ではない可能性がすこしでもある場合は、これをおこなう。また裸で見つかった遺体も、必ずPERKをする。ただし浴槽のなかとか手術台のうえなど、死んだときに衣服をつけていないもっともな理由があるときはべつだ。大体において、私は遺体の尊厳を保つことはしない。してはいけないのだ。ときとしてきわめて重要な証拠が、もっとも奥深い、デリケートな穴にひそんでいたり、爪のしたや毛髪のなかに見つかることがある。この男性のもっともプライベートな部分を侵害しているあいだに、肛門のまわりに治りかけている裂傷があるのを見つけた。口の両端にもすり傷があり、舌と頬の内側に繊維《せんい》が付着していた。

拡大鏡で遺体をくまなく調べると、さらに不審な点がいくつもうかびあがった。肘《ひじ》とひざがわずかにすりむけており、そこに泥と繊維がくっついている。日常的に使うポストイットののりのついた部分を押しつけてそれらを採取し、ビニール袋に入れた。両手首の骨のでっぱった個所に、周縁部だけが乾いた赤茶色のすり傷と、すりむけた皮膚が見つかった。腸骨静脈から血液を、眼球から硝子液をとった。試験管は小型エレベーターで三階の毒物検査室へはこばれ、血中アルコール濃度と一酸化炭素の検査がおこなわれる。

十時半ごろ、Y字形切開した部分の組織をおりかえしているときに、背の高い年輩の男性がこちらへ近づいてくるのに気づいた。幅の広いくたびれた顔をしたその男性は、解剖台から安全な距離をおいて足をとめた。食料品店でもらうような茶色い紙袋をもっている。袋の口はおりかえして、黄色い証拠品用テープがはってある。わが家の食堂にある赤いマホガニーのテーブルのうえにのっていた、私の衣類の入った袋が一瞬目にうかんだ。

「スタンフィールド刑事ね？」皮膚をもちあげ、メスをすばやく小刻みに動かして肋骨《ろっこつ》からはがした。

「おはようございます」彼は遺体を見て、はっとしたように言いそえた。「彼にはおはようと言っても通じないでしょうが」

スタンフィールドは体にあわないヘリンボーンのスーツのうえに、保護衣を着ていない。手袋も靴カバーもつけていない。私のふくらんだ左腕にちらっと目をやったが、どうやって骨折したのかきかないところをみると、もう知っているらしい。私のことが大々的に報道されていることを、それで思いだした。私はそうしたニュースを見ることを断固として拒否している。アナは私のことを臆病だと思っているようだが、精神科医がそんなふうに非難するわけにいかないので、そうは言わない。「臆病者」のかわりに、彼女は「否定」という言葉を使う。しかし何と言われようと、私は新聞を読まない。自分についてのニュースは一切見もしないし聞きもしない。

「遅くなってすみません。道路がひどくて」と、スタンフィールドが言った。「タイヤにチェーンはつけてますか？　わたしはつけてなかったもので、立ち往生してしまった。レッカー車を呼んでチェーンをつけてもらったんで、こんなに遅くなったんです。何かわかりました？」

「COは七二パーセント」COは一酸化炭素のことだ。「血液の色がすごくあざやかでしょう？　COのレベルが高いとそうなるの」手術用カートから肋骨用の大ばさみをとりあげる。「血中アルコール濃度はゼロよ」

「じゃ、火事で死んだんですね？」

「腕に注射針がささっていたけど、死因は一酸化炭素中毒よ。ほかにたいしたことはわからないわ、残念ながら」肋骨を切りながら言った。「肛門に傷があるの。ホモセクシャルだった証拠ね。死ぬ前に手首をしばられていた。それからさるぐつわもはめられていたようね」

手首と口角のすり傷を指さす。

　スタンフィールドは目を見開いた。「手首の傷は乾いていない。つまり古い傷ではないということ。口のなかに繊維があるから、死亡したときかその前にさるぐつわをはめられていたことはたしかよ」ひじの内側に拡大鏡をあてて、ポツッとついた二つの血のあとをスタンフィールドに見せた。「新しい注射のあとよ。興味深いのは、麻薬をやっていたことを示す古い注射のあとが見られないこと。肝臓の断片を検査にまわして、胆管系に炎症がないか調べてもらうわ。毒物検査のほうからどんな結果がもどってくるか、待ちましょう」

「エイズにかかっているかもしれないな」スタンフィールド刑事のいちばんの関心事はその

ことらしい。

「ＨＩＶ検査をしてみるわ」と、答えた。

遺体の胸から肋骨をつながったままとりだすと、スタンフィールドはまた一歩後ろに下がった。それを合図にしたように、ローラ・タークルが入ってきた。ピーターズバーグにあるフォート・リー陸軍基地の戦死者登録部から派遣されてきている女性で、タークという愛称で呼ばれている。とても愛想がよくていねいで、いきなり解剖台の向こうにあらわれると、敬礼せんばかりにあいさつした。彼女はいつも私のことを「チーフ」と呼ぶ。タークにとってチーフは位をあらわす呼びかたで、ドクターはそうではないのだろう。

「頭蓋骨をあけましょうかね、チーフ？」と、タークは言った。これは質問ではないので答える必要はない。彼女はここへ派遣されてくる軍関係の多くの女性と同じように、タフでやる気まんまんで、男性を圧倒してしまう。本当をいうと、男性のほうがこわがりが多いのだ。「ドクター・チョンが担当しているあの女性はね」と、タークは頭上のコードリールにストライカーのこぎりのプラグをさしこみながら言った。「生前遺言を残していて、新聞用の死亡記事まで用意していたんですって。保険関係の書類も全部そろえてバインダーに入れて。それと結婚指輪をキッチンテーブルにおいて、それから毛布のうえに横になって、頭を撃ちぬいたそうですよ。想像できます？　悲しいわね」

「ほんとに悲しいわ」光沢のある臓器をひとまとめにとりだし、まな板のうえにのせた。

「ここにいるつもりなら、保護用のものをつけたほうがいいわ」と、スタンフィールドに伝えた。「ロッカールームのどこに入ってるか、だれか教えてくれなかった？」

スタンフィールドは無表情な顔で、私の血まみれの袖口と、手術着の前面に飛びちった血を見つめた。「先生、よかったらいままでにわかったことを話したいんですが」と、彼は言った。「ちょっとどっかにすわれます？　それが終わったら、天気がこれ以上悪くなる前にいそいで帰らなきゃならない。そのうちサンタのそりでもないと、どこへもいけなくなりますよ」

タークはメスをとりあげ、頭のうしろに耳から耳まで切りこみを入れた。頭皮をめくって前へひっぱると顔がゆるみ、抗議するようにくしゃっとなってから、折り返したソックスのように中表になった。むきだしになった頭蓋骨の上部はまっ白で光沢をおびている。それをじっくり見た。血腫はない。陥没《かんぼつ》や骨折もない。電動のこぎりのウィーンという響きは、テーブルソーと歯医者のドリルの音をまぜあわせたようにきこえる。手袋を脱いで、バイオハザード用の赤いごみ容器に捨てた。スタンフィールドについてくるよう合図して、解剖台の列の向かい側の壁に造りつけてある、長いカウンターのところへいった。私たちは椅子をひきだした。

「正直いってね、先生」スタンフィールドは困ったようにゆっくり首をふりながらはじめた。「こいつはいったいどこから手をつけたらいいのか、見当がつかないんです。いまわかってるのは、この男が」と、解剖台のうえの遺体をさす。「昨日の午後三時に、フォートジェームズ・モーテル・アンド・キャンプグラウンドにチェックインしたことだけです」

「フォートジェームズ・モーテル・アンド・キャンプグラウンドというのは、どこにあるの？」

「ルート・ファイヴウエスト沿いの、ウイリアム・アンド・メアリー大学から十分足らずのところです」

「そのフォートジェームズ・モーテルの人とは話をしたの？」

「ええ、フロントの女性と話しました」大型の茶封筒をあけ、ポラロイド写真を何枚かつかみだす。「ベヴ・キフィンという名前です」彼は上着の内ポケットから老眼鏡をとりだし、かすかにふるえる手で手帳をめくって、スペルを教えてくれた。「彼女の話では、その青年がきて、一六〇七スペシャルをたのむと言ったそうです」

「ごめんなさい、何ですって？」メモのうえにボールペンを休めた。

「月曜から金曜まで、百六十ドル七十セントで泊まれるんです。五泊ですよ。一六〇七で。ふつうの料金は一晩四十六ドル。あんなところにしちゃずいぶん高いですよ。でも観光客がひっかかるんでしょうね」

「一六〇七？　ジェームズタウンができた年と同じね？」ジェームズタウンの話がでるのがふしぎに思える。ゆうべアナにベントンのことを話していたときに、ジェームズタウンのことを言ったばかりだ。

　スタンフィールドは深くうなずいた。「そう、ジェームズタウンができた年。一六〇七。それがビジネスレートです。まあ、店はそう呼んでます。ウィークデイの五日間の料金。言っときますけど、あまりいいモーテルじゃない。かなりひどいですよ。安宿ってやつだな」

「犯罪の前歴があるの？」

「いや。それはない。わたしの知ってるかぎり、犯罪の前歴はありません」

「みすぼらしいだけね？」

「そうです」また深くうなずく。

　スタンフィールド刑事には、言葉を強調して話すくせがある。大事な言葉をくりかえしたり強調する必要のある、のみこみの悪い子供をいつも相手にしているかのようだ。彼は写真をカウンターのうえにきちんとならべ、私はそれらを見た。「あなたがとったの？」と、きく。

「そうです、わたしがとりました」

　とった本人と同じように、写真ははっきりしていて的を射ている。十四という番号がついたモーテルの部屋のドア。あいたドアから見た部屋のなか。焼けこげたベッド。煙の被害を受けたカーテンと壁。たんすがひとつと、洋服をつるすスペースがある。といっても、ドアのすぐ内側の引っこんだところに、棒が一本わたしてあるだけだ。ベッドのうえのマットレスには、焼け残ったベッドカバーと白いシーツの切れはしがのっているが、ほかには何もない。燃焼促進物の有無を調べるために、寝具を検査室へ送ったのかとスタンフィールドにきいた。ベッドには何ものっていなかった、と彼は答えた。検査にだせるものはマットレスの燃えた部分だけで、それはアルミの缶に入れてきっちりふたをしたという。「手順どおりに」と彼は言った。これは刑事の仕事をはじめたばかりの人間が使う言葉だ。しかし彼も寝具がなかったのは妙だという点には同意した。

「彼がチェックインしたときにはベッドにのっていたのかしら?」と、私はきいた。

「ミセス・キフィンによると、部屋までついてはいかなかったけど、数日前に最後の客が帰ったあと、自分で部屋を掃除したから、ベッドに寝具がかかっていたのは間違いないということです」と、スタンフィールドは答えた。それはよい兆候《ちょうこう》だ。すくなくとも彼はそれについて質問しようと思ったわけだ。

「荷物は?」と、つぎにきいた。「被害者は荷物をもっていたの?」

「荷物は見つかりませんでした」

「消防車が到着したのは何時ごろ?」

「通報があったのは午後五時二十二分です」

「だれが通報したの?」メモをとりながらきく。

「車でそばをとおりかかった人です。煙を見て、自動車電話から知らせてきたんです。ミセス・キフィンによると、いまの時期はあまり客が入らないそうで。昨日は全室の四分の三があいていたそうです。もうすぐクリスマスだし、こんな天気だし。ベッドを見ればわかりますが、火は燃えひろがらなかったんです」ごつごつした太い指で写真をさわる。「消防車がきたときには、もう消えかかっていました。消火器だけでじゅうぶんで、水をかける必要もなかったようです。われわれにとっては、好都合でした。これが彼の服です」

あいたバスルームのドアのすぐ向こうの床におかれた、黒っぽい衣類の山の写真を私に見せた。ズボンとTシャツ、上着と靴が見える。つぎにバスルームの内部の写真を見た。洗面台のうえに銅色をしたプラスチックのアイスバケットとセロファンに包まれたプラスチックのコップ、それに包みに入ったままの小さなせっけんがおかれている。スタンフィールドはポケットに手をつっこんで小型のナイフをとりだし、刃をだしてもってきた袋の口を封じた証拠品用テープを切った。「彼の服です」と、説明する。「すくなくともそう思われます」

「ちょっと待って」私は立ちあがって移動ベッドを清潔なシーツでおおい、新しい手袋をはめ、札入れなどの所持品は回収されていないのかとたずねた。回収されていない、と彼は答えた。微細な証拠がくっついていたらシーツのうえに落ちるように、注意深く衣類をとりだすと、尿のにおいがした。黒いビキニ型のブリーフとジョルジオ・アルマーニの黒いカシミヤのズボンを調べた。どちらも尿でぐっしょり濡れている。

「彼はズボンを濡らしているわ」と、スタンフィールドに言った。

彼はだまって首をふり、肩をすくめた。その目に疑いの色がうかんでいる。恐れのまじった疑いだ。状況はよくわからないが、私の勘ではこの点ははっきりしている。彼はひとりでチェックインしたのかもしれないが、どこかの時点でべつの人物があらわれたのだ。被害者が失禁したのは、恐怖にかられたためではないだろうか？

「そのフロントの女性、ミセス・キフィンは、彼がチェックインしたときこういう服装をしていたかどうかおぼえているの？」なかに何か入っていないか調べるために、ポケットをひっぱりだした。何も入っていない。

「それはききませんでした」と、スタンフィールドは答えた。「ポケットに何も入ってないのか。それは妙だな」

「現場ではだれも調べなかったの？」

「実は衣類を袋に入れたのはわたしじゃないんです。べつの警官がやりました。でもだれもポケットはさぐらなかったと思いますよ。すくなくとも所持品は何も見つからなかった。もしあれば知らせるはずで、服といっしょにもってきていますよ」

「じゃ、いまミセス・キフィンに電話して、チェックインしたとき彼がこの服を着ていたことをおぼえているか、きいてみたらどうかしら？」さしでがましくならないよう気をつけて、スタンフィールドにやるべきことを言った。「それから車は？　彼がどうやってモーテルへきたかわかっているの？」

「いまのところ車は見つかっていません」

「彼の服装は、そんな安っぽいモーテルには似合わないわね、スタンフィールド刑事」衣類を記すための用紙にズボンの絵をかきながら言った。

黒い上着とTシャツ、それにベルト、靴、靴下はみな高価なブランド品だ。そのことでジャン・バプティスト・シャンドンのことを思いだした。今月のはじめにトマの腐敗した遺体がリッチモンド港で発見されたとき、ジャン・バプティストの独特の細い毛が体中についていた。そのとき遺体が着ていた服とこれとが似ていることを、スタンフィールドに言った。ジャン・バプティストがおそらくアントワープで弟のトマを服をとりかえてから殺し、遺体をリッチモンド行きの貨物船のコンテナに入れたというのが、いまのところ有力な説であることも説明した。

「例の毛がついていたからですか？　それについては新聞で読みましたけど」どんなに経験豊かな捜査官でもわかりにくいことを、スタンフィールドはけんめいに理解しようとしている。

「それと、遺体についていた珪藻《けいそう》、つまり藻《も》がパリのサン・ルイ島にあるシャンドン邸のそばを流れているセーヌ川の藻と一致したから」私は話をつづけた。スタンフィールドはわけがわからないようだ。「とにかくね、スタンフィールド刑事、その男は」と、ジャン・バプティスト・シャンドンのことをさして言う。「非常にめずらしい先天性疾患《しっかん》にかかっていて、セーヌ川で泳いでいたらしいの。そうすることで病気がなおると思っていたようね。彼の弟が着ていた服は、もともとジャン・バプティストのものだったと思われるの。わかる？」ベルトの図を描き、革についたくぼみからどの穴がいちばんよく使われていたかを判断した。

「正直いって、このところ耳に入るのは、その気味の悪い事件と狼男のことばかりですよ」と、スタンフィールドは言った。「テレビも新聞もそのニュースでもちきりですよ、ご存知でしょうけど。ところで、今回のことは本当にお気の毒でした。正直いって、ここへきたり、まともに考えたりできるのがふしぎなくらいだ。まったく」と、首をふる。「もしあんなやつがやってきたら、何もされなくても心臓発作で死んでしまうだろうって女房は言ってますよ」

彼が私にかすかな疑念を抱いていることを感じた。私が理性的に考えているのか、それともあの事件に影響されているのかを疑っている。私が経験するすべてのことにジャン・バプティスト・シャンドンの影を見てしまうのではないかと。

衣類の図表をクリップボードからはずし、ジョン・ドウのほかの書類といっしょにした。スタンフィールドは手帳に書いた番号を見てダイアルした。あいているほうの耳に指をつっこみ、タークがまたべつの頭蓋骨をのこぎりで切るのを見ると目が痛むとでもいうように、目を細めている。スタンフィールドが何と言っているのかきこえない。彼は受話器をおき、ポケットベルのディスプレーを見ながらこちらへ戻ってきた。

「いいニュースと悪いニュースがありますよ」と、彼は言った。「ミセス・キフィンは彼が上等そうな黒いスーツを着ていたのをおぼえてるそうです。それがいいほうのニュース。悪いほうはですね、彼が鍵をもっていたのもおぼえているというんです。最近の高級車についてる、リモート式のやつです」

「でも車はないのね」

「そうです。鍵も見つかっていません。何がおきたにしろ、べつの人間がいたようですね。だれかが薬を飲ませて、証拠を隠すために焼こうとしたんでしょうか？」

「真剣に殺人の線を考えたほうがよさそうね」と、わかりきったことを言った。「指紋をとって、AFISのなかに一致するものがないか調べましょう」

AFIS、つまり自動指紋照合システムは、指紋をコンピューターにとりこんで、他州とつながっているデータベースの指紋と照合するための装置だ。もしこの男性に国内での犯罪歴があるか、何かほかの理由で指紋がデータベースに入っていれば、ヒットするはずだ。左手の掌《てのひら》のしたの部分と親指をおおっている石膏《せっこう》にかぶさるよう、細心の注意をはらいながら、新しい手袋をはめた。遺体の指紋をとるには、スプーンと呼ばれる簡単な道具を使う。これは湾曲《わんきょく》した金属の器具で、空洞の管をたてに半分に切ったような形をしている。スプーンの切りこみに細長い白い紙をとおすと、かたくなってもはや持ち主の意志どおりに動かなくなった指の丸みにそうように、紙が湾曲する。指紋をひとつとるたびに紙をひっぱると、新しい面がでる。これはむずかしい作業ではなく、たいして頭を使わなくてもできる。しかしスプーンがどこにあるかをスタンフィールドに教えると、彼は外国語で話しかけられたかのように、顔をしかめた。遺体の指紋をとったことがあるかときくと、ないという。

「ちょっと待ってね」電話のところへいき、指紋検査室の内線をダイアルした。だれもでない。交換台にかけてみた。悪天候のため、みんな帰ってしまったという。タークが遺体の指をふき、私はそれにインクをつけて、湾曲した紙に一本ずつ押しつけた。「あなたのほうで異存がなければ」と、スタンフィールドに言った。「リッチモンド市警のほうでこれをAFISに入れて調べてもらえるか、たのんでみるわ」私が親指をスプーンに押しつけるのを、スタンフィールドはぞっとしない表情でながめている。彼はモルグが大きらいという種類の人間で、一刻もはやく逃げだしたいのだ。「いまは検査室に協力してもらえる人がだれもいないようだし、なるべく早く身元をつきとめたほうがいいから」と、私は説明した。「指紋やほかの情報を、インターポールへ送りたいの。この男性に何らかの国際的なつながりがないか調べてもらうために」

「いいですよ」スタンフィールドは例によってまた深々とうなずき、腕時計に目をやった。

「インターポールと仕事をしたことある？」と、彼にきいた。

「いや、ありません。スパイみたいなものでしょう？」

マリーノをポケットベルで呼びだし、協力してもらえないかきいた。彼は四十五分後にやってきた。そのころにはスタンフィールドはとっくに帰ってしまっており、タークはばらばらにしたジョン・ドウの臓器をぶあついビニール袋に入れていた。それを遺体の体腔《たいこう》におさめてから、Y字形切開を縫合《ほうごう》するのだ。

「よう、ターク」ステンレスの自動ドアから入ってきたマリーノは、彼女にあいさつした。「また残りものを冷凍しようってのか？」

タークは片方の眉をあげ、にやっと笑って彼を見上げた。マリーノはタークを気に入っている。気に入っているあまり、機会さえあれば彼女に失礼なことを言う。タークはそのニックネームから想像されるような女性ではない。小柄な、清潔な感じの美人で、クリーム色の肌のもちぬしだ。長いブロンドの髪をうしろでまとめ、サーカスの馬のしっぽのように、高い位置でとめている。タークが太いろうびきの白い捻糸《ねんし》を十二ゲージの縫合針にとおしているあいだ、マリーノは彼女をからかいつづけた。「言っとくけどな、俺は切られても、あんたに縫ってもらうのはごめんだよ、ターク」彼女はにやにやしながら曲がった太い針を肉にさしこみ、捻糸をひきだした。

マリーノは二日酔いのようだ。目が充血《じゅうけつ》してはれぼったい。軽口をきいているが、機嫌はよくない。「ゆうべは寝るのを忘れたの？」と、私はきいた。

「まあな。話せば長いんだが」彼は私を無視しようとした。タークを見つめているが、妙にそわそわし、居心地が悪そうだ。私は手術着のひもをほどき、フェースシールドとマスクをはずして、手術帽を脱いだ。

「なるべく早くこれをコンピューターに入れてほしいの」事務的な口調でそっけなく言った。マリーノは私に何かを隠している。それに彼が年がいもなく女性の前でかっこうをつけようとするのが、いやでたまらない。「ちょっと面倒なことになりそうよ」

マリーノはタークから私へ注意を移した。まじめな顔になり、子供じみたふるまいをやめた。「俺がたばこを吸うあいだに、何があったのか話してくれよ」と言う。私と目をあわせるのは数日ぶりだ。

このビルは禁煙だが、おえらがたのなかには、告げ口するものがまわりにいないかぎり、平気でオフィスでたばこを吸う人もいる。だがモルグでは、だれにたのまれようと絶対に喫煙を許さない。ここの患者は人が吸うたばこの煙の害をおそれる必要はない。だが私が心配するのは生きている人たちのことで、モルグでは手を口へもっていくような行為は、一切してはならない。飲食やたばこはもちろんのこと、ガムをかんだりキャンディやトローチをなめたりすることも、なるべくやめさせるようにしている。きめられた喫煙場所は、救急車だまりの自動販売機のそばの、足つきの灰皿の前におかれた二脚の椅子だ。この季節には、あたたかくて居心地のいい場所とは言えないが、人目にはつかない。ジェームズ・シティ郡の事件はマリーノの管轄《かんかつ》ではないが、衣類のことを彼に話しておく必要があった。「たんなる勘なんだけど」と、最後に言った。

マリーノはプラスチックの椅子に脚をひろげてすわり、灰皿に灰を落とした。お互いの息が白く見える。

「ああ、俺もなんかくさいと思う」と、彼は言った。「偶然かもしれねえ。だがシャンドン一家はおそろしい連中だ。醜《みにく》いアヒルの息子が殺人罪でアメリカの刑務所にとじこめられたとなると、何をやりだすかわかったもんじゃねえ。息子のおかげで、ゴッドファーザーのパパやその一味が、がぜん注目を集めちまったからな。俺に言わせりゃ、やつらはどんなことでもやる極悪人だ。どんなにとんでもない野郎どもかが、やっとわかりかけてきた」と、なぞめいた言いかたをする。「マフィアはきらいだよ、先生。大きらいだ。俺の若いころ、やつらはすべてをとりしきってた」目が険《けわ》しくなる。「いまでもそうかもしれねえ。ただちがいは、いまはもうルールとか敬意なんてものが一切なくなったことだ。そいつがジェームズタウンのそばで何やってたのか知らねえけど、観光じゃねえことはたしかだ。シャンドンのいる病院からたった百キロのとこだろう。何かあるな」

「マリーノ、すぐインターポールの協力を要請しましょう」

個人についてインターポールに照会するのは、警察の仕事だ。それをするには、マリーノは州警察のインターポール担当官にまず連絡し、担当官がその情報をワシントンにあるインターポールのアメリカ中央局へ伝える。私たちがインターポールに依頼するのは、各国にこの事件のことを通告し、リヨンの事務局にある大規模な犯罪者情報データベースで検索することだ。通告書は内容によって色がちがう。すみやかな逮捕と引き渡しを求める場合は赤。指名手配されているが身元がはっきりしない人物の場合は青。常習的な幼児虐待者や子供を使うポルノ製作者などのような、犯罪をおかすおそれが高い人物について警告する場合は緑。行方不明者は黄色。身元不明の遺体は黒だが、逃亡者である確率が高い場合は赤も使われる。私が依頼するのは、今年二件目の黒の通告ということになる。最初の通告を依頼したのは、数週間前にリッチモンド港で貨物船のコンテナに入ったトマ・シャンドンの腐敗した遺体が発見されたときだ。

「よし、じゃ顔写真と指紋と検屍の結果をインターポールへ送ろう」マリーノが忘れないように言った。「帰ったらすぐやるよ。スタンフィールドが気分を害さねえといいけどな」これには警告の意味がふくまれている。スタンフィールドが気分を害そうが害すまいが、マリーノはへとも思わない。ただもめたくないのだ。

「あの人、何もわかってないのよ、マリーノ」

「残念なこった。ジェームズ・シティ郡には腕のいい刑事がいっぱいいるのによ。困ったことに、スタンフィールドの義理の兄さんがマシュー・ディンウィディ下院議員なんだ。それでスタンフィールドは昔から特別扱いしてもらってるんだ。あいつに殺人事件を担当させるなんて、くまのプーさんにやらせるようなもんだ。でもやつがやりたいと言ったもんで、ディンウィディのやつ……ディムウィット《うすのろ》と俺は呼んでるんだが……署長をまるめこんだんだろう」

マリーノはまたたばこに火をつけた。その目はあたりをさまよっている。彼の考えていることが手にとるようにわかった。私はたばこを吸うのをがまんした。吸いたくてたまらず、禁煙をやめた自分を呪った。いつも一本だけでやめようと思うのだが、絶対にそうはいかない。マリーノと私のあいだにぎごちない沈黙が流れた。しばらくして、ようやくシャンドンの事件と日曜日にライターが言ったことをもちだした。

「いったいどうなってるのか教えてくれない？」静かな声でマリーノに言った。「彼は今朝早く退院したのね。あなたもいったんでしょう？　バーガーにも会ったのね？」

マリーノは時間をかせごうとするように、たばこを吸った。「ああ、いったよ、先生。すげえ騒ぎだった」煙にのって言葉がでてくる。「ヨーロッパからもリポーターがきてた」彼はちらっとこちらを見た。私にすべてを話すつもりではないことがわかる。それを見て気持ちが沈んだ。「俺に言わせりゃ、あんなろくでもない野郎は、バミューダ三角水域にでもつっこんでやりゃいいんだ。だれにも話をさせたり写真をとらせたりせずに」と、マリーノはつづける。「あんな扱いはおかしいよ。まあ、やつの場合にはあんまり醜いんで、いろいろ技術的問題がおきたかもしんねえな。高級なカメラがこわれたりとか。やつは戦艦でもつなぎとめられるほど頑丈な鎖につながれて、ひきだされてきた。目のうえに包帯を巻いて、おおげさに痛がってるふりをしてた」

「彼と話をしたの？」いちばん知りたいのはその点だ。

「俺の出番はなかった」マリーノは妙なことを言い、歯をくいしばって向こうを見つめた。「場合によっちゃ、やつに角膜移植をするんだと。くそ。めがねも買えねえやつが世界中にごまんといるのに、あの毛むくじゃらの化け物に新しい角膜をやるっていうんだ。手術の費用は納税者がはらうんだろう。やつの世話をしてる医者だの看護婦だのいろんなやつらにはらう金もそうだ」たばこを灰皿に押しつけて消す。「そろそろいくかな」しぶしぶ立ちあがった。私と話をしたいのに、なぜかそうしない。

「あとでルーシーのやつとビールを飲むことになってるんだ。ビッグニュースがあるんだと」

「そのニュースは本人の口からきいたほうがいいわ」と、私は答えた。

マリーノは横目でじろっと見た。「思わせぶりなこと言うなよな」

そっちこそ、と言いかけた。

「ヒントぐらい言ってくれよ。いいニュースか、それとも悪いニュース？　まさか妊娠したっていうんじゃねえだろうな」皮肉っぽく言いながらドアをあけてくれ、いっしょに救急車だまりをでた。

解剖室へ入ると、タークが私の解剖台にホースで水をかけていた。スポンジで台をこすると水がはね、スチールの格子ががちゃがちゃと大きな音をたてる。私を見ると、騒音に負けないように声をはりあげて、ローズから電話があったと言った。私は電話のところへいった。「法廷は閉鎖されました」と、ローズは言った。「でもライターのオフィスからの連絡では、どっちにしてもライターは先生の証言を文書の形にするつもりなので、ご心配なくということです」

「それはそれは」アナは彼のことを何と言ってたっけ？　アイン・マンなんとか。気骨《きこつ》がないという意味のこと。

「それから先生の銀行から電話がありました。グリーンウッドという方が、電話してほしいということです」ローズは番号を教えてくれた。

銀行から電話があるといつも心配になる。投資対象の価値が急落したか、コンピューターがこわれたために超過振り出しになったか、ほかの何らかの問題がおきたのではないかと思ってしまう。個人業務課のミスター・グリーンウッドに電話した。

「たいへん申しわけありません」と、彼はよそよそしい口調で言った。「こちらのミスでした。ちょっとした誤解がありましてね、ドクター・スカーペッタ。ご迷惑をおかけしてすみませんでした」

「では、どなたともお話ししなくていいのね。何も問題はないのね？」わけがわからなかった。グリーンウッドとは長年のつきあいなのに、会ったこともないといわんばかりの口ぶりだ。

「間違いでしたので」さっきと同じそっけない調子で言う。「かさねておわび申しあげます。

ではごきげんよう」

9

それから数時間、デスクにむかってジョン・ドウの検屍報告書を口述し、あちこちへ電話をかけ、書類に署名したあと、午後遅くオフィスをでて西へむかった。

雲の切れ目から陽がもれ、突風《とっぷう》にあおられた枯れ葉が、動きののろい鳥のようにひらひらと地面にまい落ちる。雪はやみ、気温は上がってきていた。溶けた雪がぽたぽたたれ、ぐしゃぐしゃの道路を走る車の湿った音がひびく。

スリーチョプト・ロードへ向かって、アナの銀色のリンカーン・ナヴィゲーターを走らせた。ラジオは、ジャン・バプティスト・シャンドンの市外への移送に関するニュースを、延々と流している。薬品によるやけどを負って包帯を巻かれた彼の目のことが、あれこれとりざたされていた。私が自らの命を救うために彼に傷害を負わせたことが、さかんに報道されている。記者たちはうまい表現を見つけていた。正義は盲目。ドクター・スカーペッタは、身体を傷つけるという古典的な罰を与えたと。「目をつぶすって、何かあったよね」と、司会者が言っている。「シェイクスピアにでてくる人物、だれだっけ？　ほら、目をえぐりだされたやつ？　リア王だっけ？　あの映画みた？　年とった王は目玉をぬかれたあとに、生たまごか何かを入れるんだ。痛みがあんまりひどいんで。ぞっとするよね」

セント・ブリジェット教会の正面の茶色い両開き戸へ通じる歩道は、塩と溶けた雪でみぞれ状になっていた。駐車場には二十台ほどの車がとまっているだけだ。マリーノの予想はあたっていた。警察関係者も報道陣もあまりきていない。れんがでできたゴシック様式のこの古い教会にみんなが押しかけてこないのは、天気のせいもあるだろうが、それより故人の人柄に負うところが大きいだろう。私自身、ここへきたのは敬意や親愛の情、あるいは追悼《ついとう》の気持ちからでさえない。コートのボタンをはずし、入り口の間へ入りながら、認めたくない事実から目をそらせようとした。私はダイアン・ブレイが大きらいだった。ここへきたのは義務感からにすぎない。ブレイは警察の幹部で、私は彼女を知っていた。それに彼女は私の患者だった。

入り口の間を入ったところにあるテーブルに、ブレイの大きな写真が飾ってあった。自己陶酔《とうすい》にひたっているかのような彼女の傲慢《ごうまん》な美しさと、その目の冷たい残酷な輝きを見て、胸をつかれた。どんなカメラもそれをおおい隠すことができない。いかにアングルや照明を工夫し、カメラマンが腕をふるおうと。ダイアン・ブレイは私を憎んでいた。その理由はいまだによくわからない。あらゆる点から考えて、彼女は私と、私が立場上もっている力にこだわり、私のすべての面に注目していた。そんな経験は私にはない。私は彼女が見ていたように自分自身を見てはいない。だから彼女が攻撃をはじめたとき、すぐにはそれに気づかなかった。だがブレイは信じられないほど執拗《しつよう》に私を攻めた。州政府の行政権をもつ地位に任命されるのが、彼女の目標だった。

ブレイは綿密に策略をめぐらしていた。まず検屍局を保健社会福祉局から公安局の管轄へ移すことを立案し、あらゆる手を使ってそれを実現する。その後何らかの方法で知事にとりいり、自分を公安局の長官に任命させる。もしそうなれば、私は彼女の管轄下におかれることになり、ブレイは私をくびにするという喜びを味わうこともできる。でもなぜ？　なるほどと思える理由をさがしつづけているが、いまだに納得できる答えを見出せずにいる。ブレイがリッチモンド市警察にやってくるまで、彼女のことはきいたこともなかった。だが向こうはこちらを知っており、サディスティックなやりかたでじわじわと私をほろぼすための陰謀や策略を用意して、この町にのりこんできたのだ。卑劣きわまりない手によって私を混乱させ、中傷し、仕事を妨害し、屈辱を与えることにより、最終的に私のキャリアと人生をつぶすのが、彼女のねらいだった。その冷酷なたくらみのクライマックスとしてブレイが考えていたのは、私が不名誉にも職を追われ、ブレイのせいでこうなったという遺書を残して自殺することだろう。ところが私はまだ生きており、彼女のほうがもうこの世にいない。無残に殺されたブレイの遺体を検屍したのが私だったとは、なんとも皮肉だ。

礼装用の制服を着た警察官たちが、かたまって話をしている。内陣《ないじん》の扉のそばに、ロドニー・ハリス署長がオコナー神父といっしょにいた。一般市民の姿も見える。立派な身なりをした人たちだが、見おぼえはない。途方にくれたようにあたりを見まわしている様子からして、地元の人ではないようだ。式次第の紙をとり、ハリス署長と神父に話をしようと待った。「ええ、よくわかります」と、オコナー神父は言っている。気品のあるクリーム色の長い式服をまとい、腰のところで両手を組んでいる。彼に会うのはイースター以来はじめてだと気づき、かすかな後ろめたさをおぼえた。

「神父さま、それがどうしてもね。その点が納得できないんです」と、ハリスが答えた。魅力のないたるんだ顔に、うすくなりつつある赤毛を後ろになでつけている。背が低く、ぶよぶよの体は遺伝的に太るべく運命づけられているのだろう。さながら礼服を着た蒸しまんじゅうといったおもむきだ。ハリスは性格も好ましいとは言いがたい人物で、力のある女性がきらいだ。なぜ彼がダイアン・ブレイを雇ったのかいまだになぞだが、おそらくまっとうな理由ではないだろう。

「神の思《おぼ》し召《め》しは人間にはわからないこともあるのです」と、オコナー神父は言ってから、私に気づいた。「ドクター・スカーペッタ」にっこりして、両手で私の手をとる。「よくきてくださった。いつもあなたのことを思い、あなたのために祈っていますよ」指にこめた力と目にうかんだ光は、私の身におこったことを彼が知って、心配してくれていることを物語っている。「腕のぐあいはどうですか？　たまには会いにいらしてください」

「ありがとう、神父さま」ハリス署長に手をさしだした。「リッチモンド市警察にとって、つらいできごとでしたね」と、彼に言う。「あなたご自身にとっても」

「とても、とても悲しいことです」ハリスはまわりの人に目をやりながら、いかにも気がなさそうに、そっけなく私と握手した。

この前ハリスに会ったのは、ブレイの自宅でだった。家にやってきたハリスは、ブレイのむごたらしい遺体を目の当《ま》たりにすることになった。そのときのことは、お互いの胸に永久にしこりとなって残るだろう。ハリスは現場へくるべきではなかった。副署長のあのように辱《はずかし》められた姿を、彼がわざわざ見にくる理由はまったくなかった。私はそのことで彼に怒りをおぼえずにはいられない。犯罪現場を尊重せず、興味本位に見るような人には、深い憤《いきどお》りを覚える。ハリスがブレイの家へやってきたのは権力の乱用であり、のぞき趣味を満足させるためにすぎない。私がそれを知っていることが、ハリスにはわかっている。

彼の視線を背中に感じながら、内陣へすすんだ。オルガンから「アメイジング・グレイス」が流れだした。列席者たちは通路のなかほどの席にすわりはじめている。色彩豊かなステンドグラスが聖人やはりつけの場面をうつしだし、大理石や真鍮《しんちゅう》の十字架が鈍い光をはなっている。席についてしばらくすると、行列が入ってきた。さきほど見た身なりのよい人たちが、神父といっしょに歩いてくる。若い十字架捧持者が十字架をかかげ、黒いスーツ姿の男性が荼毘《だび》にふされたダイアン・ブレイの遺骨をおさめた、金と赤のほうろうの壺《つぼ》をささげもっている。手をつないだ年輩のカップルが、涙をふいていた。

オコナー神父があいさつし、ブレイの両親とふたりの兄がきていることを告げた。彼らはニューヨーク州北部とデラウェア州とワシントンDCからそれぞれきており、ダイアンをとても愛していたという。礼拝はあっさりした短いものだった。オコナー神父が骨壺に聖水をふりかけた。回想や追悼の言葉をのべたのはハリス署長だけで、その内容も堅苦しい、退屈なものだった。

「彼女はすすんで人を助ける職業につきました」ハリスは説教壇の前にしゃちこばって立ち、メモを読みあげた。「毎日が危険の連続であることを承知しながらです。それが警察官の宿命なのです。わたしたちは死をまっこうから見つめ、それをおそれずにいることを学びます。ときには孤独を味わい、憎まれることもありますが、それをおそれません。他人に害をおよぼすために存在するかのような邪悪な人間に、膺懲《ようちょう》の剣をふるうことが、わたしたちの使命です」

列席者たちがもぞもぞし、木の座席がぎしぎし音をたてた。オコナー神父はおだやかな笑みをうかべ、首をちょっとかたむけてきいている。私はハリスの声を意識からしめだした。こんな心のこもらない、形だけの追悼式ははじめてだ。内心いたたまれない思いだった。祈《き》禱《とう》も福音文の唱和も歌も祈りも、うつろで真情が感じられない。なぜならダイアン・ブレイは、自分もふくめてだれも愛していなかったからだ。人を打ち負かすことだけについやされた彼女の貪欲《どんよく》な人生は、だれの胸にもつゆほどの感慨を呼びおこさなかった。みな無言で席を立って冷たい夜の闇にでていき、逃げるように車へ向かった。私は人を避けたいときにいつもするように、うつむいて足早に歩いた。物音と人の気配がして、車のドアの鍵をあけながら、ふりかえった。だれかがうしろから近づいていた。

「ドクター・スカーペッタ？」街灯のむらのある強い光をあびて、女性の気品のある顔がうきたって見えるが、目はかげになっている。彼女は丈の長いミンクのコートを着ていた。一瞬はっとした。「いらっしゃることは知らなかったけど、よかったわ、お会いできて」と、彼女は言った。ニューヨークなまりに気づき、頭で理解する前に驚きにかられた。「ジェイミー・バーガーです」彼女は手袋をはめた手をさしだした。「ぜひお話ししたいの」

「追悼式にきていらしたの？」最初に口をついてでたのがそれだった。彼女の姿は見えなかった。ジェイミー・バーガーは教会のなかへは入らず、駐車場で私を待っていたのではないかと考えるほど、私は疑心暗鬼になっている。

「ダイアン・ブレイをご存知だったの？」と、きいた。

「だんだん彼女の人となりがわかってきたわ」バーガーはコートのえりを立てた。吐く息が白く濁《にご》る。腕時計を見てつまみを押すと、文字盤がうす緑色に光った。「もうオフィスへは戻らないでしょう？」

「そのつもりだったけど、戻ってもいいわよ」と、しぶしぶ言った。キム・ルオングとダイアン・ブレイの殺害について話をききたい、とバーガーは言った。むろん、港で見つかった身元不明の遺体のことも知りたいという。シャンドンの弟のトマだろうと思われている遺体だ。でもその事件が裁かれることになっても、アメリカで裁判がおこなわれることはないだろう、と彼女は言った。つまりトマ・シャンドンもただめしということになる。ジャン・バプティストは弟を殺したが、その件では罪に問われないのだ。私はリンカーンの運転席にのりこんだ。

「その車、気に入ってらっしゃるの？」バーガーはこの場にまったくそぐわない、無意味に思えるような質問をした。私は早くも腹の内をさぐられているような気分だった。バーガーは理由なく何かをしたりきいたりはしない。それはすぐにわかった。私の車がなぜか使えないためにアナが貸してくれている、豪華なＳＵＶ《スポーツ・ユーティリティ・ビークル》を、彼女はしげしげとながめた。

「この車は借りているの。あとをついていらしたほうがいいかもしれないわ、ミズ・バーガー」と、私は言った。「暗くなってから迷子になりたくないような場所が、この町にはいくつかあるから」

「ピート・マリーノに連絡がとれるかしら？」バーガーは自分のＳＵＶにリモコン式のキーを向けた。ニューヨークナンバーの白いメルセデスＭＬ四三〇のヘッドライトがつき、ドアの鍵があいた。「三人で話したほうがいいと思うの」

闇のなかでふるえながら、エンジンをかけた。空気は湿っており、木から冷たい水がたれている。寒さがギプスのなかに入りこみ、骨折した肘にしみこんで、神経の末端や骨髄《こつずい》のあるデリケートな部分を侵し、ズキンズキンと波動のように痛みが押しよせてくる。マリーノのポケットベルに連絡したが、アナの自動車電話の番号を知らないことに気づいた。骨折した腕の指先でハンドルをにぎりながら、苦労してかばんから携帯電話をとりだした。そのあいだもバックミラーにうつるバーガーの車のヘッドライトに注意している。かなり時間がたってから、マリーノが電話してきた。何がおこったかを話すと、例によって皮肉な反応を示した。だが内心では興奮しているようだ。怒りを感じているのか、べつの感情にかられているのか、よくわからない。

「へえ、そうか。俺は偶然なんてものを信じねえからな」と、とげとげした口調で言う。「ブレイの葬式へいったら、たまたまそこにバーガーがいたっていうのか？　そもそもバーガーはなんでいったんだよ？」

「なぜか知らないわ。でもバーガーは事件のあった町とそれにかかわっている人たちのことを何も知らないわけだから、お葬式にくるほどブレイと親しかったのはだれか、見ようと思うのは当然だと思う。こないのはだれかも知りたいでしょうし」私は論理的に考えようとした。「お葬式にいくと言ってなかった？　昨晩あなたと会ったときに？」思いきって言った。彼女がマリーノとどんな話をしたのか知りたかった。

「そのことは何も言ってなかったな」と、マリーノは答えた。「ほかのことで頭がいっぱいみたいだった」

「たとえばどんなこと？　それともそれは秘密？」と、あてつけがましく言う。

マリーノは長いこと黙っていた。「あのなあ、先生」と、しまいに言う。「これは俺の事件じゃねえ。ニューヨークの事件で、俺は言われたことをやってるだけだ。何か知りたかったら、バーガーに直接きいてくれ。向こうもそれを望んでるんだから」怒りに声がとがる。「俺はいまうるわしいモスビー・コートのどまんなかにいるんだ。ニューヨークからのりこんできた女が指を鳴らすたびにかけつけるほど、ひまじゃねえんだ」

モスビー・コートはその優雅な名前から想像するような、立派な邸《やしき》が立ちならぶ住宅街ではなく、市内に七つあるみすぼらしい公営住宅群のひとつだ。それらの団地にはすべてコートという名前がつき、そのうち四つは著名なバージニア市民にちなんで名づけられている。俳優と教育者と裕福なたばこ商人、それに南北戦争の英雄だ。マリーノがモスビー・コートにいるのは、まただれかが撃たれたためでないことを祈った。

「これ以上私の仕事をふやすつもりじゃないでしょうね？」

「また不良殺人だ」

その妙な慣用語をきいても笑う気にはなれなかった。不良殺人というシニカルな言葉が意味するのは、銃で何個所も撃たれた黒人の男の子だ。おそらく通りで殺されたのだろう。麻薬がらみで、上等なスポーツウェアにバスケットシューズというかっこうで。そしてだれもが何も見ていないと証言する。

「救急車だまりで会おう」マリーノが不機嫌そうな声で言った。「あと五分か十分ぐらいで」

雪は完全にやんでいる。気温は比較的高いので、溶けかけた雪がふたたび凍って町を麻痺させる心配はなさそうだ。ダウンタウンの町並みは、クリスマスの飾りではなやいでいる。ビルの輪郭は白いライトに縁どられているが、その一部は消えている。ライトで形作られた光るトナカイを見ようと、何人かがジェームズ・センターの前に車をとめている。九番ストリートでは、葉を落とした古木の枝のあいだから見える州議事堂が、卵のように光っていた。そのとなりの薄い黄色の邸宅は、窓という窓にろうそくが飾られ、とてもエレガントだ。そこの駐車場にとめた車から、盛装したカップルがおりてくるのが見えたとたん、思いだしてぎくっとした。今夜は幹部職にある州の公務員のための、知事主催のクリスマスパーティがある。一ヵ月以上前に、出席の返事をだしていた。どうしよう。私がことわりなく欠席したことに、マイク・ミッチェル知事とイーディス夫人が気づかないはずはない。議事堂のほうへ向かおうとする衝動にかられ、思わず方向指示灯をつけたが、あわててまた消した。とてもいくことはできない。十五分でも無理だ。ジェイミー・バーガーをどうすればいいのだ？　いっしょにつれていく？　みんなに紹介する？　そのときの人々の顔を思いうかべ、メディアにそれがもれたときのことを考え、暗い運転席で自嘲《じちょう》の笑いをうかべて首をふった。

長年公務員として仕事をしてきた経験から、一見とるにたらないことが重大な影響をおよぼすことを知っている。知事公邸の番号は電話帳にのっており、五十セントよけいにはらうと番号案内サービスが自動的にそこにダイアルしてくれる。すぐに要人保護課の警官が電話にでた。伝言を伝えてもらいたいだけだと言う間もなく、お待ちくださいと言われた。通話時間をはかっているかのように、一定の間隔をおいて音がきこえた。公邸への電話はすべて録音されるのだろうか？

ブロード・ストリートをわたると、古いさびれた町並みがとぎれ、れんがとガラスでできた新しいバイオテック王国が出現する。その要《かなめ》ともいうべき一角が、わが検屍局だ。バックミラーに目をやり、バーガーのSUVがどこにいるかチェックした。彼女は粘り強くついてきていた。口を動かしているのがミラーに映っている。電話をかけているのだ。私にきこえない言葉をしゃべっているのを見ると、落ち着かない気持ちになった。

「ケイ？」手を使う必要のないアナの自動車電話から、突然ミッチェル知事の声がきこえてきた。

私は驚きに声をつまらせながら、彼を呼びたてるつもりはなかったことと、今夜のパーティにいけなくて申しわけなく思っていることを急いで伝えた。知事はすぐには返事をしなかった。その沈黙により、パーティにこないのが重大な間違いであることを、私に知らせようとしているのだ。ミッチェルは機会をとらえること、そしてそれを最大限に利用することを知っている男だ。彼の考えかたからすると、私が知事や州のほかの権力者たちとわずかな時間でもいっしょにすごすチャンスを逃すのは、おろかなことだ。とくにいまは。そう、よりによってこんなときに。

「ニューヨークの検事がきています」どの事件のためかを言う必要はなかった。「これから彼女に会いにいくところなんです。どうぞあしからず」

「わたしたちも会ったほうがいいと思うんだが」知事は強い調子で言った。「パーティできみと個人的に話そうと思っていたんだ」

割れたガラスをふんづけたような気がした。血がでているかもしれないと思うと、見るのがこわい。「いつでもご都合のいいときにうかがいます、ミッチェル知事」と、ていねいに答えた。

「家へ帰る途中にここへ寄ってもらえるかな？」

「二時間ほどでうかがえると思います」

「じゃのちほどね、ケイ。ミズ・バーガーによろしく言ってくれ」と、彼はつづけた。「わたしが検事総長だったとき、彼女のいる地区検事局がかかわる事件を扱ったことがある。そのうち話すよ」

四番ストリートを入ったところにある、遺体の受け渡しをするための救急車だまりは、検屍局のあるビルの横にくっついた四角い灰色のイグルーのように見える。傾斜路をあがって大きなガレージの戸の前でとまった。なかへ入れないことに気づいて、いらだちがこみあげた。リモコン式のオープナーは私の車のなかにあり、その車は私が追いだされた家のガレージに入っている。モルグの時間外の管理人の番号をダイアルした。「アーノルド？」六回目の呼びだし音でようやく彼がでると言った。「救急車だまりの戸をあけてくれる？」

「はい、はい」寝ていたところをおこされたかのように、ぼうっとして混乱しているような声だ。「すぐあけますよ。オープナーがこわれたんですか？」

彼をどなりつけたい衝動をおさえた。アーノルドは無気力そのものといったタイプの人間だ。重力に抵抗しようとしても、つねにそれに負ける。彼に腹を立ててもしようがない、といつも自分に言いきかせねばならない。やる気のある人間は、こうした仕事をやりたがらないのだ。バーガーの車がうしろにとまり、そのうしろにマリーノが車をつけた。三人とも扉があいて、死者の王国に入れてもらえるのを待っている。携帯電話が鳴った。

「和気あいあいで楽しいじゃねえか」マリーノの声が耳元でひびいた。

「彼女は知事と知りあいのようね」マリーノのダークブルーのクラウン・ヴィクトリアのうしろの傾斜路に、黒いバンが入ってくるのを見ながら言った。救急車だまりの扉が、ギーッときしりながらゆっくり上がっていく。

「それはそれは。狼男が俺たちの町をでてニューヨークへいっちまうことに、知事が一枚かんでるとは思わねえのか？」

「どう思えばいいのか、もうわからなくなったわ」と、正直に言った。救急車だまりは車が四台とまれるだけの広さがある。全員同時に車をおりた。エンジンのひびきやドアをしめる音が、コンクリートのためにいっそう大きく耳にひびく。湿った冷たい空気が、ふたたび骨折した肘をおそった。驚いたことに、マリーノはスーツにネクタイというかっこうをしている。「ドレスアップしてるのね」と、まじめな顔で言った。マリーノはたばこに火をつけ、メルセデスに頭をつっこんでバックシートから荷物をとろうとしている、ミンクのコート姿のバーガーに目をすえている。丈の長い黒いコートを着た男性がふたり、バンのテールゲートをあけると、なかのストレッチャーと布に包まれた不吉な荷物が見えた。

「なんと、追悼式にいくつもりだったんだよ」マリーノが私に言った。「まあ、冗談半分にな。そうしたらあいつが殺されようって気になりやがって」と、バンのうしろの遺体をさす。「最初思ってたよりずっとややこしいぞ、これは。都市再開発にともなう犯罪なんていう、単純なもんじゃねえ」バーガーが本とアコーディオン・ファイルと、がっしりした革のブリーフケースを抱えてこちらへやってきた。「準備は万端てとこだな」マリーノは無表情な顔で彼女を見つめた。アルミのがちゃがちゃいう音とともに、ストレッチャーの脚がひらかれた。テールゲートがばたんとしまる。

「急なお願いなのに、おふたりとも都合をつけてくださってありがたいわ」と、バーガーが言った。

救急車だまりの明るい照明のなかで彼女を見ると、顔と首に細いしわがあり、ほおがわずかにこけているのが年齢を感じさせる。だがちょっと見には、あるいは写真にとられるためにきちんとお化粧をしていれば、三十五歳といってもとおるだろう。実際は私より二、三歳上だろう。角ばった目鼻立ちと黒っぽい短い髪、きれいな歯並びを見ているうちに、その顔に見覚えがあるような気がしてきた。そういえばテレビの法廷場面の実写で、検事としての彼女を見たことがあった。その顔は、インターネットで見た写真とも、しだいに重なってきた。私にとっては異星人の襲来にも等しい彼女の来訪にそなえて、サイバースペースでバーガーを見つけるべく、検索エンジンでさがしたのだ。

マリーノは彼女が持ち物を運ぶのを手伝おうとはしなかった。いらだったり腹を立てたりやきもちをやいているとき、私に対してするように、彼女を無視している。建物のなかへ入るドアの鍵をあけていると、係員たちがストレッチャーをこちらへ押してきた。ふたりの顔に見覚えはあるが、名前を思いだせない。ひとりは感激したようにバーガーを見つめている。「テレビにでてる方ですね」と、彼は言った。「すごいな。あの女性判事でしょう」

「いいえ、残念ながら。わたしは判事じゃないわ」バーガーはふたりの目を見て、ほほえんだ。

「女性判事じゃない？　ほんとに？」ストレッチャーはかたかた音をたてて戸口をとおりぬけた。「冷蔵室へ入ればいいんだね」係員のひとりが私に言った。

「そうね。どこで受け渡し書にサインすればいいか知ってるでしょう。アーノルドがどっかそのへんにいるはずよ」

「ああ、やりかたは知ってるよ」ある遺体がここへ運びこまれたことが私の運命を狂わせ、先週末にあやうく私が彼らのバンに乗るはめになったことには、どちらの係員もふれない。私の見たところでは、葬儀社や遺体運搬サービスで働く人たちは、ショックを受けたり感動したりすることが少ないようだ。このふたりも、この町の検屍局長が命拾いしたのち、世間から冷たい目で見られていることより、バーガーが有名人であることのほうに関心をよせている。「クリスマスの準備はできてる?」と、ひとりが私にきいた。

「毎年まにあわないのよ」と、私は答えた。「あなたがたはどうぞ楽しんでね」

「この人よりは楽しいクリスマスがすごせそうだよ」そう言って遺体袋を指さし、モルグの事務室へ向かってストレッチャーを押していった。事務室で遺体につける名札に記入し、最新の患者をこちらにひきわたすのだ。ボタンを押してステンレスのドアをいくつかあけ、殺菌された床のうえを歩いた。冷蔵室や解剖室をとおりすぎる。業務用の脱臭剤が、強烈なにおいをただよわせている。マリーノはモスビー・コートで発見された遺体のことを話していた。バーガーは何もきかないが、彼女がそれについて知りたがっていると思っているようだ。あるいはいいところを見せようとしているのかもしれない。

「最初は走ってる車から撃たれたのかと思った。通りに倒れていて、頭が血だらけだったからね。でもいまは車にはねられたんじゃねえかって気がしてる」マリーノは私たちに言った。管理棟へ通じるドアをあけて、しんとした薄暗い廊下へ入った。マリーノは私にもまだ話していない事件についての詳細を、バーガーにしゃべっている。ふたりを局長専用の会議室に導き入れ、それぞれコートを脱いだ。バーガーは黒っぽいウールのスラックスにぶあつい黒のセーターを着ている。セーターは彼女の豊かな胸を強調してはいないが、隠してもいないことはたしかだ。バーガーは運動選手のようなほっそりとひきしまった体つきをしている。ビブラムの傷だらけのブーツは、必要とあらば彼女がどこへでもいき、どんなことでもすることを物語っているようだ。バーガーは椅子をひきだし、丸い木のテーブルのうえにブリーフケースとファイルと本をならべはじめた。

「ここここにやけどがあるんだ」マリーノは左のほおと首を指さし、スーツの上着の内ポケットからポラロイド写真をとりだした。賢明にもそれをまず私にわたす。

「ひき逃げの被害者がなぜやけどを負ってるの？」私の質問は彼の仮説への反論だ。いやな予感がしはじめた。

「走ってる車からつき落とされたとか、排気管にあたったとかじゃねえか」マリーノがあいまいに言う。たいして気にもしていないようだ。何かほかのことを考えているらしい。

「まずありえないでしょうね」私は不吉な口調で答えた。

「くそ」マリーノも気がついたらしく、私の目を見た。「俺は見てねえんだ。いったときにはもう袋に入れられてたから。ちくしょう、現場にいたやつらからきいた話をそのままうのみにしてた。くそ」と、また言って、バーガーのほうをちらっと見る。恥ずかしさと怒りに顔が赤黒くなりつつある。「やつら、俺がいく前にもう遺体を袋にしまいこんでた。ったく、ばかな野郎どもめ」

写真にうつっている男は色白で、ハンサムな顔をしていた。きつくカールした短い髪は、あざやかな黄色に染めてある。左耳には小さな金の輪のピアスがはまっている。やけどが排気管によるものではないことは、すぐわかった。排気管によるやけどなら長円形のはずだが、これは完全な円形だ。大きさは一ドル銀貨ぐらいで、水疱《すいほう》ができている。やけどを負ったとき、彼はまだ生きていたのだ。マリーノをじっと見た。彼も前の遺体との関連に気づき、ふうっと息を吐いて首をふった。「身元はわかってるの?」と、きいた。

「何も手がかりがねえんだ」マリーノは髪をなでつけた。いまや彼の髪は灰色のふさにすぎず、大きなはげ頭のてっぺんにそれがはりついている。全部そってしまったほうがましなのに。「近所の連中はみんな見たことのない男だと言うし、警官たちも、よく通りで見かけるやつらとはちがうと言うんだ」

「遺体を見たほうがよさそうね」私はテーブルから立ちあがった。

マリーノも椅子を押しさげた。バーガーは鋭いブルーの目で私を見た。テーブルに書類を広げるのをやめている。「いっしょにいってもかまわないかしら?」

かまうが、彼女はもうここにいる。バーガーはプロだ。プロらしからぬふるまいをするのではと疑うようなことや、信用していないと思わせるようなことを言うのは、失礼だ。となりの自分の部屋へいき、白衣をとってきた。

「彼がゲイだったかどうかは、わからないんでしょうね。発見されたのは、ゲイの人たちが相手をさがすためにうろついたり、たむろしたりする場所ではなかったのね」会議室からでながら、マリーノにきいた。「モスビー・コートの男娼にあたってみたらどうかしら？」

「そう言われてみりゃ、そう見えないこともねえな」と、マリーノは答えた。「警官のひとりが言ってた。やつはホモっぽいと。トレーニングして磨きあげたような体つきだと。イヤリングもしてるしな。でもさっき言ったように、俺は直接見てねえから」

「ずいぶん型にはまったものの見方をするのね」バーガーが彼に言った。「うちの連中よりさらにひどいわ」

「そうかよ。うちの連中ってだれのことだよ？」マリーノはいまにも無礼なことを言いそうだ。

「うちの検事局の、捜査班の人たちよ」と、バーガーはあっさり言う。

「へえ。検察が自分のとこで警官を抱えてるのか？　そりゃいいな。何人ぐらいいるんだ？」

「五十人ほどよ」

「同じビルのなかにいるのか？」マリーノの声でわかる。彼はバーガーをおそれているのだ。

「そう」見下すような傲慢《ごうまん》な言いかたではなく、たんに事実を述べているという口調だ。

マリーノは彼女の前を歩きながら、吐きすてるように言った。「へえ、そりゃすげえや」

運搬サービスの係員たちは事務所でアーノルドとしゃべっていた。アーノルドは私を見ると、悪いことをしているところを見つかったかのように、あわてた顔をした。アーノルドらしいとしか言いようがない。彼は臆病なおとなしい人間なのだ。まわりの環境に似た色になりつつある蛾のように、肌は青白く不健康な灰色味をおびており、慢性のアレルギーのため、いつも目のふちが赤く、うるんでいる。

今日の二人目のジョン・ドウは、廊下のまんなかにおかれていた。バーガンディ色の、毛足の長いパイルの遺体袋のなかにおさめられている。袋には、運搬サービス会社の名前のホイットキン・ブラザーズという文字が、ししゅうされている。突然、係員たちの名前を思いだした、もちろんホイットキン兄弟だ。

「あとはやるわ」遺体を冷蔵室へ運んだり、移動ベッドにうつしたりする必要はないことを、兄弟に告げた。

「ぼくらでやってもいいよ」遠まわしに怠《なま》けていると言われたと思ったのか、ふたりはあわてて心配そうに言った。

「いいのよ。その前にちょっと見たいから」そう言ってストレッチャーを押してステンレスの両開きドアをとおりぬけ、ふたりに靴カバーと手袋をわたした。それから数分かけて、モルグの日誌にジョン・ドウの到着を記録し、番号をわりふって写真をとるという、一連の手続きをした。尿のにおいがした。

解剖室はぴかぴかに磨きあげられ、清潔そのものだ。いつもの光景は見られず、音もきこえない。静けさに心が安らいだ。長年のあいだに慣れているはずなのに、スチールのシンクに水が流れこむ音やストライカーのこぎりのうなり、スチールがスチールにぶつかる音などの絶えざる騒音は、いまだに私を緊張させ、疲れさせる。モルグはときとして驚くほど騒がしい場所になる。死者は多くのことを要求するし、彼らの血のあざやかさは目を刺激する。この新しい患者は私のしようとすることを拒否するだろう。はじめる前からわかる。彼は完全に硬直しており、服を脱がされたり、舌と歯を見るために口をこじあけられたりすることに、きっと抵抗する。遺体袋をあけると、尿のにおいがした。手術用ランプを手元にひきよせて、彼の頭をさわった。骨折はないようだ。あごと上着の前面に血がついているところから、出血したときに直立していたことがわかる。鼻孔《びこう》の奥に光をあてた。「鼻血がでたあとが見える」と、マリーノとバーガーに教えた。「いまのところ、頭に傷はないようだけど」

拡大鏡でやけどを調べはじめると、バーガーがそれを見ようと私のそばへきた。水疱のできた皮膚に繊維やごみが付着している。口の両端とほおの内側に、すり傷があった。赤いスエットスーツのジャケットのそでをめくって手首を見た。皮膚にななめに深い索痕がついている。ジャケットのジッパーをおろすと、へそと左乳首のうえにやけどがあった。バーガーがあまり近くに身をよせてくるので、彼女の白衣が私をかすった。

「こんなに寒いのに、下にTシャツも何もつけずに、スエットスーツだけで外にでるのは不自然ね」と、マリーノに言った。「現場でポケットを調べたのかしら？」

「まだだ。ここでやったほうがいいというんで」

スエットパンツとジャケットのポケットに手を入れたが、何も見つからない。パンツをおろすと、その下の青いランニングショーツは、尿でぐっしょり濡れている。アンモニアのにおいが頭のなかに警戒警報を鳴りひびかせ、体中に鳥肌がたった。死者をこわいと思うことはめったにない。だがこの男は私をおびえさせた。ウエストバンドの内側のポケットを調べると、「複製禁止」と刻まれたスチール製の鍵があった。油性のマジックで二三三という番号が書かれている。「ホテルか家の鍵かしら？」声にだして言って、鍵を透明のビニール袋に入れた。また不安感が頭をもたげる。「ロッカーかもしれない」二三三は、子供時代にマイアミに住んでいたころの、家の郵便私書箱番号だった。二三三が私のラッキーナンバーであるとまでは言わないが、暗証番号やダイアル錠の組み合わせにはよく使う。人にはわからないが自分はよくおぼえている数字だからだ。

「死因を特定できるものが、何か見つかった？」と、バーガーがきいた。

「いまのところないわ。AFISとインターポールのほうもだめなんでしょう？」と、マリーノに言う。

「指紋で一致するものはなかった。だからモーテルのやつがだれであれ、AFISには登録されていないわけだ。インターポールからも何も言ってこない。それもよくねえ兆候だな。はっきりした手がかりがあれば、たいてい一時間以内に連絡があるから」

「この遺体の指紋をとって、できるだけ早くAFISで照合してみましょう」私は心配そうな声にならないよう気をつけた。拡大鏡で両手の裏と表を見て、指紋をとることで失われそうな微細な証拠がついていないか調べた。手の爪を切り、封筒に入れてラベルをはり、記入しはじめた書類とともにカウンターのうえにおく。それから遺体の指にインクをつけ、マリーノに手伝ってもらってスプーンに押しつけた。指紋を二組とった。そのあいだバーガーは何も言わず、強い興味を示しながら見ていた。明るいランプの熱のように、彼女の食いいるような視線を感じた。私のあらゆる動きを見つめ、質問や指示をじっときいている。こちらはバーガーに注意を向けはしなかったが、彼女に見つめられていることはわかっていた。この女性が、私についてプラスかマイナスの評価を下そうとしていることを、意識の奥で感じていた。

遺体をシーツでくるんで袋のジッパーをあげ、ついてくるようにマリーノとバーガーに合図した。一方の壁に隣接した冷蔵室に移動ベッドを押していき、ステンレスのドアをあけた。冷気とともに死臭が流れでてくる。今夜は客の数は多くない。六体だけだ。遺体袋のジッパーについた名札を調べ、モーテルで発見されたジョン・ドウをさがした。見つかると顔のおおいをとり、やけどのあとと、口の両端と手首のすり傷をふたりに見せた。

「まいったな」と、マリーノが言う。「なんだ、こりゃ？　人をしばりあげてヘアドライヤーで拷問する連続殺人犯がうろついてるのか？」

「すぐスタンフィールドにこのことを知らせなきゃ」と、彼に言った。モーテルで見つかったジョン・ドウと、モスビー・コートに捨てられていた遺体とのあいだに、おそらく何らかのつながりがあることはあきらかだからだ。マリーノに目をやり、彼が考えていることを察した。「わかるけど」スタンフィールドには何も教えたくないという気持ちを、マリーノは隠そうとしない。「彼に話さないわけにいかないわよ、マリーノ」私は言いそえた。

冷蔵室からでると、マリーノは「清潔な手で使用のこと」と書かれた壁の電話のところへいった。「さっきの会議室へのいきかた、わかる？」と、バーガーにきいた。

「わかるわ」バーガーはぼうっとしているように見える。とまどっているのかもしれない。考えごとをしているような目の色だ。

「すぐいくわ」と、彼女に言った。「邪魔が入ってごめんなさい」

バーガーは戸口で手術着のひもを後ろ手にほどきながら、ぐずぐずしている。「妙ね。二、三ヵ月前に、女性がヒートガンで拷問されるという事件があってね。そのときのやけどが、この二件の被害者のやけどに似ているの」かがんで靴カバーをはずし、ごみ箱へ捨てる。

「さるぐつわをされて、しばられていたんだけど、顔と乳房に丸いやけどのあとがあった」

「犯人はつかまったの？」急いできいた。類似の事件があったとはきき捨てならない。

「被害者の住んでいたアパートで仕事をしていた建設作業員」バーガーはちょっと顔をしかめて言った。「ヒートガンはペンキをはがすのに使っていたの。大ばかやろうの前科者でね。午前三時ごろに彼女のところへ押しいって、レイプして首を絞めたりいろいろして、数時間後にでていったら、トラックが盗まれていたの。さすがニューヨークね。で、彼はあわてて警察に電話した。パトカーに乗ってズックの袋をひざに、トラックが盗まれたことを申したてているころ、被害者の家政婦がやってきて遺体を発見した。彼女はキャーキャー悲鳴をあげて、九一一に電話した。刑事たちがかけつけると、パトカーにすわっていた犯人が逃げようとした。ははあんというわけね。調べてみると、やつの袋からせんたく用ロープとヒートガンがでてきた」

「その事件のことは派手に報道された？」と、私はきいた。

「ニューヨークではね。タイムズやタブロイド新聞にでたわ」

「だれかがそれにヒントを得たのではないことを祈るわ」と、私は答えた。

10

私はどんなものや光景、におい、音にもたじろがずに、それらを処理することになっている。おそろしいものに対して、ふつうの人のように反応することは許されない。苦痛を再現してもそれを生々しく思いうかべることはせず、恐怖を思いおこしても家に帰るまでにはそれを忘れるのが、私の仕事だ。ジャン・バプティスト・シャンドンのつぎのむごたらしい作品は私だったかもしれないと想像することなく、彼のサディスティックな芸術を分析せねばならない。

シャンドンはその犯行と見た目が一致している数少ない殺人者のひとりで、まさに怪物と呼ぶにふさわしい容姿をしている。だが彼はメアリ・シェリーの小説「フランケンシュタイン」からぬけだしてきたわけではなく、実在しているのだ。その姿は見るもおそろしい。顔は右半分と左半分がずれており、片目がもう一方より低い位置についている。歯はまばらで小さく、動物の歯のようにとがっている。全身が細くて色素のない長い毛でおおわれている。だがいちばんぞっとするのは彼の目だ。シャンドンが私の家へ押しいり、ドアをけってしめたとき、私を見つめたその目には地獄の炎がもえ、すさまじい欲望があたりを照らしたような気がした。シャンドンが邪悪な直感力と知性のもちぬしであることはあきらかだ。つゆほども同情するつもりはないが、シャンドンが人に与える苦痛は、彼自身のみじめさの投影だ。心臓が打ちつづけるかぎり耐えなければならない苦しみを、つかのま他人に転嫁《てんか》するのだ。

会議室で待っていたバーガーといっしょに廊下を歩きながら、シャンドンが先天性全身多毛症というめずらしい病気にかかっていることを彼女に説明した。もし統計が信頼できるとすれば、この病気をもって生まれる人間は十億人にひとりだという。シャンドン以外には、この残酷な遺伝病の症例を見たことは一度しかない。マイアミでレジデントとして勤務中、小児科の当番にあたっているとき、メキシコ人の女性が見たこともないようなひどい容姿の赤ちゃんを産んだ。生まれたばかりの女の子は、全身灰色の長い毛でおおわれていた。毛がないのは粘膜と手のひらと足の裏だけだった。鼻孔と耳の孔からはふさのような長い毛がのびている。おまけに乳首が三つあった。多毛症の患者は光に敏感で、歯と性器にもしばしば異常が見られる。手足の指が多いこともある。昔は、こうした気の毒な人たちはサーカスや宮廷へ売られた。狼男だと思われたこともある。

「彼が被害者の手のひらと足を嚙むことに、何か意味があると思う?」と、バーガーがきいた。彼女の声は力強く、抑揚《よくよう》がある。テレビ向きの声と言えるかもしれない。トーンが低く、上品で、人の注意をひく。「自分の体のなかで毛がはえてないのは、その部分だけだから? それも変ね」考えなおして言う。「でも何か性的な意味あいはあるんでしょうね。足フェチの人みたいな。ただ、手や足を嚙むというケースは見たことがないけど」

表の事務室の明かりをつけ、証拠室と私たちが呼んでいる耐火性の保管室のロックに、電子キーをとおした。この部屋の壁と扉はスチールで補強され、コンピューターシステムがここへ入る人の番号と入った時刻、滞在時間を記録する。ここに所持品のたぐいを保管することはめったにない。ふつうそれらは警察の保管室へ運ばれるか、遺族にわたされる。私がこの部屋をつくらせたのは、どんなオフィスも情報がもれるのを防ぐことはできないという現実があるからだ。とくべつ重要なケースを保管するための、安全な場所が必要だった。奥の壁ぎわにどっしりしたスチールのキャビネットがおかれている。そのひとつの鍵をあけ、ぶあついファイルをふたつとりだした。どちらも丈夫なテープをはり、そのうえに私が頭文字《かしらもじ》で署名してあるので、私に知られずにこっそり中を見ることはできない。プリンターの横におかれた日誌に、キム・ルオングとダイアン・ブレイのケースナンバーを記入した。プリンターはすでに私の番号と入室時刻を打ちだしている。バーガーと私は話をつづけながら、また廊下を歩いて会議室へもどった。会議室ではマリーノが緊張した様子で、いらいらしながら待っていた。

「どうしてこのふたつのケースをプロファイラーに見せなかったの？」戸口を入りながら、バーガーがきいた。

私はファイルをテーブルにおいて、マリーノに視線をやった。この質問は彼に答えてもらおう。事件をプロファイラーに見せるかどうかは、私が決めることではない。

「プロファイラー？　なんでだよ？」彼はけんか腰としか言いようのない口調で、バーガーに言った。「どんなおかしなやつがやったかをさぐるのがプロファイリングの目的だ。この場合は、どんなおかしなやつがやったかはわかってるんだ」

「でも理由は？　どんな意味や感情があるか、何を象徴しているか。そういったことの分析。プロファイラーの考えをききたいわ」バーガーはマリーノの言うことにはとりあわない。「とくに手と足のことについて。なんとも奇妙ね」まだその点にこだわっている。

「俺に言わせりゃ、プロファイリングなんてもんはたいていインチキだ」マリーノは言いはる。「まあ、なかには腕のいいやつもいるけどよ、だいたいはいい加減なもんだ。シャンドンみたいないかれた野郎が手と足を嚙むとなったら、体のその部分がやつにとって何かとくべつな意味をもつんだろうってことは、FBIのプロファイラーでなくてもわかる。自分の手足に何かおかしな点があるとか。このケースじゃその逆だけどな。やつの体で毛がはえてねえのは、そこだけだ。口のなかとけつの穴をのぞけばな」

「自分自身が憎んでいる点を彼が破壊しようとするのはわかる。被害者の体のその部分、たとえば顔をずたずたにするのは」バーガーはマリーノに対して一歩もひかない。「でもどうもわからない。手と足は。何かほかに理由があるんじゃないかしら」身ぶりと声の調子で、マリーノをはねつける。

「ああ、でもやつがいちばん好きなのは胸だ」マリーノはさらに言う。彼とバーガーは、いがみあっている恋人同士のようだった。「おっぱいの大きな女が好みなんだ。そういう体つきの女を被害者に選ぶってのは、母親とのあいだに何かあるんだ。FBIのプロファイラーでなくても、それとこれとの関連には気づくだろう」

私は無言でマリーノをにらみつけた。彼は無神経で愚鈍《ぐどん》な人間のようにふるまっている。バーガーとやりあうことに夢中で、私の前で自分が何を言っているか気づいていないようだ。ベントンが科学と貴重なデータベースにもとづく高度な技術をもっていたことは、彼もじゅうぶん承知している。そのデータベースは、何千人もの凶悪犯を研究し、面接することによってFBIがきずきあげたものだ。また被害者の体つきについても、あれこれ言ってほしくない。私もシャンドンに選ばれたひとりなのだから。

「あのねえ、わたし、『ティット《おっぱい》』って言葉、好きじゃないの」バーガーは、まるでベアネーズソースはかけないで、とウエーターに言うような調子であっさり言うと、正面からマリーノを見すえた。「ティットって、何の意味か知ってる、警部?」

さすがのマリーノも言葉がでない。

「小鳥のことをさすこともあるし」バーガーは書類をめくりながらつづけた。その手の勢いが彼女の怒りを物語っている。「軽打という意味もあるわね。しっぺ返しとか。売りことばに買いことばはティット・フォア・タットね。これはエティモロジーよ。虫の研究のことじゃないわよ」

ゃなくて。それはエントモロジー。Nが入るの。エティモロジーは言葉の研究。言葉は人を攻撃するのに使える。たとえばボールはゲームに使うものでしょう、テニスとかサッカーとか。でもボールズといえば、ティットのことを口にしたがる、おつむの弱い男の脚のあいだにぶらさがってるものをさす」意味深な間《ま》をおいて、マリーノを見る。「さて、これで言葉の壁はのりこえられたから、さきへすすみましょうか」期待をこめて私のほうを向いた。

マリーノの顔は赤かぶのような色にそまっている。

「検屍報告書のコピーはもう手元にあるの？」答えはわかっているが、いちおうきいた。

「何度も目をとおしたわ」と、彼女は答えた。

ファイルのテープをはがし、バーガーのほうへ押しやった。マリーノは関節をポキポキ鳴らし、私たちと目をあわせるのを避けている。バーガーはカラー写真を封筒からとりだした。「この事件について説明してもらえる？」と、私たちに言う。

「キム・ルオング」と、マリーノがはじめた。てきぱきした口調は、マリーノにさんざん侮辱されたあとのM・I・キャロウェー巡査を思いださせた。マリーノは怒りをたぎらせている。「三十歳のアジア系女性。ウエストエンドにあるクイック・ケーリーという店で、パートタイムで働いてた。シャンドンは店にいるのが彼女だけになるのを待っていたらしい。夜のことだ」

「十二月九日、木曜日ね」バーガーはすさまじい暴力をふるわれたルオングの、半ば裸の遺体をとった、現場写真を見ながら言った。

「ああ。十九時十五分に警報装置が鳴った」マリーノが言うのをきいて、私はふしぎに思った。これらの事件のことでないなら、マリーノとバーガーは昨晩いったい何について話したのだろう？　バーガーは警察の捜査でわかったことをきくために、彼と会ったのだと思っていた。だがふたりがルオングとブレイの殺害について話しあっていないのはあきらかだ。

バーガーはべつの写真を見ながら、眉をしかめた。「午後七時十五分？　それは彼が店に入ってきた時間、それともことが終わってでていったとき？」

「でていった時間だ。裏口から。そのドアにはべつの警報装置がたぶんついてて、いつもセットしてある。やつはその時間より前に、正面の入り口から店に入った。たぶん暗くなってすぐに。銃をもって入っていって、カウンターのうしろにいた彼女を撃った。それから閉店の札《ふだ》をだして、彼女を奥の貯蔵室へひきずっていった。やろうと思ってたことをやるためにな」マリーノはむだ口をたたかず、まじめに説明している。だがその裏にはいくつかの不安定な感情がひそんでいることに気づいた。ジェイミー・バーガーに、できるやつと思われたい。同時に彼女をけなし、彼女と寝たいと思っている。そうした感情は彼の胸の痛み、つまりさびしさと自信のなさ、そして私へのいらだちからきている。無理に平気なふりをして恥ずかしさを隠そうとしているマリーノを見ると、悲しくなった。自分をみじめにするようなことをしなければいいのに。こんなばつの悪い状況を招くようなことを。

「彼がなぐったり噛んだりしはじめたとき、彼女は生きていたの？」バーガーはさらにゆっくり写真に目をとおしながら、私にきいた。

「ええ」

「なぜそう思うの？」

「顔の傷に組織反応が見られることは、彼がなぐりはじめたときに生きていたことを示しているの。ただ、意識があったかどうかはわからない。というより、どれぐらいの時間意識があったか」

「現場のビデオがあるよ」マリーノがいかにも退屈そうに言った。

「手に入るものはすべて見せてほしいわ」バーガーがその点をはっきりさせる。

「ルオングとダイアン・ブレイの現場はとったけどな。トマのはないよ。コンテナのなかのビデオはとってねえんだ。さいわいなことにな」そう言ってあくびをかみ殺した。鼻につくばかげた演技は、ますますひどくなっていく。

「現場には全部いったの？」バーガーが私にきいた。

「ええ」

彼女はまたべつの写真に目をやった。

「もう二度とブルーチーズを食べる気にはなれねえよ。トマのやつと楽しいときをすごしたあとじゃな」マリーノの敵意があらわになってきた。

「そういえばコーヒーをいれようと思ってたの。おねがいできる？」

「何をだよ？」マリーノは頑として立とうとしない。

「コーヒーをいれてくれる？」しばらくバーガーとふたりだけにしてほしいという強い意思をこめて、彼を見た。

「あんたのとこのコーヒーメーカー、どうやって使うのかよくわかんねえよ」マリーノははかげた口実を言う。

「大丈夫、絶対わかるから」と、答えた。

「あなたたち、すごくうまが合うみたいね」マリーノが廊下のさきの声がきこえないところへいってしまうと、皮肉をこめて言った。

「ついでに言うと、彼とは親しくなる時間がたっぷりあったんだけどね、今朝はやく」バーガーは私を見上げた。「病院で。シャンドンが楽しい旅に送りだされる前に」

「ミズ・バーガー、しばらくこちらにいらっしゃるつもりなら、まず手始めにマリーノに言ったらどうかしら、仕事に専念するようにと。彼、あなたと争うことに夢中で、ほかのことがかすんでしまっているようよ。それじゃ困るのよね」

バーガーは無表情なまま、写真を見続けている。「すごいわね、まるで動物に食いちぎられたみたい。わたしのほうのスーザン・プレスと同じだわ。これは彼女の遺体の写真だといってもいいぐらい。狼男が本当にいるような気がしてきたわ。もちろん、狼男という概念はもともと多毛症の患者から生まれたものだという説もあるけど」自分が調べたことをバーガーが見せびらかそうとしているのか、マリーノについて私が言ったことをうやむやにしようとしているのか、よくわからない。彼女は私と目をあわせた。「マリーノについてのアドバイスをありがとう。あなたは昔からいっしょに仕事をしているんだから、彼がそんなにひどい人間のはずはないわね」

「ひどいどころか。あんなに優秀な刑事はいないわ」

「あててみましょうか。最初に会ったとき、彼はあなたに鼻もちならない態度をとった」

「いまだって鼻もちならないわ」

バーガーはにやっとした。「マリーノとのあいだには、まだ解決していない問題がいくつか残っていてね。はっきりしているのは、彼は事件の捜査に口をだす検事には慣れていないってこと。ニューヨークではシステムがちがうの」バーガーは思いださせるように言った。「たとえば、地区検事長の許可がなければ、警察は殺人事件の被疑者を逮捕できない。向こうでは検察が捜査の主導権をにぎっているの。はっきり言って」検査報告書をとりあげる。「そのほうがずっとうまくいくわ。マリーノは自分が采配《さいはい》をふるいたくてたまらないのね。それに、あなたに対する保護意識がすごく強い。あなたとかかわる人にはだれにでも嫉妬する」バーガーはそう結んで、報告書に目をとおしはじめた。「アルコールは検出されず。ただしダイアン・ブレイのほうは〇・三。犯人が家にやってくる前に、ビールを二、三本にピザを食べたと考えられているのね？」写真をテーブルのうえであちこち動かす。「こんなにひどい暴力をふるわれた遺体は見たことがないわ。怒り。すさまじい怒り。それに欲望。これを欲望と呼べるならね。彼のそのときの感情をあらわす言葉はないような気がする」

「『悪意』としか言えないわ」

「ほかの薬物については、まだしばらくわからないのね」

「よく見られるものについて検査するけど、結果がでるまでに二、三週間かかるわ」

バーガーはさらに写真を広げ、ひとりトランプでもしているように数枚ずつ分けている。

「これが自分におこったかもしれないと思うと、どんな気がする？」

「そのことは考えないようにしているの」と、私は答えた。

「何について考えるの？」

「傷がどんなことを物語っているか」

「それで？」

私はキム・ルオングの写真をとりあげた。若く、聡明なすばらしい女性だったというキムは、看護学校の授業料をはらうために働いていた。「血のもようがあるの」と、私は説明した。「肌のむきだしの部分はほとんど全部、血で描いたうずまきもようでおおわれているの。彼の儀式の一部なのね。彼がフィンガーペイントで描いたわけ」

「被害者が死んでからね」

「たぶん。この写真では」と、彼女に見せる。「首の前面の銃創《じゅうそう》がはっきり見えるわ。弾は頸動脈と脊髄《せきずい》に命中した。貯蔵室へひきずっていかれたとき、彼女は首から下が麻痺していたはず」

「そして出血していた。頸動脈が切断されていたから」

「そのとおりよ。ひきずられていくときにとおった棚に、動脈血がはねかかったあとが見える」彼女のほうへ身をよせ、数枚の写真でそれを指摘した。「大きく弧を描いている血のあとが、奥へいくにつれて低く、うすくなっていく」

「意識はあったの？」バーガーは興味をひかれつつ、ぞっとしたようにきいた。

「脊髄の傷は、致命傷ではなかったから」

「こんなに出血しながら、どれぐらい生きていたのかしら？」

「数分でしょうね」遺体からとりだされた頸動脈が、測定のための白いプラスチックの定規とならべてグリーンのタオルのうえにおかれた検屍写真をさがした。クリーム色のなめらかな動脈は挫傷《ざしょう》のため濃い青紫色になり、第五頸椎《けいつい》と第六頸椎のあいだを貫通した弾による銃創に対応した部分が、半ばちぎれている。「撃たれた瞬間に体は麻痺したはず」と、説明した。「でも挫傷ができたということは、血圧があって心臓がまだ動いていたことを意味する。現場の動脈血のとび散ったあとからも、それはわかるけど。だから、足をつかまれて奥の貯蔵室まで通路をひきずられていくあいだ、意識はあったと思う。どれぐらいの時間かはわからないけど」

「彼のしていることが見えたわけ？　自分の首から血がほとばしるのを見ながら、出血死したということ？」バーガーはきびしい顔をしている。気力のボルテージがあがったかのように、目が輝いている。

「それも、どれぐらいのあいだ意識があったかによるわ」

「でも通路をひきずられて奥の貯蔵室へいくまでのあいだ、ずっと意識があった可能性もあるのね？」

「おおいにあるわね」

「口をきいたり、叫んだりすることはできた？」

「おそらく何もできなかったと思う」

「だれも悲鳴をきいていないとしても、彼女に意識がなかったとは言えないのね？」

「そうね、必ずしもそうは言えない。首を撃たれて出血していて、ひきずられていれば……」

「とくにあんな姿形をした男にひきずられていたら」

「そうね。おそろしくて悲鳴をあげることもできないかもしれない。それに彼が黙るように命じたかも」

「なるほどね」バーガーは納得したようだ。「足をつかんでひきずられたことは、どうしてわかるの?」

「長い髪がこすれてできた血のすじが床についていたの。それから、頭のうえに投げだした両手の指がこすれてついた血のあともあった」と、説明する。「体が麻痺しているときに足首をもってひきずられたら、腕は広がるから。雪のうえに天使の形をつくるときのように」

「人は本能的に首をつかんで出血をとめようとするものでしょう?」と、バーガーがきいた。「でも彼女にはそれができなかった。体は麻痺しているのに意識はあって、自分が死んでいくのを見つめていた。つぎに何をされるのだろうとおそれながら」言ったことを強調するように間をおく。バーガーは陪審員のことを念頭においているのだ。彼女のすばらしい評判が、偶然に手に入れられたものではないことが、すぐにわかる。

「この女性たちはひどい苦しみを味わったのね」と、彼女は静かにつけ加えた。

「そのとおりよ」ブラウスがしめって、また寒くなった。

「自分も同じような目にあわされると思った?」バーガーは私を見た。その目に挑戦するような色が見える。シャンドンが私の家に押しいって頭からコートをかぶせようとしたとき、どんな思いが胸をよぎったかをさぐってごらん、とけしかけているかのようだ。「何を考えたかおぼえている?」彼女はさらに追及してきた。「どんなふうに感じた? それとも、あっというまのことで……」

「あっというま」私は口をはさんだ。「そう、あっというまのできごとだった」思いだしながら言った。「一瞬のこと。でもとても長いようにも感じられた。パニックに陥《おちい》ったり命がけで戦ったりしているとき、体内時計はとまってしまうの。それは医学的事実というより、個人的な感想だけど」混沌とした記憶をたどり、手さぐりしながら言いそえた。

「じゃキム・ルオングにとっては、数分が数時間にも感じられたかもしれないのね」と、バーガーが言う。「あなたが居間でシャンドンに追いかけられていた時間は、たぶん二、三分でしょう。それがどれぐらいに感じられた？」彼女はその点に注意を集中し、私を見すえている。

「そうねえ……」説明する言葉をさがした。何にたとえればいいかわからない。「はばたきのような感じ……」声がとぎれた。私はまばたきもせずに虚空《こくう》を見つめた。汗をかき、同時に寒気を感じている。

「はばたき？」バーガーは信じられないように言った。「どういう意味か説明できる、はばたきって？」

「現実がゆがんで、さざなみだっているような感じ。風が水面をかきたてているような。うえを風がふきぬけたときの水たまりの表面みたいと言えばいいかしら。動物としての生存本能が脳を凌駕《りょうが》して、急に五感が異様にとぎすまされるの。空気が動くのがきこえる。それが見える。あらゆる動きがスローモーションになって、世界がくずれてくる。それがいつまでもつづく。すべてが見える。おこっていることのすべてが。細かい点まで。そして目にとまる……」

「目にとまる？」バーガーが問いただす。

「そう、目にとまるの」と、私はつづけた。「彼の手にはえた毛が光を受けて、モノフィラメントのように、まるで釣り糸のように透明に見えるのが。彼がうれしそうな顔をしているのが」

「うれしそう？　どういう意味？」バーガーがおだやかな声できく。「彼は笑顔をうかべていたの？」

「ちょっとちがうわね。笑顔というより、原始的な喜びの表情。新鮮な生肉を与えられる直前に動物の目にうかぶ、欲望と渇望《かつぼう》のようなもの」深く息を吸い、会議室の壁にかかっているクリスマスの雪景色の絵のカレンダーを見つめた。バーガーはテーブルのうえに手をおき、身動きもせずにすわっている。

「問題は何を見たかではなく、何をおぼえているかなの」さっきより冷静につづけた。「おこったことのショックで、いわばディスクエラーがおこるのね。すべてのディテールが同じように鮮明に記憶されるわけではないの。それもサバイバルのための本能かもしれない。つらい体験を何度も味わわなくてもすむよう、あることは忘れる必要があるのかも。忘れることは癒《い》えることの一部よ。セントラルパークでおきたあの事件の被害者みたいに。ジョギングしていて、非行少年のグループにおそわれてレイプされて、なぐられて瀕死《ひんし》の状態で放置された女性。彼女は事件のことを思いだしたくないにきまっている。その事件のことはよくご存知でしょう」皮肉をこめてつけ加えた。もちろんそれを担当したのはバーガーだ。

地区検事補バーガーは、椅子のうえで位置をかえた。「でもあなたはおぼえているわけでしょう」と、静かに指摘する。

「シャンドンが被害者にどんなことをするかも知っている。『顔面に深い裂傷』」彼女はルオングの検屍報告書を声にだして読みはじめた。「『右頭頂骨の広範な粉砕骨折……右前頭骨《ぜんとうこつ》の骨折……中線にそって広がっている……両側硬膜下血腫……その下の大脳組織の破裂およびくも膜下出血……陥没《かんぼつ》骨折により頭蓋内板が脳に陥入し……卵殻様骨折……凝固……凝固……』」

「血液の凝固の状態からみて、損傷を負ってからすくなくとも六分は生存していたと思われる」私は死者の言葉の通訳者としての役割にもどった。

「ものすごく長い時間ね」と、バーガーが言う。それがどんなに長いか実感させるために、彼女が陪審員たちを黙って六分間すわらせているところが目にうかんだ。

「顔の骨が砕けているところと、ここ」写真のある部分をさわって言う。「皮膚が裂けたり破れたりしているところ。これは何らかの道具でつけられた傷で、丸い部分と線状の部分がある」

「ピストルでなぐったのね」

「この場合、ルオングのケースではそうね。ブレイのケースでは、彼はめずらしい種類のハンマーを使ったの」

「チッピングハンマーね」

「宿題をちゃんとやったようね」

「わたしのおかしなくせでね」と、バーガーが言う。

「計画的なのよ」と、私はつづけた。「彼はあらかじめ武器をもってきたの。現場へきてからそこで見つけたものを使ったのではなく。この写真では」と、べつのおそろしい一枚をとりあげる。「なぐったときの指の関節のあとが見える。つまりこぶしでもなぐったわけね。この写真では床のうえに彼女のセーターとブラジャーが落ちているのが見える。彼は素手でそれをひきちぎったらしいの」

「どうしてわかるの？」

「顕微鏡で見ると、繊維が切断されているのではなく、裂かれているのが見えるの」

バーガーは遺体の図を見つめている。「人間がこんなにたくさん嚙みあとをつけたのを見るのは、はじめてのような気がする。狂乱状態だったのね。このふたつの殺人をおかしたときに、彼が薬物の影響を受けていた可能性はないの？」

「わからないわ」

「あなたのところへきたときは？　土曜日の夜中の十二時すぎに、彼があなたをおそったとき。ついでに言うと、そのとき彼はその変わったハンマーをもっていたのね？　チッピングハンマーを？」

「『狂乱状態』という言葉はふさわしいわね。でも彼が薬物の影響下にあったかどうかはわからない」すこし間をおいてつづける。「そう、彼はチッピングハンマーをもっていたわ、私をおそおうとしたとき」

「おそおうとした？　事実を正確に言って」バーガーは私と目を合わせた。「彼はあなたをおそったのよ。おそおうとしたのではなく。彼はあなたをおそい、あなたは逃げた。ハンマーをよく見た？」

「いい質問ね。事実を正確に言わなきゃいけないんだから。何らかの道具だったことはたしかよ。チッピングハンマーがどんなものかも知ってるわ」

「どんなことをおぼえている？　はばたきのあいだ」バーガーは私の妙な表現を使った。

「はてしなく長く感じられたあのとき、彼の手の毛がモノフィラメントのように光っていたとき」

黒いコイル状の把《と》っ手が頭にうかんだ。「コイルが見えたわ」できるだけ正確に言う。「それはおぼえている。とても変わったものだったから。チッピングハンマーには黒くて太いスプリングのような把っ手《て》がついているの」

「それはたしか？　彼に追いかけられたとき、それが見えたの？」バーガーが念を押す。

「おおむねたしかよ」

「おおむねではなく、はっきりたしかだと助かるんだけど」と、彼女は答える。

「先端が見えたの。大きな黒いくちばしのようだった。彼が私をなぐろうとしてそれをふりあげたとき。そう、たしかだわ。彼はチッピングハンマーをもっていた」挑戦するように言った。「間違いないわ」

「シャンドンは救急室で採血されてね」と、バーガーが教えてくれる。「薬物とアルコールは検出されなかったの」

彼女は私を試している。シャンドンの薬物とアルコールの検査結果はマイナスだと知っていたのに、それを言わずにまず私の印象をきいた。自分がかかわっている事件について、私が客観的に話すことができるか、事実を正確に言えるかどうかを見たいのだ。廊下を歩いてくるマリーノの足音がきこえた。彼は湯気のあがっている発泡スチロールのカップを三つもって入ってきて、それらをテーブルにおいた。そのうちのブラックのコーヒーを私のほうへ押しやる。「どういうのがいいかわかんねえから、いちおうクリームを入れといた」彼はぶしつけな調子でバーガーに言った。「俺さまはクリームと砂糖をたっぷり入れる。栄養が足りなくなるようなことはしたくねえからな」

「ホルマリンが目に入ったら、どの程度の傷害を受けることになるの？」バーガーが私にきいた。

「すぐ洗い流したかどうかによるわね」これが仮定の質問であって、私が人に重傷を負わせたことへの言及ではないかのように、客観的に答えた。

「ものすごく痛いでしょうね。ホルマリンて酸でしょう？　酸が組織にどんな効果をおよぼすか見たことあるわ。ゴムに変えてしまうのよね」と、バーガーが言う。

「まあ、本物のゴムではないけど」

「もちろんよ」バーガーはちらっと笑顔を見せて言った。すこしほがらかになってというつもりらしいが、とてもそんな気分にはなれない。

「組織を長時間ホルマリンにつけるか、遺体の防腐処理をするときのように、ホルマリンを注入すると」と、私は説明した。「たしかに組織は固定されて、永久に保存できるようになるわ」

しかしバーガーはホルマリンの科学的説明には関心がないようだ。ホルマリンがシャンドンに永続的な損傷を与えたかどうかについても、どの程度興味があるのかわからない。シャンドンに苦痛を与え、傷害を負わせたかもしれないことを私がどう思っているか。彼女が知りたいのはそのことのような気がする。彼女は直接きかず、私を見ているだけだ。私はそのまなざしの重みを意識しはじめた。バーガーの目は、どこかに病変《びょうへん》や傷がないかをさぐる、熟練した手のようだ。

「だれがやつの弁護をするのか、わかってんのか？」自分の存在を思いださせるように、マリーノが言った。

バーガーはコーヒーをすすった。「目下の最大の疑問ね」

「じゃ、見当もつかねえのか」マリーノは疑うように言った。

「見当はつくわよ。あなたの気に入らない人物でしょうね」

「くそっ」マリーノが言い返す。「そのぐらいわかるよ。俺が気に入った弁護人なんて、いままでひとりもいねえんだから」

「とにかくそれはわたしの問題ですからね。あなたではなく」バーガーはまたマリーノに身のほどをわきまえさせるように言った。

それをきいて私もかっとした。「言っとくけど、彼がニューヨークで裁かれることを、私はけっして喜んではいないのよ」

「その気持ちはわかるわ」

「どうかしら」

「あなたの友人のミスター・ライターと話したの。それでよくわかったわ。もしムッシュ・シャンドンの裁判がバージニアでおこなわれたら、どういうことになるか」バーガーはいまや専門家らしい冷静な口調になっている。それにちょっぴり皮肉がまじっているだけだ。「彼が警察官のふりをしたことは罪に問われず、殺人未遂でなく、殺人の意図をもった住居侵入ということになるでしょうね」言葉を切って、私の反応を見る。「彼は実際にあなたに手をふれてはいない。それが問題なの」

「手をふれていたら、もっと大きな問題になっていたと思うけど」彼女の言葉に本気で腹がたちはじめたことを見せないようにして答えた。

「彼はあなたをなぐろうとしてハンマーをふりあげたかもしれないけど、実際はなぐらなかった」バーガーの目はひたと私にそそがれている。「わたしたちはみんな、そのことをありがたく思っているわ」

「権利が保護されるのはそれが侵害されたときだけ、とよく言うものね」私はコーヒーをもちあげた。

「ライターは、すべての罪状をひとつの裁判で審理するよう申し立てるでしょうね、ドクター・スカーペッタ。そうなるとあなたのはたす役割は？　専門家証人？　事実証人？　それとも被害者？　利害が対立するのはあきらかよ。検屍官として証言すれば、自分が攻撃されたことはとりあげられなくなる。命の助かった被害者として出廷すれば、専門家としての証言はだれかほかの人がすることになる。またはもっと悪いことに」効果を高めるために、ここで間をおく。「ライターがあなたの報告を文書にする。彼はそれが得意だときいているわ」

「あいつには根性ってものがまるっきり欠けてるんだ」と、マリーノが言う。「でも先生の言うとおりだよ。シャンドンは先生にやろうとしたことについて、罰を受けるべきだ。もちろん、あのふたりの女性にやったことについてもだ。やつは死刑になるべきだ。すくなくともここでなら、あの野郎を死刑にできる」

「そうとはかぎらないわ、警部。もしドクター・スカーペッタの証人としての信頼性に疑いがはさまれたら。腕のいい弁護人なら、彼女の証言には私情がまじっていて信用できないという印象を与えるでしょうね」

「どっちにしろ、もう決まってるんだろ。ああだこうだ言ってみてもはじまらねえや」と、マリーノが言った。「やつはここでは裁かれねえ。俺も昨日生まれたばかりってわけじゃねえからな。やつの裁判がここでひらかれることは、永久にねえだろう。あんたたちはやつを檻《おり》にぶちこむ。俺たち小物には、あの野郎を裁く機会はねえわけだ」

「彼は二年前にニューヨークで何をしてたのかしら?」と、私はきいた。「何か考えはある?」

「へん、だ」私がまだきかされていないことを何か知っているかのように、マリーノが言う。「あるだろうとも」

「彼の家族が、我がうるわしの町に密売ルートをもっているのかもしれない」バーガーが軽い調子で言った。

「ああ、ペントハウスでももってるんだろうよ」マリーノがまぜかえす。

「リッチモンドはどうなの?」と、バーガーはつづけた。「リッチモンドはI‐九五号線沿いの麻薬ルートの、ニューヨークとマイアミのあいだの中継点でしょう?」

「そうとも」と、マリーノが答えた。「エグザイル計画ができて、銃や麻薬を密売してるやつらは、見つかると連邦刑務所にぶちこまれるようになったけど、その前はそうだった。リッチモンドは商売をするのに人気の場所だったんだ。だからもしシャンドンのカルテルがマイアミに組織をもってるとして……もってることはわかってる。ルーシーがやってたおとり捜査でな。それでニューヨークにも大きな組織があるとしたら、カルテルの銃や麻薬がリッチモンドに流れこんでたとしても、ふしぎじゃねえよな」

「流れこんでいた？」バーガーがきく。「いまでも入ってきてるのかもしれない」

「そういうことなら、ATFは当分忙しいわね」と、私は言った。

「ふん」マリーノがまた鼻をならす。

意味深な間のあと、バーガーが言った。「ちょうどいいきっかけだから、話すわね」彼女の様子から、何かよからぬことを言おうとしているのがわかった。「ATFはちょっとした問題に直面しているらしいの。FBIとフランスの警察もよ。当然ながらみんなは、シャンドンが逮捕されたことを利用して、パリにある彼の家を捜索するための令状をとろうと期待していたの。その過程で、カルテルをつぶすのに役立つような証拠が手に入るかもしれないと。ところが、ジャン・バプティストが家族の一員であることが証明できないの。そもそも、彼が何者かを証明するものが何もない。運転免許証もパスポートも、出生証明書もない。この奇怪な男が存在することの記録さえない。ただ彼のDNAがリッチモンド港で見つかった男性のDNAに酷似しているので、ふたりは血縁同士、おそらく兄弟だろうと推測できる。でも陪審員を納得させるには、もっとはっきりした証拠が必要なの」

「やつの親がでてきて、ルガルはうちの息子ですって言いだすわけはねえしな」マリーノがひどいフランス語をまじえて言う。「そもそもやつの記録が存在しねえのは、そのためだろ？　強大なシャンドン一家は、毛むくじゃらの連続殺人鬼の息子がいることを、世間に知られたくねえんだ」

「ちょっと待って」と、私は口をはさんだ。「逮捕されたとき、彼は自分で名乗ったのでしょう？　そうでなかったら彼がジャン・バプティスト・シャンドンという名前だと、どうしてわかったの？」

「やつが自分で言ったんだ」マリーノは両手で顔をこすった。「くそ。ビデオを見せてやれよ」いきなりバーガーに向かって言う。何のビデオのことか私にはさっぱりわからないし、バーガーは彼がその話をもちだしたことに当惑しているようだ。「先生にだって知る権利があるだろう」と、マリーノが言う。

「DNAはわかっているけど身元が特定されていない被告の、新たな面がうかびあがってきたの」バーガーはマリーノが強引にもちだしたことをはぐらかそうとした。

ビデオって何のことだろう？　不安が頭をもたげてくる。何のビデオ？

「いまもってるか？」マリーノは敵意もあらわにバーガーを見た。ふたりは互いに一歩もひかぬという気迫を見せて、テーブルごしに相手をにらんでいる。マリーノの顔が険しくなった。彼はバーガーのブリーフケースを荒々しくつかみ、なかのものを勝手にとりだすつもりのように、自分のほうにひきよせた。バーガーはきっとしてそのうえに手をおいた。「警部！」とんでもなく厄介な事態になることを予想させる声音《こわね》で警告する。マリーノは手をひいた。その顔は怒りでまっ赤になっている。バーガーはブリーフケースをあけ、私を正面から見つめた。

「ビデオをあなたに見せようと思っていたのよ」言葉を選びながら言う。「ただ、いますぐ見せるつもりはなかった。でもそうしてもいいわ」冷静だが、強い怒りにかられていることがわかる。彼女は茶封筒のなかからビデオテープをとりだした。立ちあがってＶＴＲにそれを入れる。「だれかこのやりかたわかる？」

11

私はテレビをつけて、バーガーにリモコンをわたした。

「ドクター・スカーペッタ」バーガーは完全にマリーノを無視している。「はじめる前に、マンハッタンの地区検事局のしくみについてすこし説明させて。さっきも言ったように、わたしたちのやりかたはバージニアの検察の慣行とはかなりちがうの。これをお見せする前にそれをきちんと説明するつもりだったんだけど。わたしたちの殺人事件呼びだしシステムのことはご存知?」

「いいえ」神経が緊張し、ざわめきはじめた。

「一日二十四時間、週に七日、殺人事件の発生や被疑者の発見にそなえて、地区検事補が待機しているの。マンハッタンでは地区検事局の許可がないと警察が被疑者を逮捕できないことは、前に言ったわね。これはすべてがルールどおりにおこなわれることを保証するため。たとえば捜索令状とか。だから検事補が現場へいくのは、ごく一般的なことなの。被疑者が逮捕された場合、もし彼が検事補と話すことを拒否しなければ、こちらはその機会を逃さない。マリーノ警部」彼にひややかな視線をやる。「あなたはニューヨーク市警察の出身だそうだけど、こうした制度はまだできていなかったかもしれない」

「きいたこともねえな」マリーノはぶすっと言った。その顔はまだ危険なほど赤い。

「垂直的起訴は？」

「セックスの体位みてえだな」

バーガーはきこえないふりをした。「モーゲンソーが提唱したやりかたなの」と、私に言う。

ロバート・モーゲンソーは二十五年近くマンハッタンの地区検事長をつとめており、いまや伝説的存在だった。バーガーが彼のもとで仕事をすることに喜びを感じているのはあきらかだ。胸の奥で何かがうごめいた。羨望《せんぼう》？　いや、あこがれかもしれない。私は疲れていた。無力感にのみこまれてしまいそうだった。私にはマリーノしかいないが、彼は進取の気性にとんでいるとも知性にあふれているとも言いがたい。マリーノは伝説的人物どころではない。目下のところ彼といっしょに仕事をしたいとは思わない。そばにいるのもいやなぐらいだ。

「逮捕のあとは検事が事件をそっくりひき受けるの」バーガーは垂直的起訴の説明をはじめた。「そうすれば、こちらより先に目撃者や被害者の話をきいたという人が、三人も四人もでてくるという事態は避けられる。もしわたしが事件を担当するとしたら、場合によっては文字どおり現場からはじめて、最終的に法廷に立つことになる。実にすっきりしているでしょう。運がよければ、弁護士がつく前に被告を尋問できる。当然ながら、弁護士はクライアントがわたしと話をすることに同意しないでしょうからね」彼女はリモコンの再生ボタンを押した。「幸い、シャンドンが弁護士を雇う前に彼と接触できたの。病院で何度か話をきいたわ。今朝の三時という非人間的な時間からはじめて」

バーガーの言葉をきいたときの私の反応は、驚いたなどという生やさしいものではなかった。ジャン・バプティスト・シャンドンがだれかと話をすることなど、ありえない。

「びっくりしてらっしゃるようね」バーガーの発言はわざとらしくきこえる。何らかの意図があって言ったようだ。

「まあね」と、私は答えた。

「あなたをおそった人物が歩いたり、話したり、ガムを嚙んだり、ペプシを飲んだりできるとは、思ってなかったんじゃない？　彼が人間だという気がしないのでは？」と、バーガーが言う。「ひょっとすると本当に狼男だと思っているんじゃないかしら」

彼が玄関のドアの向こうから、はっきりした声で呼びかけたとき、実際に彼の姿を見たわけではない。警察です。異状ありませんか？　そのあと、彼は怪物と化した。そう、まさに怪物だ。怪物が、ロンドン塔に展示されているようなおそろしげな黒い鉄の道具をもって、私を追いかけてきた。この世のものとも思えない醜悪な外見にふさわしい、うなり声や叫び声をあげて。そのときの彼はまさにけだものだった。

バーガーは疲れたような笑顔をうかべた。「さて、これからわたしたちの直面する難題を見ることになるのよ、ドクター・スカーペッタ。シャンドンは怪物ではないし、超自然的な存在でもない。不幸な病気をせおっているからといって、陪審員がふつうとちがう規準を彼に適用することは望まない。でも彼が身ぎれいにして三つ揃いの背広を着こむ前の、いまの姿を陪審員に見せたいとは思う。彼の被害者がどんなにおそろしい思いをしたかを、陪審員に知らせる必要があるでしょう？」そう言って私と目をあわせる。「どんな女性でも、彼を家に招きいれるようなことをするはずがないことを、わかってもらうためにも」

「なぜ？　招きいれられたと彼は言っているの？」口のなかがからからになっている。

「あることないこと言ってるのよ」と、バーガーは答えた。

「あんなとんでもねえうそっぱちのたわごとは、きいたこともねえよ」いかにもむかつくというように、マリーノが言う。「でもそうなることはすぐわかったよ。ゆうべ遅くやつの部屋へいった。ミズ・バーガーが会いたいそうだと言うと、彼女はどんな女性かときくんだ。俺は黙ってやつをじらして、しまいにこう言ってやった。『これだけ言っとくよ、ジョン。彼女がそばにいると、たいていの男はかたくなって……他意はねえんだよ、これには——どぎまぎするんだ』とな」

　ジョン。がくぜんとした。マリーノは彼をジョンと呼んでいる。

「目下テスト中。一、二、三、四、五、一、二、三、四、五」だれかの声がきこえ、画面いっぱいにシンダーブロックの壁がうつった。カメラはむきだしのテーブルと椅子に焦点をあわせはじめた。バックで電話が鳴っている。

「やつは彼女がナイスボディのもちぬしかどうかをきいてきた。ミズ・バーガー、こんなことを言って申しわけないがね」マリーノは皮肉たっぷりに言う。理由はいまだによくわからないが、まだバーガーにひどく腹をたてているのだ。「俺はあのろくでなしの言葉をそのまま言ってるだけだからな。で、あいつにこう言ってやった。『そうだなあ、こんなことを言うのはなんだが、さっきも言ったとおり、彼女がそばにいると男はまともにものが考えられなくなる。すくなくともホモじゃねえまともなやつは、まともに考えられなくなる』」

マリーノがこんなことを言ってはいないのはわかっている。そもそもシャンドンが本当にバーガーの容姿についてきいたかどうか、疑わしい。たぶんシャンドンをその気にさせてバーガーと会わせるために、マリーノのほうから彼女がセクシーないい女だと言いだしたのだろう。昨晩、ルーシーの車までいっしょに歩いたときに、マリーノがバーガーについて言った下品な言葉を思いだし、怒りがこみあげた。マリーノのマッチョぶりにはうんざりだ。女性を見下すような、その粗野《そや》な言動にはへきえきする。

「いいかげんにしてよ」ホースで水をぶっかけて彼を流してしまいたい心境だ。「何か言うたびに女性の体のことをひきあいにださずにはいられないのね。女性の胸の大きさにこだわらずに、なんとかこの事件に目をむけてくれない、マリーノ？」

「目下テスト中、一、二、三、四、五」またカメラマンの声がした。電話は鳴りやんだ。足をひきずる音と人声がきこえる。「このテーブルと椅子にすわってもらおう」マリーノの声だ。うしろでだれかがドアをノックしている。

「とにかく、シャンドンは話をしたの」バーガーはこちらを見ていた。また目で私をさぐり、弱点や感じやすい部分を見つけようとしている。「いろんなことをわたしに話したわ」

「それが役に立つかどうかはともかくな」マリーノはむっとした顔でテレビの画面を見つめている。なるほど、そういうことか。マリーノはバーガーと話をするようシャンドンを説得したが、本当は自分が彼と話したかったのだ。

カメラは固定されているので、その視野に入るものしか見えない。木の椅子をひきだしているマリーノの大きなおなかが画面にあらわれ、ついでダークブルーのスーツに真紅《しんく》のネクタイをした男性が、マリーノといっしょにジャン・バプティスト・シャンドンを椅子にすわらせた。シャンドンは半袖の青い手術着を着ており、うすい色の長いもじゃもじゃの毛が、腕からたれさがっている。うすいはちみつ色の、ウェーブしたやわらかい毛皮のようだ。Vネックのえりもとからも毛がはみだし、ぐるぐるうずをまいて首をはいのぼっているさまは、見るもおぞましい。彼がすわると顔が画面に入った。額のなかほどから鼻の先までガーゼでおおわれている。包帯のまわりの毛はそってあり、肌は一度も陽にさらされたことがないかのように、まっ白だ。

「ペプシをもらえますか？」と、シャンドンがきいた。体を拘束するものは何もつけておらず、手錠さえはめられていない。

「つごうか?」と、マリーノがきいている。

返事はない。バーガーがカメラの横をとおりすぎた。肩パッドの入ったチョコレート色のスーツを着ている。彼女はシャンドンの向かいにすわった。頭と肩のうしろしか見えない。

「もう一杯飲むか?」私を殺そうとした男に、マリーノがきいた。

「すこしあとで。たばこを吸ってもいいかな?」と、シャンドンが言う。

その声は低く、強いフランス語なまりがある。彼は礼儀正しく、落ち着いている。私は画面を見つめた。注意を集中することができない。また意識の攪乱《かくらん》ともいうべき状態に陥っていた。外傷後ストレスのせいだ。熱い油に水が散ったときのように神経がとびはね、またもやひどい頭痛におそわれた。ダークブルーの袖に白いカフスのついた腕が画面にあらわれ、シャンドンの前に飲み物とキャメルの箱をおいた。高さのある白と青の紙コップは、病院のカフェテリアからもってきたものだ。キーッという音とともに椅子がうしろにひかれ、ダークブルーの腕がシャンドンのたばこに火をつけた。

「ミスター・シャンドン」異形《いぎょう》の連続殺人犯と話すのに慣れているかのように、バーガーはしっかりした平静な声で言った。「まず自己紹介するわ。わたしはジェイミー・バーガー。マンハッタンにあるニューヨーク郡地区検事局の検事よ」

シャンドンは手をあげて軽く包帯にさわった。指のおもてはうすい色のやわらかな毛でおおわれている。アルビノのような、ほとんど色素のない毛だ。最近まで手の甲をそっていたらしく、毛の長さは十二、三ミリだ。その手が私をつかもうとするところが、一瞬頭にうかんだ。爪は長くのび、汚れている。彼の力強い腕をはじめて見た。ジムでトレーニングに励む男性のような太い、筋肉のもりあがった腕ではない。野生の動物のように体を使って食べ物を手に入れ、戦い、逃げ、生きのびていくものに特有の、筋《すじ》ばったかたい腕だ。彼はシャンドン一家がサン・ルイ島に所有する、オテル・パルティキュリエと呼ばれる優雅な邸《やしき》のなかに隠れて、あまり外出もせず無為にすごしていたのだろうと私たちは考えていた。だが彼の強健さは、それが間違いであることを示しているようだ。

「マリーノ警部にはもう会ったわね」バーガーがシャンドンに言った。「あとここにいるのは、うちの局のエスクデロ巡査。彼がカメラマンをつとめます。それからアルコール《A》・たば《T》こ・火器《F》局のジェイ・タリー特別捜査官」

バーガーの視線が私にそそがれるのを感じた。私は彼女を見ないようにした。ビデオから目をそらせて、なぜ、なぜジェイがそこにいたの、とききたいのをおさえた。バーガーはまさしく彼が強くひかれるタイプの女性だという思いが、ちらっと頭をよぎった。上着のポケットからティッシュをだして、額の冷や汗をぬぐった。

「この一部始終がビデオに録画されていることは知っているでしょう。それに対して異議はないわね」画面のバーガーが言っている。

「はい」シャンドンはたばこを一服し、舌の先からたばこのかすをつまみあげる。

「一九九七年の十二月五日におこったスーザン・プレス殺害について、すこし質問したいの」

シャンドンは何の反応も示さない。彼はペプシに手をのばし、ピンク色のゆがんだくちびるでストローをさがした。バーガーはニューヨークのアパー・イーストサイドの、被害者の住所を彼に教えた。それから、もう何度もきいているだろうが、先にすすむ前に彼の権利を確認したいと言った。シャンドンはきいている。私の想像かもしれないが、彼は楽しんでいるように見える。苦痛を感じてはいないようだし、おびえた様子はまったくない。おとなしく、ていねいだ。毛むくじゃらの見るもおそろしい手は、テーブルのうえにおいているか、私たち……というより私に何をされたかを思いださせるように、包帯をさわっている。

「あなたがここで言うことはすべて、法廷であなたに不利な証拠として使われる可能性がある」と、バーガーはつづけた。「わかる？　うなずかないで、イエスかノーで答えてもらえるとありがたいんだけど」

「わかります」彼は従順に言われたとおりにする。

「あなたは質問に答える前に弁護士に相談する権利があるし、尋問中弁護士に立ち会ってもらうこともできる。わかるわね？」

「はい」

「弁護士をやとっていないかやとうお金がない場合は、無料で弁護士をつけてもらうことができる。わかる？」

ここでシャンドンはまたペプシに手をのばした。バーガーは、この会見が合法的で公平なものであり、シャンドンがそれに関するすべてを知っており、強制されたのではなく自分の自由意思で話していることを、彼と世間一般に知らせるための手続きを執拗《しつよう》につづけている。「さて、これであなたは自分の権利をすべて知ったわけだから」バーガーは自信に満ちた強引な冒頭陳述を終えた。「おこったことについて、真実を話してくれる？」

「ぼくはいつでも真実を話す」シャンドンは低い声で答えた。

「あなたはエスクデロ巡査とマリーノ警部とタリー特別捜査官の前で自分の権利について知らされ、それを理解しているのね？」

「はい」

「スーザン・プレスに何がおこったかを、自分の言葉で話してくれる？」

と、バーガーが言う。

「彼女はとてもやさしい人だった」驚いたことにシャンドンはそう言った。「あんなことになったのはほんとに残念だ」

「そうだろうとも」会議室のなかでマリーノが皮肉っぽくつぶやく。

バーガーはすぐに一時停止ボタンを押した。「警部、私見をさしはさまないように」と、ぴしゃりと言う。

マリーノの機嫌の悪さが、毒気のように部屋の空気を汚染している。バーガーがリモコンをテレビに向けた。画面の彼女は、どうやってスーザン・プレスと出会ったかをシャンドンにきいている。サード・アヴェニューとレキシントン・アヴェニューのあいだの、七十番ストリートにあるルミというレストランで会った、と彼は答えた。

「あなたはそこで何をしていたの？　食事をしていたの、それとも働いていたの？」バーガーがさらにきく。

「ひとりで食事をしていた。そこへ彼女が、やはりひとりで入ってきた。ぼくは上等なイタリアワインを飲んでいた。マソリーノ・バローロの九三年ものだ。彼女はとても美しい女性だった」

バローロは私の好きなイタリアワインだ。彼があげたのは、非常に高価なものだ。シャンドンは話をつづけた。彼はアンティパストを食べていたという。「クロスティーニ・ディ・ポレンタ・コン・フンギ・トリフォラティ・エ・オリオ・タルテュファト」を、と彼は流暢《りゅうちょう》なイタリア語で言った。そのとき、人目をひく黒人女性がひとりで店に入ってきた。支配人は彼女が有名人で店の常連客であるかのように、うやうやしくすみのテーブルに案内した。「彼女は立派な身なりをしていた」と、シャンドンは言った。「あきらかに売春婦ではなかった」そこで彼のテーブルにきていっしょに食事をするように、支配人を通じて誘った。

彼女はとても楽だった。

「楽だったとは、どういう意味？」と、バーガーがきいた。

シャンドンは軽く肩をすくめ、またペプシに手をのばした。ゆっくりストローを吸う。

「もういっぱいもらえるかな」カップをもちあげると、ダークブルーの腕……ジェイ・タリーの腕が、それを受けとった。シャンドンはたばこの箱をとろうと、毛むくじゃらの手でテーブルのうえをさぐった。

「スーザンはとても楽だったというのは、どういう意味なの？」バーガーがまたきいた。

「誘うとすぐに応じたんだ。ぼくのテーブルへきてすわった。そしてふたりで楽しく話をした」

彼の声にはききおぼえがなかった。

「どんな話をしたの？」と、バーガーがきいた。

シャンドンはまた包帯に手をやった。全身長い毛におおわれたこの奇怪な容貌《ようぼう》の男が人目のあるところにすわって、上等な食事をして高級なワインを飲み、女性をひっかけている場面を想像した。妙なことに、シャンドンはバーガーがこのビデオを私に見せることを、予想していたのではないかという気がふとした。イタリア料理とワインのことは、私を意識して言ったのではないか？　私をあざけっているのだろうか？　私について何を知っているのだろう？　何も、と自答した。彼が私について何か知っているはずがない。画面の彼は、スーザン・プレスと食事をしながら政治や音楽の話をした、とバーガーに語っている。プレスがどんな仕事をしているか知っていたのかとバーガーがきくと、テレビにでていると彼女が話した、と答えた。

「『じゃ、きみは有名なんだね』と言うと、彼女は笑った」と、シャンドンは言った。

「彼女をテレビで見たことがある？」と、バーガーがきく。

「テレビはあまり見ないんだ」シャンドンはゆっくり煙をはきだした。「もちろん、いまは何も見ない。見えないからね」

「質問にだけ答えて。どれぐらいテレビを見るかではなく、スーザン・プレスをテレビで見たことがあるか、ときいたのよ」

必死で彼の声を思いだそうとした。恐怖が体をはいのぼり、手がふるえだした。彼の声にはまったくききおぼえがない。玄関のドアの外できこえたあの声とはちがう。〝警察です。お宅の敷地にあやしい人物が侵入したという通報を受けたのですが〟

「彼女をテレビで見たことはないと思う」と、シャンドンは答えた。

「それからどうしたの？」と、バーガーがたずねる。

「いっしょに食事をして、ワインを飲んだ。それから、どこかへいってシャンパンでも飲みましょうかと誘った」

「どこかへ？　あなたはどこへ泊まっていたの？」

「バービゾン・ホテルに、偽名で。パリからきたばかりで、ニューヨークにはまだ二、三日しかいなかった」

「どんな偽名を使ったの？」

「おぼえていない」

「支払いはどうやって？」

「現金で」

「なぜニューヨークへきたの？」

「こわかったから」

会議室ではマリーノが椅子のうえでもぞもぞし、うんざりしたように鼻をならして、また私見をのべた。「さあ、みんなびっくりするなよ。ここがいいところだからな」

「こわかった？」ビデオのバーガーの声がきこえる。「何がこわかったの？」

「ぼくをつけねらっている人たち。アメリカ政府。すべてはそこからきているんだ」シャンドンはまた包帯に手をやった。片手でさわり、つぎにキャメルのたばこをもっている手でさわる。煙が頭のまわりでうずをまいた。「彼らはぼくを利用している……ずっと前から。ぼくの家族に近づくために。ぼくの家族について、事実とはちがう悪いうわさがあるために……」

「ちょっと待って。ちょっと待ってちょうだい」バーガーが口をはさむ。

マリーノが腹立たしげに首をふっているのがちらっと目に入った。彼は椅子の背にもたれて、つきでたおなかのうえに腕を組んだ。「ほれ見ろ」と小声で言う。バーガーはシャンドンと会見などするべきではなかったと言いたいのだろう。話をきいたのは間違いだった、ビデオは役に立つ以上にダメージを与えるだろうと。

「警部、やめてちょうだい」部屋のなかの本物のバーガーがきびしい口調で言うと同時に、ビデオの声がシャンドンにたずねた。「だれがあなたを利用しているの？」

「FBIとインターポール。もしかするとCIAも。よくわからない」

「そうだろうな」マリーノがテーブルから皮肉な声をあげる。「ATFのことを言わないのは、だれもATFなんて知らねえからだ。コンピューターのスペルチェッカーにも入ってねえんだから」

タリーへの憎しみに加えてルーシーのキャリアにおこったことが原因で、マリーノはATFのすべてを憎悪するようになっている。バーガーも今度は何も言わず、彼を無視した。ビデオの彼女はシャンドンにつめよっている。ふざけたことを許さないバーガーの面目躍如《やくじょ》といったところだ。「真実を言うことがいかに大事かをわかってもらいたいの。わたしに本当のことを話すのがどんなに大事か、わかってるの？」

「ぼくの言っていることは事実だ」彼は低い、真剣な声で言った。「信じられないような話だとはわかっている。ありえないように思えるだろう。でもすべては強大な力をもつぼくの家族がもとなんだ。国中に名を知られている。何百年も前からサン・ルイ島に住んでいて、マフィアのような犯罪組織にかかわっているとうわさされている。しかしそれはまったくのデマだ。それがすべてのトラブルのもとになっている。ぼくは家族といっしょに住んだことはない」

「でもあなたはその強大な家族の一員ね。息子でしょう？」

「そうだ」

「きょうだいは？」

「弟がひとりいた」

「いた？」

「彼は死んだ。そのことは知っているだろう。ぼくがここへきたのはそのためだ」

「そのことはあとにして、まずパリにいるあなたの家族のことを話しましょう。あなたは家族といっしょに住んでいないし、住んだこともないというの？」

「一度もない」

「それはなぜ？　なぜ一度も家族といっしょに住んだことがないの？」

「家族がそれを望まなかったからだ。ぼくがごく幼いころに、子供のいない夫婦に金をやって、ぼくをひきとって世話をするようにたのんだ。世間に知られないように」

「何を？」

「ぼくがムッシュ・ティエリー・シャンドンの息子だということを」

「なぜお父さんはあなたが息子であることを、世間に知られたくないの？」

「ぼくを見ていながらそんな質問をするのか？」腹立たしげに口をぎゅっと結ぶ。

「質問に答えてちょうだい。なぜお父さんはあなたが息子であることを、世間に知られたくないの？」

「わかったよ。ぼくがどんな姿をしているか、あなたが気づかないことにしよう。気づかないふりをしてくれてありがたい」あざわらうような調子が声にまじる。「ぼくには重い障害があってね。家族は恥じている。ぼくのことを恥ずかしく思っているのだ」

「その夫婦はどこに住んでいるの？　あなたの世話をしてくれたという人たち？」

「ロロージュ河岸の、コンシェルジュリの近く」

「コンシェルジュリって監獄ね？　フランス革命のときマリー・アントワネットが入れられていた？」

「もちろんコンシェルジュリはとても有名だ。観光スポットになっている。みんな監獄だの拷問部屋だの打ち首だのに、いたく興味をもつ。アメリカ人はとくにね。いつもふしぎに思う。あなたがたはぼくを殺すつもりだろう。アメリカはあっさりぼくを殺す。アメリカの人たちはみんなを殺すんだから。これは大きな計画、陰謀の一部なんだ」

「ロロージュ河岸のどのあたり？　あの一帯は裁判所《パレ・ドウ・ジュスティス》とコンシェルジュリで占められ

ているように思っていたけど」バーガーのフランス語の発音は、母国語のように完璧だ。「たしかに高級アパートは何軒かあるわね。あなたを育ててくれた夫婦はそこに住んでいたというの？」

「そのすぐ近くだ」

「その夫婦の名前は？」

「オリヴィエとクリスティン・シャボー。悲しいことにふたりとも何年も前に亡くなっている」

「ふたりは何をしていたの？　職業は？」

「彼はブーシェ。彼女はクワフルーズだった」

「肉屋と髪結い？」声の調子から、彼女がシャンドンの言ったことを信じていないことがわかる。彼が自分や私たち全員をからかっていることが、バーガーにはわかっている。

「そう、肉屋と髪結いだ」シャンドンが肯定する。

「監獄のそばでその夫婦といっしょに暮らしているあいだに、自分の家族、シャンドン一家に会うことはあったの？」

「ときどき家にいった。いつも暗くなってから。人に見られないように」

「人に見られないように？　なぜ見られたくなかったの？」

「さっき言っただろう」彼は見えないままたばこの灰を落とした。「両親はぼくが息子であることを人に知られたくなかった。もし知られたら、いろいろ言われただろう。彼は非常に有名だからね。無理もない。だから夜おそく、あたりがまっ暗でサン・ルイ島の通りに人影がなくなったころに、いつもいっていた。お金やほかのものをもらうこともあった」

「家のなかへ入れてもらえるの？」捜索令状を発行するための相当な理由を当局に与えるため、バーガーは必死で彼を両親の家と結びつけようとしていた。シャンドンがこのゲームに通じていることは、すでにあきらかだ。自分がサン・ルイ島にある一族の家にいたという話を、なぜ彼女がひきだそうとしているのか、彼にはちゃんとわかっている。最近パリへいったとき、私はこの目でシャンドン一家の壮麗なオテル・パルティキュリエを見た。その屋敷を捜索するための令状は、当分発行されることはないだろう。

「入れてもらえる。でも長くはいないし、すべての部屋に入るわけでもない」彼は落ち着きはらってたばこを吸いながら、バーガーに言っている。「家族の家には、ぼくが足をふみいれたことのない部屋がいっぱいある。入ったことがあるのはキッチンと、それからええと、キッチンと召し使い部屋と、玄関を入ったところだけだ。ぼくはおおむね自力で生きてきたから」

「最後にご両親の家へいったのはいつ？」

「だいぶ前だな。すくなくとも二年はたっている。よくおぼえていない」

「おぼえていない？　わからないなら、わからないと言ってちょうだい。推測で言わないで」

「わからない。でも最近ではないことはたしかだ」

バーガーはリモコンを向け、画面は停止した。「彼のやりくちはわかるでしょう、もちろん」と、私に言う。「まず裏のとれない情報を与える。死んだ人のことを言ったり、偽名でホテルに泊まったと話して、その名前をおぼえていないと言ったり。それで今度は一族の家を捜索する理由を与えないように、そこに住んだことはないと言う。ほとんど入ったことはないし、最近はまったくいっていないと。そうなると、いま使える相当な理由はないことになる」

「くそ！　とにかく相当な理由はねえんだよ」と、マリーノがつけ加えた。「シャンドンが家族の家に出入りするのを見たというやつがでてこないかぎり」

12

バーガーはまたビデオをうつしはじめた。彼女がシャンドンにきいている。「あなたは現在仕事をしている？　あるいは過去に職についたことは？」

「まあ、いろいろね」彼はひかえめに言った。「できることをなんでも」

「でもいいホテルに泊まって、ニューヨークの高級レストランで食事ができるの？　そして上等なイタリアワインが飲めるの？　そのお金をどうやって手に入れたの？」

シャンドンはためらい、あくびをした。おかげで彼のグロテスクな歯が丸見えになった。歯は小さくてとがり、まばらにはえていて灰色をしている。「失礼。疲れているんだ。気力がなくて」また包帯をさわる。

それをきいてバーガーは、彼が自由意思で話していることを指摘した。だれも強制はしていない。もうやめようかと言うと、彼はもうすこしつづけてもいいと答えた。もう二、三分。「仕事が見つからないときは、ぶらぶらしてすごす」と、彼はバーガーに言った。「物乞いをすることもあるけど、たいてい何か仕事を見つける。皿洗いとか掃除とか。モトクロッテの運転をしたこともある」

「それは何？」

「トロティネット。パリで歩道を掃除するのに使われるグリーンのオートバイのこと。バキュームで犬の糞を吸いあげる」

「運転免許証をもっているの？」

「いや」

「じゃ、どうしてトロティネットを運転できたの？」

「百二十五cc以下のものは、免許証がいらないんだ。それにモトクロッテは時速二十キロぐらいだし」

　これはすべてうそだ。彼はまた私たちをあざけっているのだ。会議室のなかのマリーノが、椅子のうえで位置を変えた。「あの野郎め、何をきいてもしゃあしゃあと答えるだろう？」

「ほかにお金を手に入れる方法がある？」バーガーがシャンドンにきいている。

「そうだな、ときどき女の人から」

「女性からどうやってお金を手に入れるの？」

「恵んでもらうんだ。正直いって、ぼくは女の人に弱い。女性が大好きだ。その姿かたち、におい、感触、味……すべてが」女性をさんざん痛めつけて殺し、その体に嚙みつくこの男が、やさしげな声で言う。無実を装《よそお》って。テーブルにのせた指がこわばっているかのように、それを曲げはじめた。ゆっくり曲げたりのばしたりするにつれて、指にはえた毛が光る。

「女性の味が好きなの?」バーガーは攻撃的な口調になってきた。「だから嚙むの?」

「そんなことはしない」

「スーザン・プレスを嚙まなかった?」

「嚙んではいない」

「彼女の体には嚙まれたあとがいっぱいついていたのよ」

「ぼくはやっていない。やつらがやったんだ。やつらはぼくのあとをつけて、殺す。ぼくの愛人たちを」

「やつら?」

「さっき言っただろう。政府のエージェント。FBIやインターポール。ぼくの家族に近づくために」

「あなたの家族は細心の注意をはらって、あなたを世間から隠していたのでしょう。それならなぜその人たち……FBIやインターポールなんかの連中はあなたがシャンドン家の一員だと知っているの?」

「ぼくがあの家からでてくるのを見て、あとをつけたんだろう。あるいはだれかが話したのか」

「最後に家族の家へいってから、すくなくとも二年はたっていると思うのね?」バーガーはもう一度きいた。

「すくなくとも」

「いつごろからあとをつけられていると思う？」

「何年も前から。五年ぐらいかな。はっきりわからない。やつらはとても巧妙だから」

「その人たちはどんなふうにあなたを利用して、あなたの家族に近づこうとしているの？」

「ぼくをおそろしい殺人鬼にしたてあげたら、警察は両親の家を捜索できる。でも何も見つかりはしない。ぼくの家族は無実だ。政治的な問題がからんでいる。父は政治的に大きな力をもっているから。それ以上のことは知らない。ぼくが知っているのは、ここ何年かのあいだにぼく自身におこったことだけだ。すべてぼくをこの国へこさせて、逮捕させて殺すための陰謀だ。あなたがたアメリカ人は、無実の人間も殺すから。そのことはだれでも知っている」彼はそう主張することで、くたびれたようだった。まるでその事実を指摘することに疲れたとでもいうようだ。

「どこで英語をおぼえたの？」バーガーはつぎにきいた。

「独学で学んだ。もっと若いころ、家にいくと父がいろんな本をくれた。本はたくさん読む」

「英語で？」

「そう。英語がうまくなりたかったから。父はいろんな国の言葉を話す。国際海運業の仕事をしているので、外国とかかわりがあるから」

「この国……アメリカとも？」

「ああ」

またタリーの腕が画面にあらわれ、ペプシのおかわりをおいた。シャンドンはむさぼるようにストローを口に入れ、大きな音をたてて吸った。

「いままでにどんな本を読んだの？」バーガーは質問をつづける。

「歴史やほかの本をたくさん読んだ。いろんなことを学ぶために。独習しなきゃならなかったから。学校へはいってないので」

「その本はいまどこにあるの？」

「さあ、わからない。どこかへいってしまった。ときどきホームレスになるし、あちこち移動するから。いつもびくびくしながら動きまわっている。やつらに追われているから」

「フランス語と英語以外の言葉を何か知っている？」

「イタリア語とドイツ語をすこし」そう言って小さくげっぷをした。

「それも独学でおぼえたの？」

「いろんな言葉で書かれている新聞をパリで見つけて、それでおぼえることもあった。ときどき新聞をしいて寝たのでね。泊まるところがないときは」

「かわいそうで涙がでるよ」マリーノがこらえきれずに言う。ビデオではバーガーがシャンドンに言っている。「スーザンの話にもどりましょう。二年前の十二月五日に彼女がニューヨークで殺された話に。その夜のことを話してちょうだい。ルミで彼女に会ったということだけど。それから何があったの？」

シャンドンはますます疲れてきたというようにためいきをついた。たびたび包帯をさわるが、その手がふるえている。「何か食べさせてもらいたい」と、彼は言った。「ぼうっとしてめまいがする」

バーガーがリモコンを向け、画面は静止してぼやけた。「一時間ほど休憩《きゅうけい》したの」と、私に言う。「そのあいだに彼は何か食べて、休んだの」

「やつは警察のやりかたをよーく知ってるんだ」私がそのことに気づいていないとでも思っているように、マリーノが言った。「どっかの夫婦に育てられたなんて話は、うそっぱちだ。犯罪のもとじめの家族をかばってるだけだ」

バーガーが私に言った。「ルミという店をご存知？」

「よく知らないわ」

「それがね、とてもふしぎなの。二年前にスーザン・プレス事件の捜査をはじめたとき、殺された晩に彼女がルミで食事をしていたことはすぐわかったの。スーザンの給仕をした人が、ニュースをきいて警察に連絡してきたから。検屍のとき、店で食べたものが胃のなかに残っているのも見つかった。そこから、食事をしたのは殺害される数時間前だとわかった」

「レストランでは、彼女はひとりだったの？」

「店にきたときはひとりだったけど、やはりひとりできていた男性のテーブルへいって、いっしょに食事したの。ただし彼はそんなおそろしい容貌の人物ではなかった。それどころか、背が高くて肩幅が広く、立派な身なりのハンサムな男性だったというの。あきらかにお金もある、すくなくともそういう印象を与える人だったらしい」

「彼が何を注文したかわかる？」

バーガーは指で髪をすいた。彼女が自信なさそうな顔をするのははじめてだった。おびえているようにさえ見える。「彼は現金ではらったけど、ウエーターはスーザンとつれの男性にどの料理をだしたかおぼえていたの。彼はポレンタとキノコの前菜にバローロをたのんだ。ビデオでシャンドンが言ったのと同じものね。スーザンは直火焼《じかび》きの野菜にオリーブオイルをかけた前菜と、ラム料理を食べた。これは彼女の胃の内容物とも一致している」

「まいったな」と、マリーノが言った。いまバーガーが言ったことは初耳のようだ。「そんなことあるわけねえだろう。ハリウッドの特殊効果でも使わねえかぎり、あの毛むくじゃらの化け物がハンサムなモテモテ男に変わるわけねえよ」

「彼ではなかったのかも」と、私は言った。「弟のトマだったのかもしれない。ジャン・バプティストはトマのあとをつけていたんじゃないかしら？」そう言ってはっとした。あの怪物を名前で呼んでいた。

「最初の考えとしては理屈がとおっている」と、バーガーが言った。「ところが、さらに混乱するような事実があるの。スーザンのアパートのドアマンは、彼女がルミにいたのと同一人物と思われる男性といっしょにもどってきたのをおぼえているの。その夜の九時ごろに。ドアマンは翌朝七時までの勤務だったから、その男性が午前三時半ごろに帰っていったのを見ている。その時間にはふつうスーザンはおきて仕事に出かけるの。放送がはじまるのが五時だから、四時から四時半ぐらいにはテレビ局にいっているはずなの。遺体が発見されたのは午前七時ごろで、検屍官によると死後数時間たっているということだった。当初から、彼女がレストランで会った見知らぬ男性が容疑者として最有力と考えられていた。実際、彼以外が犯人ということはありえないような気がする。彼がスーザンを殺し、しばらく時間をかけて遺体をずたずたにする。そして三時半に出ていって行方をくらます。もし彼が犯人でないなら、彼女が殺害されたことを知ったら警察に連絡するはずでしょう？　事件のことは大々的に報道されたんだから」

この事件がおこったときそれについてきいたことを思いだして、妙な気持ちになった。当時、センセーショナルな事件として派手に伝えられたニュースのディテールが、突然おぼろげによみがえってきた。二年前にスーザン・プレスのことをきいたときは、自分がそれにかかわることになる、とくにこんな形で関与することになるとは夢にも思わなかった。それを思うと感慨をおぼえずにはいられない。

「そいつは土地の人間じゃねえかもな。ひょっとすると外国人かもしれねえ」

バーガーは、わからないというように、手のひらをうえに向けて肩をすくめた。彼女がこれまでに言ったことを分析したが、納得のいく答えは得られない。「彼女が食事をしたのが午後七時から九時までのあいだなら、食べたものは遅くとも十一時にはあらかた消化されているはず」と、指摘した。「検屍官が推定した死亡時刻が正しいとして、彼女が死亡したのは遺体が発見される数時間前……午前一時か二時だとすると、それより前に胃のなかの食物は消化されてなくなっているはずよ」

「それはストレスということで説明されたの。おびえたために消化がおそくなったのだろうということで」と、バーガーが言う。

「知らない人がクローゼットに隠れていて、家へ帰ったとたんにおそいかかってきたというならわかるわ。でもスーザンはその男を信用して、アパートへつれて帰ってきたのでしょう。男性のほうも、アパートにきたところと、何時間もあとにでていくところをドアマンに見られても、平気だったわけよね。膣《ちつ》の内容物は調べた？」

「精液が検出されたわ」

「この男は」と、シャンドンを指さす。「膣への挿入はしないし、射精するという証拠もないのよ」念のためバーガーに言った。「パリでの犯行のときも、もちろんここでも。被害者はつねにウエストから下は衣服をつけている。その部分には傷もない。彼は女性の下半身にはまったく興味がないみたい。足以外にはね。スーザン・プレスも、ウエストから下は衣服をつけていたように思ってたけど」

「そう、パジャマのズボンをはいていた。でも体から精液が見つかっているの。おそらく合意のうえでのセックスだったんでしょう、すくなくとも最初は。あのあとは合意どころじゃないことは、彼がしたことを見ればあきらかだけど」と、バーガーは答えた。「精液のDNAはシャンドンと一致するの。それにあの奇妙な長い毛も見つかっている。彼のものと非常によく似た毛よ」と、画面をあごでさして言う。「弟のトマのDNAも調べたんでしょう? 彼のDNAは、ジャン・バプティストのDNAとは一致していないのよね。だから、精液を残したのはトマではないはず」

「ふたりのDNAはきわめて近いけれど、まったく同じではないわ」と、私も同意した。「一卵性双生児でないかぎり、DNAが完全に一致することはない。ふたりがそうでないことはあきらかですものね」

「どうしてそれがわかる?」マリーノが眉をひそめた。

「もしトマとジャン・バプティストが一卵性双生児ならね」と、説明した。「ふたりとも先天性全身多毛症にかかっているはず。片方だけでなく」

「どういうことだと思う?」バーガーが私にきいた。「遺伝学的に見ると一連の事件の犯人は同一人物のようだけど、外見から判断するかぎりでは同じ男とは思えない」

「もしスーザン・プレス事件のDNAがジャン・バプティスト・シャンドンのDNAと一致するなら、午前三時半にアパートをでていった男は、彼女を殺した男ではない。そう考えるしかないでしょうね」と、私は答えた。「彼女を殺したのはシャンドンだけど、スーザンといっしょにいるところを目撃された男は、シャンドンではない」

「じゃ、やっぱり狼男はレイプすることもあるのかね。すくなくとも、しようとするんだろう。でもたいてい精液は残さねえから、こっちにはそれがわかんねえんだ」

「でも、そのあとはどうなの？」バーガーが疑わしそうに言う。「また彼女たちにズボンをはかせるの？　ことが終わったあと、ウエストから下だけ服を着せるわけ？」

「とにかく、こいつはふつうにいろんなことをやるやつじゃねえんだからな。『看護婦がやつのものをちらっと見た』そうそう、言うのを忘れるところだった」マリーノは私を見た。「看護婦がやつのものをちらっと見たそうだ。皮切りはしてねえと」割礼《かつれい》をしていないという意味の、マリーノ流の言いかただ。

「それでウィンナソーセージほどの大きさもねえんだと」親指と人さし指を二、三センチははなして私たちに見せる。「あの野郎がいつも機嫌が悪いのも無理ねえよ」

13

リモコンがカチッと音をたてると、私はふたたびＭＣＶの犯罪者用病棟のなかの、シンダーブロックでできた面接室につれもどされ、ジャン・バプティスト・シャンドンと対面することになった。彼は外で食事して女性をひっかけたい気分になると、見るもおそろしい怪人からエレガントな美男子に変身できる、と私たちに信じさせたいらしい。だがそんなことは不可能だ。手をそえられてふたたび椅子にすわろうとしている彼の、のびきっていない毛がうず巻くようにはえた上半身が、画面いっぱいにあらわれた。頭部がうつると、驚いたことに包帯がはずされ、黒いプラスチックのソーラー・シールド製サングラスが目をおおっている。目のまわりの皮膚は炎症《えんしょう》をおこしているようなピンク色だ。眉は長く、左右がつながっている。まるでだれかが細長いふわふわの毛皮を、眉の部分にはりつけたかのようだ。同じようなやわらかい薄い毛が、額とこめかみをおおっている。

バーガーと私はあいかわらず会議室にすわっている。まだ七時半になっていないが、マリーノはふたつの理由で部屋を立ち去った。モスビー・コートに捨てられていた遺体の身元が、判明したらしいという連絡を受けたことに加えて、もう参加しないようにバーガーがたのんだのだ。私とふたりだけで話をする必要があるからということだったが、マリーノにうんざりしたこともあったのだろう。無理もない。マリーノはバーガーの尋問《じんもん》のしかたにひどく批判的だったし、そもそも彼女がシャンドンと会ったことを快《こころよ》く思っていないことを、露骨《ろこつ》に態度にあらわしていた。その理由のひとつ、いやすべては、嫉妬にもとづいている。これほど悪名高く、見た目もグロテスクな殺人鬼を尋問したいと思わない捜査官は、この世にいないだろう。だが野獣は美女を選び、マリーノは大いに憤慨《ふんがい》しているのだ。

シャンドンが自分の権利をわかっており、彼女とひきつづき話すことに同意したことを画面のバーガーが彼に確認するのを見ながら、私はある事実をひしひしと感じていた。私はクモの巣にからめとられた小さな虫のようなものだ。その邪悪なクモの巣の糸は、緯度と経度のように地球全体にはりめぐらされている。シャンドンが私を殺そうとしたことは、彼にとってはほんのささいなことだった。ちょっとしたなぐさみだ。私がこのビデオを見ることを彼が予測していたら、いまだに私は彼のなぐさみもので、それ以上のものではない。もし彼が首尾よく私をずたずたにしていたら、いまごろはもう新しい獲物のことを考えているだろう。私は彼の憎悪に満ちた忌《い》まわしい人生のなかの血塗られたひとこま、性夢にすぎないのだ。

「刑事が食べ物と飲み物をもってきてくれたのね？」バーガーがシャンドンにきいている。

「ああ」

「どんなもの？」

「ハンバーガーとペプシ」

「それにフライドポテトね？」

「メ・ウイ。フライドポテトもだ」彼は面白がっているようだ。

「ほしいものは全部もらったのね？」

「ああ」

「病院のスタッフが包帯をとって、とくべつなめがねをくれたのね。気分はどう？」

「すこし痛む」

「鎮痛剤はもらったの？」

「もらった」

「タイレノールね？」

「そうだと思う。二錠」

「それだけね。ほかに、頭がぼうっとするような薬はもらってないわね」

「ああ、それだけだ」彼の黒いサングラスが彼女を見すえている。

「わたしと話すことをだれかに強制されたり、何かを約束してもらったりはしていないわね？」バーガーの肩が動いた。リーガルパッドとおぼしきものをめくったようだ。

「ああ」

「わたしはあなたに話をさせるために、おどしたり約束したりはしていないわね？」

バーガーはチェックリストを参照しながら、長々とつづけた。シャンドンがおどされた、あるいは執拗にせがまれた、虐待された、不当な取り扱いを受けた、などと彼の将来の弁護人が主張できないよう、予防策をとっているのだ。彼は背筋をのばして椅子にすわっている。組んだ腕からたれさがるもつれた毛が、テーブルのうえに広がっている。病院から支給されたシャツの半袖から、汚れたトウモロコシの毛のような、きたならしい毛のふさがのぞいている。彼の容貌のすべてがちぐはぐだ。古いくだらない映画で、男の子たちが浜辺でお互いを砂のなかに埋めてふざける場面があったが、彼を見ているとそれを思いだす。額に目を描いたり、ひげを髪の毛のように見せたり、頭のうしろにサングラスをかけたり、ひざに靴をはめてひざまずき、小人のように見せかけたりする。奇怪な姿になり、それをおもしろがるのだ。シャンドンの姿はおもしろいどころではない。彼にあわれみを感じることもできない。冷静をよそおってはいるが、心の奥深くで巨大なサメのように、怒りがうごめいている。

「あなたがスーザン・プレスに会ったという晩のことにもどりましょう」と、ビデオのバーガーが彼に言った。「ルミで。その店は七十番ストリートとレキシントン・アヴェニューの角にあるのね？」

「そう」

「いっしょに食事をして、そのあとどこかでシャンパンを飲もうと彼女を誘ったということだったわね。その晩スーザンが出会って食事をともにしたという男性の人相は、あなたとはまったくちがっていることをご存知？」

「ぼくがそんなこと知るはずないだろう」

「でもあなたももちろんわかっているでしょう、自分が病気のためにほかの人とはちがう姿をしていることは。だからその病気にかかっていないだれかとあなたが混同されることは、まずありえないことも。全身多毛症。あなたの病気はそれね？」

黒いめがねの奥で、シャンドンがかすかにまばたきするのがちらっと見えた。バーガーは彼の痛いところをついたのだ。顔の筋肉がこわばり、彼はまた指を曲げたりのばしたりしはじめた。

「それがあなたの病気の名前でしょう？　それを知っている？」

「知っている」声がややうわずっている。

「生まれてからずっとそれにかかっているの？」

彼はバーガーを見つめた。

「質問に答えてちょうだい」

「もちろんそうだ。ばかげた質問だな。かぜをひくみたいに、急になるとでも思ってるのか？」

「わたしが言いたいのは、あなたがほかの人とはちがう姿をしているということ。だからすっきりしてハンサムで、顔に毛がはえていないという男性とあなたが間違えられるとは、考えにくい」そこで言葉を切った。バーガーは彼をいじめている。自制心を失わせたいのだ。

「上等なスーツを着た、身だしなみのいい男性と」また間をおく。「あなたはホームレスのような生活をしてきたと言ったでしょう？　ルミにいたその男性があなただったとは、とても思えないわ」

「ぼくは黒いスーツにワイシャツとネクタイというかっこうをしていた」――憎しみ。遠くの冷たい星のように、偽りの黒いマントを通してシャンドンの本性がちらちらと見えはじめた。いまにも彼がテーブルをとびこえ、マリーノやほかのだれかがとめるまもなく、バーガーののどを握りつぶすか頭を壁にたたきつけるのではないかと思った。気がつくと息をつめている。バーガーはちゃんと生きており、私といっしょに会議室のテーブルについているではないかと自分に言いきかせた。いまは木曜日の夜だ。あと四時間で、シャンドンが私の家に押しいってチッピングハンマーで私をなぐり殺そうとしたときから、丸六日たつことになる。

「病状がこれほどひどくないときもあった」シャンドンは態勢をたてなおしたようだ。ふたたびていねいな口調になる。「この病気はストレスで悪化する。ぼくはたいへんなストレスにさらされた。やつらのせいで」

「やつらとは？」

「ぼくをわなにかけたアメリカのエージェントたち。何がおきているのかを知ると、ぼくは逃亡生活を送りはじめた。やつらがぼくを殺人犯にしたてあげようとしていることに、気づいたときからだ。病状はそれまでになく悪化した。そして悪化すればするほど、人の目を避けねばならなかった。昔からこんなにひどい姿だったわけではない」彼はバーガーを見つめ、黒いめがねがカメラからわずかにはずれた。「スーザンに会ったときは、もっとずっとよい状態だった。毛をそることもできたし、いろんな片手間仕事をして金をかせいで、自分をかっこうよく見せることもできた。ときどき弟が服や金をくれることもあったし」

バーガーはテープをとめて私にきいた。「ストレスのことは本当かしら？」

「ストレスがあらゆることを悪化させるのはたしかだけど。でもこの男がかっこうよく見えるなんてことはありえない。彼が何と言おうと」

「弟って、トマのことね」またビデオのバーガーの声がきこえた。「トマが服やお金なんかをくれるのね？」

「そうだ」

「その晩、ルミで黒いスーツを着ていたそうだけど。そのスーツはトマにもらったの？」

「そう。彼は上等な服が好きだった。ぼくたちは体のサイズがほぼ同じだったんだ」

「それで、スーザンといっしょに食事したのね。それから？　食事が終わってからどうしたの？　あなたが勘定をはらったの？」

「もちろんだ。ぼくは紳士なんだから」

「勘定はいくらだった?」

「二百二十一ドル。チップを入れないで」

バーガーはまっすぐ画面を見つめながら、それが事実であることを認めた。「実際に勘定はそのとおりの金額だったの。その男は現金ではらって、二十ドル札を二枚、テーブルにおいていった」

レストランや勘定とチップのことなどはどの程度公《おおやけ》にされたのかを、バーガーにくわしくたずねた。「ニュースでそれが報道されたことはある?」

「ないわ。だからその男性が彼でないなら、いったいどうやって勘定の金額を知ったのか、見当もつかない」声にいらだちがまじる。

ビデオの彼女は、チップのことをシャンドンにきいていた。彼は四十ドルおいたと言った。「たしか二十ドル札を二枚」

「それから? 店をでたの?」

「彼女のアパートで一杯やることにした」と、彼は言った。

14

　ここからシャンドンは事細かに語りはじめた。それによると、彼はスーザン・プレスといっしょにルミをでた。とても寒かったが、店から彼女のアパートまでは二、三ブロックなので、歩くことにした。そのとき見えた月と雲を、彼は細やかな、詩的ともいえる言葉で語った。空には青白色のチョークでなぐりがきしたような細長い雲が流れ、満月をなかばおおっていた。昔から満月を見ると性的な興奮をおぼえる、と彼は言った。妊娠した女性のお腹や尻や乳房を連想するからだという。高層アパートのまわりで強風が吹きあれ、彼はスーザンを寒さから守ろうと自分のマフラーをはずして、彼女に巻いてやった。彼は丈の長い黒いカシミヤのコートを着ていたという。それをきいて、フランスの検屍局長のドクター・ルート・ストゥヴァンが、シャンドンと思われる男に会ったときのことを話してくれたのを思いだした。

　アンスティテュ・メディコ・レガル《法医学研究所》にドクター・ストゥヴァンを訪ねたのは、八日前のことだ。パリでの連続殺人事件を彼女と検討してほしいと、インターポールに依頼されたからだ。ドクター・ストゥヴァンの話では、ある晩車が故障したといって男が訪ねてきて、電話を使わせてほしいとたのんだ。丈の長い黒いコートを着たその男は、とても礼儀正しかったという。だがドクター・ストゥヴァンはべつのことも私に言った。男には奇妙な、不快きわまりない体臭があったというのだ。汚い濡れた動物のようなにおいだ。男を見て彼女は不安な気持ちになった。何か邪悪なものの気配を感じたのだ。しかし奇跡的なあることがおこらなければ、彼女は男を家に入れていたかもしれない。というより、彼が押しいっていただろう。

ドクター・ストゥヴァンの夫は、ル・ドームというパリの有名なレストランのシェフだ。たまたまその夜、彼は具合が悪くて家にいた。そしてべつの部屋から、だれがきたのかとたずねた。それをきくと、黒いコートを着た見知らぬ男は逃げていった。翌日、ドクター・ストゥヴァンのもとに手紙が届けられた。血のついた破れた茶色い紙にブロック体で書かれたその手紙は、ル・ルガル（狼男）とサインされていた。このできごとからあることがあきらかになったのに、私はそれから目をそむけていた。ドクター・ストゥヴァンはフランスでのシャンドンの被害者の検屍を手がけ、シャンドンはその彼女をおそおうとしたのだ。私はアメリカでの彼の被害者の検屍をしたのに、シャンドンにおそわれるのを真剣に防ごうとはしなかった。こうした油断の奥には、ある普遍的《ふへんてき》な心理がひそんでいる。災難は人の身におこるものだとだれしも思っているのだ。

「ドアマンがどんな人だったか、説明できる？」画面でバーガーがシャンドンにきいている。

「うすい口ひげをはやした男で、制服を着ていた」と、シャンドンが言う。「彼女は彼をファンと呼んでいた」

「ちょっと待って」私は声をあげた。

バーガーはまたテープをとめた。

「彼の体臭に気づかなかった？」と、彼女にきいた。「今朝早く、彼といっしょにいたとき」と、画面をさす。「彼を尋問したときに……」

「もちろん気づいたわよ」バーガーは私をさえぎった。「汚れた犬みたいなにおいがした。濡れた毛皮と強い体臭がまじったようなにおい。吐きそうになったわ。病院で入浴させなかったのかしら」

病院では必ず患者の体を洗うというのは誤解だ。長期にわたって入院している患者以外は、傷の部分を洗浄《せんじょう》するだけだ。「二年前にスーザンの殺害事件を捜査しているとき、体臭のことを指摘する人はいなかった、ルミに？　スーザンといっしょにいた男性はいやなにおいがしたと？」

「いなかったわ」と、バーガーは答えた。「ひとりもいなかった。とにかく、その男性がシャンドンだったはずはないんだけど。でもきいてて。ますます妙なことになっていくから」

それから十分のあいだ、シャンドンがさらにペプシをのみ、たばこを吸いながら、スーザン・プレスのアパートであったという信じられないできごとの話をするのを見つめた。彼はスーザンの住まいについて、硬材の床にしかれた絨毯《じゅうたん》から、花柄の布を張った家具や複製のティファニー・ランプにいたるまで、驚くほどくわしく説明した。彼女の絵の趣味はあまりいただけなかった、と彼は言った。陳腐《ちんぷ》な展覧会のポスターがいっぱいはってあり、海の風景や馬を描いた版画もいくつかあった。馬が好きなの、と彼女は言ったという。馬に親しんで育ったので、いまはそばに馬がいなくてさびしいと彼に話した。バーガーは、彼の言ったことが真実であると確認されているときは、会議室のテーブルをたたく。

そう、スーザンのアパートについての彼の説明をきくと、なかに入ったことがあると思わざるをえないわ。スーザンは確かに馬に親しんで育ったの。全部そのとおりなの。

「信じられない」私は首をふった。不安に胸がしめつけられるような気がする。この会話がどっちの方向へすすもうとしているのか考えると、おそろしい。できるだけ考えまいとしたが頭のある部分はそれを考えるのをやめられない。シャンドンは私が彼を家に招きいれたと言うつもりなのだ。

「それは何時ごろ？」画面のバーガーがきいた。「スーザンが白ワインをあけたということだけど。それは何時ごろだったの？」

「十時か十一時。はっきりおぼえてない。あまり上等なワインではなかった」

「そのときまでにどれぐらいお酒を飲んでいたの？」

「レストランでボトルの半分ぐらいを飲んでいたかな。あとで彼女がついでくれたワインはほとんど飲まなかった。安いカリフォルニア・ワインでね」

「じゃ、酔ってはいなかったのね」

「ぼくは絶対酔わないんだ」

「頭ははっきりしていたわけね」

「もちろんだ」

「スーザンは酔っていたと思う？」

「すこしだけ。酔っていたというより、うれしそうだった。ふたりで居間のソファにすわった。そこからはながめがよくてね。南西のほうが見晴らせた。セントラルパークのそばのエセックスハウス・ホテルの赤い看板が居間から見える」

「全部本当よ」バーガーはまたテーブルをたたいて言った。「スーザンの血中アルコール濃度は、〇・一一だった。二、三杯飲んだのね」スーザン・プレスの検屍結果からわかったことをつけ加える。

「それからどうしたの？」バーガーがシャンドンにきいている。

「手をにぎりあった。彼女はぼくの指を口に入れた。一本ずつ。とてもセクシーだった。それからキスしはじめた」

「それは何時ごろだったかわかる？」

「そんなときに腕時計を見たりしないからね」

「腕時計をしていたの？」

「ああ」

「いまでもそれをもっている？」

「いや。あれからだんだん生活が落ちていったから。やつらのせいで」と、吐きすてるように言う。彼はいつもつばをとばし、憎しみをこめて「やつら」という言葉を口にする。心から憎悪を感じているようだ。「金がなくなったので、一年ほど前に腕時計を質にいれた」

「やつら？　さっきから言ってる人たちのことね？　法執行機関の捜査官？」

「アメリカの連邦捜査官だ」

「スーザンのことにもどりましょう」と、バーガーが指示した。

「ぼくはシャイな人間なんだ。この話をどれぐらいくわしくききたいのかわからないけど」そう言ってペプシをとりあげた。くちびるが灰色の虫のようにストローにはりつく。

そのくちびるにキスしたい人がいるとは思えない。この男にふれたいという人がいるとは、とうてい思えなかった。

「おぼえていることを全部話してちょうだい」バーガーが彼に言う。「本当のことを」

シャンドンはペプシをおいた。タリーの袖がまた画面に入ってきて、ちょっとぎくっとした。彼はもう一本キャメルに火をつけ、シャンドンにわたした。タリーも連邦捜査官であることに、シャンドンは気づいているのだろうか？　彼のあとをつけ、生活をめちゃめちゃにしているという人たちのひとりであることに？

「わかった。それでは話そう。気がすすまないが、協力しよう」シャンドンは煙を吐きだした。

「どうぞ。できるだけ詳しくね」

「しばらくキスして、それから事態はどんどん先へすすんだ」彼はそれしか言わない。

「先へすすんだって、どういう意味？」

ふつうは、セックスをしたとだれかが言えばそれ以上はきかない。面接、あるいは直接尋問または反対尋問をおこなっている捜査官や検事が、それほど細かい点まで知る必要はないからだ。しかしスーザンをはじめ、シャンドンが殺害したと思われる女性たちに加えられていた性的暴力のことを考えると、ディテールを知る必要があると思われた。シャンドンにとってのセックスがどんなものかについてのディテールだ。

「言いたくないな」シャンドンはまたバーガーをじらしている。ご機嫌をとってほしいのだ。

「なぜ？」と、バーガーがきく。

「そういうことはふだんあまり口にしない。女性の前ではとくに」

「わたしを女ではなく、検事と考えてもらったほうがいいと思うわ、ここにいる全員のために」

「あなたと話していて、女性であることを意識しないわけにはいかない」彼は低い声で言って、かすかに笑った。「あなたはきれいな方だ」

「見えるの？」

「ほとんど見えない。でもあなたが美人であることはわかる。そうきいているし」

「わたしについての個人的なコメントは、以後つつしんでいただきたいの。いいわね？」

彼はバーガーを見つめてうなずいた。

「スーザンにキスしはじめて、それからどうしたの？　そのつぎは？　彼女をさわったり愛撫《あいぶ》したり服を脱がしたりしたの？　彼女もあなたに同じことをした？　どうなの？　その晩彼女が何を着ていたかおぼえてる？」

「茶色いレザーのスラックスだ。ベルギー産のチョコレートのような色といえばいいかな。

体にぴったりしていたけど、下品な感じではなかった。それにブーツ。茶色いレザーのハーフブーツだ。それに黒いレオタードのようなトップ。長袖で」と、天井を見上げる。「スクープネック。かなり深くくれていた。股のところでスナップでとめるようになっている」ぱちんととめるようなしぐさをしてみせる。短いうすい毛のはえたその指は、サボテンかびんブラシを思わせる。

「ボディスーツね」バーガーが助け船をだす。

「そう。最初、彼女にさわるつもりでトップをひっぱりだそうとしたのに、それができなくてとまどった」

「彼女のトップのしたに手を入れようとしたのに、それが股下でとめるボディスーツだったので、うまくいかなかったのね？」

「そうだ」

「トップをひっぱりだそうとしたとき、彼女はどんな反応を示した？」

「ぼくがまごついているのを見て笑って、からかった」

「あなたをからかったの？」

「意地悪な感じではなく。おもしろがってね。冗談を言った。フランス人の男について。フランス男は恋愛の名手のはずなのに、とかなんとか」

「じゃ、彼女はあなたがフランス人だと知ってたのね？」

「もちろん」シャンドンは愛想よく言う。

「彼女はフランス語が話せたの？」

「話せない」

「自分でそう言ったの、それともあなたがそうだろうと思っただけ？」

「食事をしているとき、フランス語がわかるかきいたんだ」

「とにかく、彼女はボディスーツのことであなたをからかったのね？」

「そう、からかった。ぼくの手をスラックスのなかにすべりこませて、スナップをはずさせた。彼女は性的に興奮していた。そんなにはやく興奮したことに、ぼくはちょっと驚いた」

「彼女が興奮していることがわかったのは……？」

「濡れていたから」と、シャンドンは言った。「とても濡れていた。こんなことは言いたくないんだが」彼の顔はいきいきしている。こうしたことを話すのが楽しくてしかたないのだ。

「ほんとにこんなにくわしく話す必要があるのかい？」

「ええ、おねがい。おぼえていることは全部」バーガーは何の感情もこめずにはっきり言う。まるでシャンドンが時計を分解した話をしているとでもいうようだ。

「彼女の胸をさわって、ブラジャーのホックをはずした」

「どんなブラジャーだったかおぼえてる？」

「黒いブラジャーだった」

「明かりはついていたの？」

「いや。でもブラジャーは黒っぽい色だった。たぶん黒だったと思うけど、ちがうかもしれない。でもうすい色ではなかった」

「どうやってホックをはずしたの？」

シャンドンは動きをとめ、黒いサングラスがカメラを見つめた。「ふつうにうしろではずしただけだ」指でホックをはずすしぐさをする。

「ブラジャーをひき裂いたのではなく？」

「もちろんそんなことはしない」

「彼女のブラジャーは、前でひき裂かれていたのよ。前でひき裂いてはずされていた。文字どおり、まっぷたつになっていた」

「ぼくがやったんじゃない。ぼくがでていったあとに、だれかがやったんだろう」

「それじゃ、あなたがブラジャーをはずしたところまでもどりましょう。そのときスラックスのホックははずれていたの？」

「はずれていたけど、脱いではいなかった。それでトップをひっぱりだした。ぼくは口を使うのが好きでね。彼女はそれがいたく気に入ったようだ。なだめるのがたいへんだった」

「『なだめるのがたいへんだった』とはどういう意味か、説明してちょうだい」

「彼女はぼくをつかもうとしはじめた。ぼくの脚のあいだを。ズボンをおろそうとしたけど、ぼくには準備ができていなかった。まだやりたいことがたくさんあった」

「やりたいことがたくさん？　たとえばどんなこと？」

「まだそれを終わりにしたくなかったんだ」

「終わりにする？　セックスを？　何を終わりにしたくなかったの？」

彼女の命をでしょう、と私は思った。

「セックスを終わりにしたくなかった」と、彼は答えた。

私はうんざりしていた。彼のでたらめな話をきくのがいやでたまらない。私がこれをきくことを彼が知っているかもしれないと思うと、なおさらだった。シャンドンはバーガーにきかせているのと同じように、私にもこの作り話をきかせているのだ。タリーがそこにすわって、彼を見ながらきいていることも気に入らない。タリーもシャンドンとさほど変わらない。ふたりとも女性に強い欲望を感じながら、女性を憎んでいる。タリーの本当の姿に気づいたときは、もう遅かった。私はパリのホテルの部屋で、彼とベッドをともにしてしまったのだ。病院のせまい面接室で、彼がバーガーのそばにいるところを想像した。おそらく生まれてから一度も経験したことがないと思われる官能的な夜について、シャンドンが語るのをききながら、タリーがどんなことを思いうかべているか、まざまざと見えるような気がした。

「彼女の体はとても美しかったので、しばらくそれを楽しみたかった。でも彼女はひどく強引でね。待てない様子だった」シャンドンはひとことひとことを、大いに楽しんでいる。

「それで奥の寝室へいった。彼女のベッドにのって服を脱ぎ、セックスした」

「彼女は自分で服を脱いだの、それともあなたが全部脱がせたの？　スナップをはずすだけでなく？」と、バーガーがきいた。彼の言葉をまるっきり信じてはいないという気持ちが、声にこもっている。

「ぼくが彼女の服を全部脱がせて、彼女がぼくの服を脱がせた」と、彼は言った。

「彼女はあなたの体のことを何か言った？」と、バーガーがきいた。「全身の毛をそっていたの？」

「ああ」

「じゃ彼女は気がつかなかったのね？」

「体に毛ははえていなかったから。彼女は気づかなかった。わかってほしいんだが、あのあといろんなことがあってね、やつらのせいで」

「どんなことがあったの？」

「あとをつけられ、迫害され、暴力をふるわれた。スーザンとのことがあった数ヵ月あとに、何人かの男におそわれて顔をひどくなぐられた。くちびるが裂けて、顔のこのあたりの骨が折れた」めがねに手をやり、眼窩《がんか》をさす。「子供のころ、この病気のために歯に異常があって、いろいろ矯正《きようせい》した。正常な形に近づくように前歯に人工歯冠をかぶせたり」

「いっしょに住んでいたというその夫婦が、歯の矯正のための費用をだしてくれたの？」

「ぼくの両親が金銭的な援助をしたんだ」

「歯医者へいく前に毛をそったの？」

「見える部分はそった。顔とか。昼間外へでるときは、必ず毛をそった。なぐられたとき、前歯が折れて、人工歯冠もくだけた。そしてだんだん、いまのような歯になってしまった」

「どこでなぐられたの？」

「まだニューヨークにいたときだ」

「けがの治療を受けたり、おそわれたことを警察に連絡したりした?」と、バーガーがきく。

「そんなことができるわけないだろう。もちろん警察の上層部もぐるなんだから。ぼくをおそったやつらの仲間なんだ。だから警察に話すことはできなかった。治療も受けなかった。それからあちこちを放浪するようになった。人目を避けながらね。ひどい人生だよ」

「かかっていた歯科医の名前は?」

「ずいぶん昔のことだからね、たぶんもう生きてはいないだろう。名前はコアだ。モーリス・コア。たしか診療所はカバニ通りにあった」

「コアって、フランス語で死体という意味でしょう?」私はバーガーに言った。「カバニはカナビス、つまり大麻をもじっているのかしら?」嫌悪感と驚きで首をふった。

「それであなたとスーザンは、彼女の寝室でセックスしたのね」画面のバーガーが話をもどした。「先をつづけて。ベッドにはどれぐらいいたの?」

「たぶん午前三時ごろまで。その時間になると、仕事へいく支度《したく》をするので帰ってほしいと彼女に言われた。それでぼくは服を着て、その夜また会う約束をした。七時にラブサンで待ちあわせることにした。近くにある感じのいいビストロだ」

「あなたは服を着たのね。彼女のほうは? あなたが帰るとき、服を着ていた?」

「黒いサテンのパジャマを着ていた。それを着てドアのところでぼくにキスした」

「そのあと下へおりたのね？　だれかに会った？」

「ドアマンのファンに。外へでてしばらく歩いた。カフェを見つけて、朝食をとった。とても空腹だったので」そこで間をおく。「ニールズという名前の店だった。ルミの真向かいにある」

「何を食べたかおぼえている？」

「エスプレッソ」

「そんなに空腹だったのに、エスプレッソを飲んだだけなの？」バーガーは「空腹」という言葉にこだわり、やがてシャンドンが彼女をからかい、あざ笑っていることに気づいたようだ。シャンドンの空腹は、朝食で満たされるたぐいのものではなかった。彼は暴力によって肉体をほろぼし、その余韻《よいん》にひたっていた。ろくでなし。女性をなぐり殺して、その体を噛んだのだ。彼が何と言おうと、それは間違いない。しゃあしゃあとうそをつくけだものめ。

「スーザンが殺されたことを知ったのはいつ？」バーガーが彼にきく。

「その晩、食事の約束をしていたのにこなかった」

「そりゃそうでしょうね……」

「翌日……」

「それは十二月五日、それとも六日……？」彼女はテンポを速めている。でたらめをきかされるのはもううんざりだということを、暗に示しているのだ。

「六日だ」と、彼は言った。「夜ラブサンで会うことになっていた日の翌朝、新聞で彼女のことを読んだ」ここで悲しそうな顔をしてみせる。「ショックだったよ」彼は鼻をすすった。

「もちろん、前の晩彼女はラブサンにはあらわれなかった。でもあなたはいったというのね？」

「バーでワインを飲みながら待っていた。でもいつまでたってもこないので、帰った」

「彼女を待っていることを、レストランのだれかに話した？」

「ああ。彼女がきて伝言を残していってはいないかと、支配人にたずねた。テレビにでているから、みんな彼女がだれか知っていたんだ」

バーガーは支配人のことをくわしくきいた。彼の名前、シャンドンのその夜の服装、ワインの代金はいくらだったか、現金ではらったのか、スーザンのことをたずねたとき名をなのったかなどだ。むろんなのってはいない。バーガーはこの一連の質問に五分をついやした。

バーガーの話ではビストロは警察へ連絡し、スーザン・プレスを待っているという男が店にいると伝えたという。事件当時、そうしたことはすべて念入りにチェックされ、事実であることがたしかめられている。その男の服装は、シャンドンが話したその夜の彼の服装と、ぴったり一致していた。その男はたしかにバーで赤ワインをグラスで注文し、スーザンが店に立ち寄ったか、あるいは伝言を残していないかとたずね、自分の名前は告げなかったという。その男は、前の晩スーザンといっしょにルミにいた男の人相とも一致していた。

「スーザンが殺された夜に彼女といっしょにいたことを、だれかに話した？」画面のバーガーが言った。

「いや。何がおこったのかがわかったから、何も言えなかった」

「何がおこったとわかったの？」

「やつらがやったんだ。やつらが彼女にあんなことをした。またぼくを罠《わな》にかけるために」

「また？」

「その前にパリでも何人かの女性が殺されている。それもやつらのしわざだ」

「その女性たちが殺されたのは、スーザンより前なの？」

「ひとりかふたりは前だ。そのあとにも何人かいる。全員に同じことがおこった。ぼくがあとをつけられていたからだ。そのためにぼくはますます隠れるようになって、ストレスと苦労のせいで病状がひどく悪化した。悪夢のような毎日だったけど、だれにも話さなかった。だれがそんな話を信じるというんだ？」

「いい質問ね」バーガーはぴしゃりと言った。「はっきり言って、わたしはあなたの言うことを信じないわ。あなたがスーザンを殺したんでしょう？」

「ちがう」

「彼女をレイプしたでしょう？」

「していない」

「彼女をなぐって、嚙んだでしょう？」

「いや。だからだれにも話していないんだ。だれが信じてくれる？　ぼくの父が犯罪者、ゴッドファーザーだと思われているせいで、ぼくが抹殺《まっさつ》されようとしているなんてことを、だれが信じる？」

「自分が生きているスーザンを見た最後の人間かもしれないことを警察にも、だれにも話さなかったのは、あなたがスーザンを殺した張本人だからでしょう？」

「だれにも話さなかった。もし話したら、みんなぼくが彼女を殺した犯人だと思うだろうから。あなたと同じようにね。だからパリへもどって、あちこちをさまよった。やつらがぼくのことを忘れてくれることを期待したが、だめだった。ごらんのとおり、やつらは忘れていなかった」

「スーザンの遺体には嚙んだあとがいっぱいついていて、そこからとったあなたの唾液と、彼女の膣から採取された精液のDNAを鑑定した結果、あなたのDNAと一致することがわかったのよ」

シャンドンは黒いめがねをバーガーに向けている。

「DNAが何か知ってるわね？」

「ぼくのDNAが見つかるのは当然だろう」

「彼女を嚙んだからね」

「嚙んではいない。ただ、ぼくは口を使うのが好きだから……」途中で言葉を切る。

「えっ？　あなたが嚙んだのではないという嚙みあとにあなたの唾液がついていたのは、どんなことをしたからだというの」

「ぼくは口を使うのが好きなんだ」彼はまた言った。「吸ったりなめたりする。全身を」

「具体的にはどこを？　文字どおり体中ということ？」

「そう。体中だ。女性の体が大好きなんだ。どの部分も。たぶん自分の体が……たぶん女性の体が美しいからだろう。美しさは自分にはないものだ。だからぼくは女性を崇拝《すうはい》する。ぼくの女性たちを。その肉体を」

「たとえば、女性の足をなめたり、キスしたりする？」

「ああ」

「足の裏は？」

「どこもかしこもだ」

「女性の乳房を嚙んだことは？」

「ない。彼女の胸はとても美しかった」

「それを吸ったりなめたりしたのね？」

「夢中でね」

「乳房はあなたにとって大事なの？」

「ああ、大事だ。とても。正直に言うよ」

「胸の大きな女性をさがすの？」

「好きなタイプはたしかにある」

「どういうタイプ？」

「胸の豊かな女性」両の手のひらを丸くして胸にあてる。どんな女性にひかれるかを説明するその顔つきから、彼が性的興奮を感じていることがうかがわれる。私の想像かもしれないが、黒いソーラー・シールドの後ろの目が光っているように思える。

「でも太っていてはだめ。太った女性はきらいだ。ウエストからヒップにかけてはほっそりしていて、胸は豊かなのがいい」まるでバレーボールでものせているかのように、また手のひらをくぼませて胸にあてる。腕の血管がうきだし、筋肉が収縮した。

「スーザンは好みのタイプだったのね？」バーガーは冷静そのものだ。

「レストランで見かけたとたんにひかれた」

「ルミで？」

「そう」

「遺体からは毛も見つかっているのよ」バーガーはつぎに言った。「あなたの体にはえている特異な細い毛と同じような、変わった細く長い毛が彼女の遺体についていたことを知っている？　あなたが毛をそっていたのなら、なぜそれがついていたのかしら？　全身の毛をそったと言ったでしょう？」

「やつらがそれをおいたんだ。そうにきまってる」

「あなたをほろぼそうとしているという連中のこと？」

「そうだ」

「彼らはどこであなたの毛を手に入れるの？」

「五年ほど前のあるときから、パリでだれかにあとをつけられているような気配を感じはじめた。見張られて、尾行されているような気がした。理由はまったくわからなかった。もっと若いころには、体の毛をそらないこともあった。背中をそるところを想像してくれ。手が届かないし、背中をそるのはほんとにたいへんだ。無理だと言ってもいい。だから何ヵ月もそらないこともあった。それに若いころは女性に対してもっと内気で、女性に近づくことはめったになかった。だから体をそることはあまり考えず、長袖と長ズボンで隠して、手と首と顔だけをそった」そう言ってほおをさわる。「ある日、里親の住んでいるアパートへ帰ってくると……」

「そのときには里親はまだ生きていたの？　さっきあなたが言った、監獄のそばに住んでいるという夫婦は？」ちょっぴり皮肉をこめて言いたす。

「いや。でもしばらくはそこに住んでいられた。家賃は高くなかったし、いろんな半端仕事をしていたから。で、ある日家に帰ると、留守の間にだれかが侵入したことがわかった。妙なことに、なくなっているのはベッドのうえの寝具だけだった。それだけならまあいいやと思った。侵入したやつはそれしかとらなかったんだからと。同じことがそれから何度かあった。いま思うと、それはやつらのしわざだった。ぼくの毛がほしかったんだ。それで寝具をとった。毛がたくさんぬけるからね」頭のてっぺんのもつれた毛に手をふれる。「そらないと絶えずぬけ落ちる。長くなるといろんなものにからまるし」腕をのばしてバーガーに見せた。長い毛がふわふわとなびく。

「じゃスーザンと会ったときには、長い毛ははえていなかったというの？　背中にも？」

「まったくはえていなかった。遺体に長い毛がついていたとしたら、それはだれかがおいたものだ。ぼくの言ってることがわかるかな？　でもスーザンが殺されたのはぼくのせいであることは認めるよ」

15

「なぜ？」バーガーがシャンドンにきいた。「なぜスーザンが殺されたのはあなたのせいだと思うの？」

「やつらがぼくのあとをつけていたからだ」と、彼は答えた。「やつらはぼくがでていった直後に入りこんで、彼女にああいうことをしたんだ」

「彼らはあなたのあとをつけてリッチモンドまできたの？　あなたはなぜここへきたの？」

「弟のことがあったからだ」

「どういう意味か説明して」

「港で遺体が発見されたというニュースをきいて、弟のトマにちがいないと思った」

「弟さんはどんな仕事をしていたの？」

「父といっしょに海運業にたずさわっていた。ぼくより何歳か年下だった。トマは親切にしてくれた。めったに会わなかったけどね。さっきも言ったように、いらなくなった洋服や何かをぼくにくれた。金もだ。二ヵ月ぐらい前、パリで最後に会ったとき、トマは自分の身に何かよからぬことがおこるのではないかとおそれていた」

「パリのどこでトマと会ったの？」

「フォーブール・サンタントアーヌでだ。トマは若い芸術家が集まるところや、ナイトクラブのあるところが好きだった。ぼくたちは石だたみの路地にある、クア・デ・トロワ・フレールで会った。職人がよくいく店で、サン・サンやバランジョからもそう遠くない。金をはらうと女性に相手をしてもらえる、有名なバー・アメリケーヌもそばにある。トマはそこでぼくに金をわたして、自分はベルギーのアントワープへいって、そこからアメリカへいくつもりだと言った。それから連絡がとだえて、そのうち港の遺体についてのニュースを知った」

「それはどこできいたの？」

「前に言ったように、いろんな新聞を手に入れる。人が捨てた新聞をひろうんだ。フランス語が読めない観光客は、USAトゥデイの国際版を買う。そのなかに、リッチモンドの港で遺体が発見されたという小さな記事がのっていた。それを読んですぐ、弟だろうと思った。そうにちがいないと。そのためにリッチモンドへきた。それをたしかめずにはいられなかったから」

「どうやってきたの？」

シャンドンはためいきをついた。また疲れたような様子だ。鼻のまわりの、炎症《えんしょう》をおこしている赤むけの肌にさわって言った。「言いたくないな」

「どうして言いたくないの？」

「ぼくに不利な材料としてそれを使われると困る」

「本当のことを話してちょうだい」

「実はスリをはたらいたんだ。ある男の札入れを盗んだ。彼はペール・ラシェーズで墓石にコートをかけていた。そこはパリでいちばん有名な墓地で、ぼくの家族も何人か埋葬されている。コンセシオン《永》・ア《代》・ペア《墓》ペテュイテ《地》だ」と、誇らしげに言う。「ばかなやつだった。アメリカ人でね。大きな札入れをもっていた。パスポートや航空券なんかが入れられるような。言いたくはないが、スリは何度もやっている。放浪者として生きるには、そうするしかない。やつらに追われるようになってからは、放浪生活を送るしかなかった」

「例の人たち。連邦捜査官たちね」

「そう。捜査官や行政長官。みんなぐるだ。そのあとすぐ飛行機に乗った。ぐずぐずしていると男が札入れをとられたことを警察に言って、空港のゲートでつかまるはめになるからね。手に入ったのは、ニューヨーク行きの往復切符だった。エコノミークラスの」

「どこの空港から、いつ発《た》ったの？」

「ドゴール空港。発ったのは先週の木曜日だ」

「十二月十六日ね？」

「そうだ。朝早く着いて、列車でリッチモンドへきた。札入れを盗んだおかげで、七百ドルもっていたんだ」

「札入れとパスポートはまだもっている？」

「まさか。そんなばかなことはしない。ごみ箱にすてたよ」

「どこのごみ箱？」

「ニューヨークの鉄道駅。そのなかのどこかはおぼえていない。列車に乗って……」

「旅のあいだ、だれにも見られなかったの？　毛はそっていなかったんでしょう？　じろじろ見たり、驚いたりする人はいなかった？」

「髪の毛をネットでつつんだうえに帽子をかぶっていたからね。長袖にハイカラーのシャツを着ていたし」ちょっとためらってから言う。「毛をそっていないとき、こういう状態のときに使う、奥の手がある。マスクをするんだ。ひどいアレルギーのある人がかける、鼻と口をおおうマスク。それに黒い綿の手袋をはめて、大きなサングラスをかける」

「飛行機と列車ではそのかっこうをしていたのね？」

「そう。とてもうまくいく。みんなぼくを避けようとするからね。今回は一列を全部ひとりで使えたから、よく寝られた」

「そのマスクと帽子と手袋とサングラスはまだもっている？」

彼は答える前にすこし間をおいた。カーブをなげられて、とまどっているのだ。「たぶんどこかにあると思う」と、あいまいに言う。

「リッチモンドへ着いたとき、どうしたの？」

「列車をおりた」

バーガーは数分にわたってそのことを質問した。駅はどこにあるの？　そこからはタクシーに乗ったの？　どうやって移動したの？　弟のことについては、どうするつもりだったの？　彼ははきはきと答えた。それをきくと、彼がいったと主張する場所に、実際いった可能性がありそうに思えてくる。その説明によると、彼はステープルズミル・ロードにあるアムトラックの駅から、青いタクシーでチェンバレーン・アヴェニューの安モーテルへいき、二十ドルはらってチェックインした。ここでも偽名を使い、現金ではらった。このモーテルから、弟だと彼が言う身元不明の遺体についての情報をえるため、検屍局に電話したという。「局長と話したいとたのんだが、応じてもらえなかった」と、彼はバーガーに言った。

「だれと話したの？」

「女の人だった。たぶん事務員だろう」

「その人は局長がだれか教えてくれた？」

「ああ。ドクター・スカーペッタという人だと。彼と話したいと言ったら、ドクター・スカーペッタは女性だと言われた。わかりました、彼女とお話しできますか、と言うと、彼女は忙しいと言われた。もちろん、こっちの名前と電話番号は教えなかった。彼女はまだ気をつけないといけないから。いけないから。もしかすると、また尾行されているかもしれない。あぶない、と思った。そのあと新聞を手に入れたら、ここであった殺人事件のことがでていた。一週間前に女性店員が殺されたという。それでびっくりして、こわくなった。やつらがここにきているとわかって」

「あの人たち？　あなたのあとを追っているという？」

「やつらがここにきているんだ。わからないか？　やつらが弟を殺した。ぼくが弟をさがしにここへくることが、やつらにはわかっていたんだ」

「その人たち、本当にすごいわね。あなたがはるばるバージニア州リッチモンドへやってくることを予測するとは。たまたまひろったUSAトゥデイの記事で遺体がリッチモンドで発見されたことを知って、あなたがそれをトマだと思いこみ、パスポートと札入れを盗んで飛んでくることが、よくわかったわね」

「やつらにはわかっていたんだ、ぼくがここへくることが。弟を愛している。ぼくの人生には弟しかいない。やさしくしてくれたのは弟だけだ。それにパパのためにも本当のことをつきとめる必要がある。かわいそうなパパ」

「お母さんはどうなの？　トマが死んだことを知って悲しまない？」

「彼女はいつも酔っぱらってるから」

「お母さんはアルコール中毒なの？」

「いつも酒を飲んでいる」

「毎日？」

「毎日。朝から晩まで。それで怒ったり泣いたりする」

「いっしょに住んでいないのに、どうして彼女が毎日、朝から晩までお酒を飲むことを知ってるの？」

「トマにきいたんだ。おぼえているかぎり、母はそういう生活をしてきた。彼女は酔っぱらっている、といつもきかされた。たまにぼくが家にいったときも、酔っていた。ぼくがこんな病気をもってうまれたのも、妊娠中に母親が酒を飲みすぎたためかもしれないと言われたこともある」

バーガーは私を見た。「その可能性はある？」

「胎児期アルコール症候群？」それについて考えた。「まずないでしょうね。母親が慢性アルコール中毒だと、重度の精神遅滞や発育不全がおこることはある。でも多毛症のような皮膚の異常がおこるとは考えにくいわ」

「でも彼は母親のせいで自分がこうなったと思っているかもしれないわね」

「その可能性は大いにあるわ」と、あいづちをうった。

「彼が女性に激しい憎しみを抱いているのは、ひとつにはそのせいかも」

「あんな異様な憎しみは、そうとしか説明できないかもしれないわね」と、私は答えた。

画面のバーガーは、シャンドンがリッチモンドの検屍局に電話したことに話を戻そうとしていた。「ドクター・スカーペッタに電話にでてもらおうとしたけど、だめだったわけね。

それでどうしたの？」

「つぎの日、金曜日にまたべつの女性が殺されたことを、モーテルのテレビで知った。今度は女性警官だ。ニュースで現場中継を見ていると、大きな黒い車が現場の近くでとまるのがうつった。車に乗っているのが検屍局長だという。それが彼女、スカーペッタだった。すぐにそこへいこうと思った。彼女が現場を立ち去ろうとするときに近づいて、ぜひ話がしたいと言うつもりだった。そこでタクシーをひろった」

彼の驚くべき記憶も、このあたりからあいまいになってくる。タクシーについては会社も車の色もおぼえておらず、記憶にあるのは運転手が「黒人」だったということだけだ。リッチモンドのタクシー運転手の約八〇パーセントが黒人だ。シャンドンの主張によると、タクシーで現場までいくあいだに——住所はニュースでやったので知っていたという——またニュースをきいた。そのニュースでは殺人犯の人相を知らせて、市民に警戒するよう呼びかけていた。犯人はめずらしい病気のため、特異な外観をしているという。全身多毛症の説明はシャンドンの症状と一致していた。

「それではっきりわかった」と、彼はつづけた。「やつらが罠をしかけ、リッチモンドであの女性たちを殺したのはぼくだとみんなに思わせている。ぼくはタクシーのなかでパニックにおちいって、どうしようかと考えた。ドライバーに、『みんなの言うこの女性のことを知ってる？　スカーペッタという？』ときくと、この町のものならだれでも知っているという。ぼくは観光客だけど、彼女がどこに住んでいるか知っているか、とたずねた。ドライバーは彼女の家の近くまでつれていってくれたけど、ゲートがあって門衛がいるのでなかへ入れなかった。でもここまでくれば見つけられる。そう思って、そこから二、三ブロック離れたところでタクシーをおりた。手遅れになる前に彼女を見つけなければ、と思った」

「手遅れになる前にとはどういうこと？」バーガーがきく。

「またべつの人が殺される前に。夜になってからまたきて、なんとか彼女にドアをあけてもらって話をしようと思った。やつらはつぎに彼女を殺すんじゃないかと心配だった。それがやつらのやりかたなんだ。パリでそれをやった。パリの検屍局長を殺そうとした。女性なんだが。彼女は運よく逃れたけどね」

「リッチモンドでおこったことだけに話を限定しましょう。それからどうしたの？　いま言ったのは十二月十七日金曜日、つまり先週の金曜日の午前中の話ね。タクシーをおりたあとどうしたの？　その日をどうやってすごしたの？」

「あたりをうろついていた。川のそばに人の住んでいない家を見つけて、なかへ入った。天気が悪かったから」

「その家がどこにあるかわかる？」

「住所はわからないけど、彼女の家からそう遠くないところだ」

「ドクター・スカーペッタの家から？」

「そう」

「その家、あなたがいたという家を、見つけようと思えば見つけられるでしょう？」

「工事中だった。とても大きな家。お屋敷だけど、いまはだれも住んでいない。どこにあるかはわかる」

バーガーが私に言う。「彼がリッチモンドにいるあいだずっとそこにいたと思われる家ね？」

私はうなずいた。その家はよく知っている。その気の毒な所有者のことを思った。もうそこに住む気にはなれないだろう。シャンドンによると、暗くなるまで人の住んでいないその屋敷にいた。その夜何度かそこからでて、うちのそばの門衛のいるゲートを避けるため、そのうしろの川と鉄道線路にそって歩いた。夕方早い時間に私の家のドアをたたいたが、返事がなかったという。そこでバーガーが、その晩は何時に家に帰ったのかと私にたずねた。八時すぎだと私は答えた。オフィスをでてからプレザンツ金物店へ寄った。ダイアン・ブレイの遺体についていた奇妙な傷と、犯人が彼女をなぐるのに使った血まみれの凶器をマットレスにおいたときについた血のあとに興味をひかれたので、道具類を見たかったからだ。プレザンツ金物店でいろんな道具を見ているうちにチッピングハンマーにいきあたり、それを一本買って家に帰った、とバーガーに話した。

ビデオのシャンドンは、私の家へいくのがこわくなったと話している。家のまわりを何台ものパトカーが巡回し、遅い時間に私の家へいくとパトカーが二台家の前にとまっていたという。パトカーがきたのは、うちの警報装置が鳴ったからだ。警察がくるようにシャンドンがガレージの戸をこじあけたのだ。もちろん彼は、警報装置を作動させたのは自分ではないとバーガーに言う。やつらだ……やつらがやったにちがいない、と。そのころには真夜中近くなっており、雪が激しくふっていた。彼は私の家のそばにある木のうしろに隠れて、警官がいってしまうのを待った。それが私に会う最後のチャンスだったと彼は言う。やつらが近くにひそんでいて、私を殺すだろうと思ったと。そこで彼は私の家へ近づき、ドアをノックした。

「何でノックしたの？」と、バーガーがきいた。

「ドアノッカーがついていたと思う。たぶんそれでノックしたんだろう」彼はペプシを飲みほし、もう一杯ほしいかとマリーノがきいている。シャンドンは首をふり、あくびをした。私の脳天を打ち割るために家へ押し入ろうとした話をしながら、このけだものはあくびをしている。

「なぜベルを鳴らさなかったの？」と、バーガーがきいた。これは重要な点だ。ドアベルを鳴らすと、防犯カメラが作動するようになっている。もしシャンドンがベルを鳴らしていたら、家のなかのビデオスクリーンで彼の姿を見ることができただろう。

「わからない」と、彼は答えた。「ノッカーが見えたから、それを使ったまでだ」

「何か言った?」

「最初は黙っていた。そのうち、『どなた?』という女性の声がした」

「あなたは何と答えたの?」

「名をなのって、彼女が身元をつきとめようとしている遺体についての情報があるから、どうぞ話をきいてくれとたのんだ」

「名前を言ったの? パリからきたことや、検屍局に電話して彼女と話そうとしたことを言った?」

「そうだ。パリからきたことや、ジャン・バプティスト・シャンドンだとなのったの?」 またあくびをする。「すると驚いたことに」と、彼はつづけた。「ドアがいきなりあいて、彼女がそこに立っていた。どうぞと言われたので入ると、とたんに彼女はうしろでドアをばたんとしめた。そして信じられないことに、急にハンマーをもってなぐりかかってきた」

「急にハンマーをもったの? どこからとってきたの? いきなりそれがあらわれたの?」

「玄関のそばのテーブルにあったのを、つかんだのだと思う。よくわからない。あっというまだったから。ぼくは逃げようとした。やめてくれと叫びながら、居間へ逃げこんだ。そこでおそろしいことがおこった。一瞬のことだ。ソファのこちら側にいたことしかおぼえていない。そのとき何かが顔にあたった。火炎放射器で目を焼かれたような気がした。あんなひどい痛みは……」また鼻をすする。「生まれてはじめてだった。悲鳴をあげて、それを目からはらいのけようとした。彼女がぼくを殺そうとしていることがわかって、家から逃げようとした。そのとき気づいた。彼女もやつらの仲間だと。やつらはついにぼくを追いつめた。ぼくは罠にはまってしまった！　彼女が弟の遺体を扱うことは最初から計画されていたんだ。彼女がやつらの一味だから。ぼくが逮捕されて、とうとうやつらは目的をとげるチャンスを手に入れた。ついにね」

「彼らの目的とは何なの？」と、バーガーがきいた。「もう一度話してちょうだい。その部分は信じるのはもちろん、理解するのもむずかしいわ」

「やつらは父をつかまえたいんだ！」彼ははじめて感情をあらわにして言った。「パパを！　彼をとらえてほろぼすための理由を手に入れたいんだ。彼に殺人犯の息子がいるように見せかけて、家族の家に近づこうとしているんだ。何年も前からそれをねらっている！　ぼくはシャンドン家のものだ。おかげでこのありさまだ！　見てくれ！」

彼ははりつけにされたキリストのように腕を広げた。その体の毛がふわふわゆれている。仰天《ぎょうてん》してながめていると、彼は黒いサングラスをむしりとり、その焼けただれた目に光があたった。薬品によるやけどを負った、そのまっ赤な目を見つめた。目は焦点があっていないように見え、涙が顔を流れおちている。

「ぼくはもう終わりだ！」と、彼は叫んだ。「ぼくは醜《みにく》く、目が見えず、やってもいない犯罪をおかしたと糾弾《きゅうだん》されている！　アメリカの人たちはフランス人を処刑したいんだ！　そうだろう！　見せしめのために！」椅子を押しさげる音がひびき、マリーノとタリーが彼にとびかかって椅子におさえつけようとしている。「ぼくはだれも殺してはいない！　彼女がぼくを殺そうとしたんだ！　彼女に何をされたか見てくれ！」

バーガーが冷静な声で彼に言っている。「もう一時間も話をきいたわ。そろそろ終わりにしましょう。もういいのよ。さあ、落ち着いて」

光がちらつき、画面いっぱいにたての棒があらわれたと思うと、晴れた午後の空のような青い色に変わった。バーガーはVTRを消した。私はぼうぜんとしてすわっていた。

「言いたくはないけど」私専用の小さな会議室にシャンドンがふきこんだ毒気をはらうかのように、バーガーが言った。「世間には妄想にかられたばかな反政府主義者がいて、この男の言うことを信じかねない。そういうやつが陪審員にならないことを祈るわ。ひとりでもいたら終わりなんだから」

16

「ジェイ・タリーのことだけど」バーガーがそう言ったので、どきっとした。リモコンを向けてシャンドンは追いはらったものの、このニューヨーク州検事はすぐさま全注意をこちらに向けてきた。私たちはふたたびおもしろみのない、小さな現実にもどっている。丸い木のテーブルと作りつけの木の本棚、それに何もうつっていないテレビのある会議室だ。目の前には事件のファイルや血なまぐさい写真が広げられている。それらは忘れられ、無視されていた。この二時間というもの、シャンドンがすべてを制していたのだ。

「あなたのほうから話してくれる、それともまずわたしが知っていることを話しましょうか？」バーガーが挑《いど》むように言った。

「何を話してほしいのかよくわからないわ」まずあっけにとられ、それからむっとして、しまいにシャンドンの尋問の場にタリーがいたことを思いだして、また怒りにかられた。シャンドンとの面接の前後と、彼を休ませてスナックを食べさせるための休憩のあいだ、バーガーがタリーと話しているところを想像した。バーガーはタリーやマリーノと何時間もいっしょにいたのだ。「それにもっと重要なのは、それがニューヨークの事件とどう関係あるかということよ」と、言いそえた。

「ドクター・スカーペッタ」バーガーは椅子の背にもたれた。まるで人生の半分を彼女といっしょにこの部屋ですごしたような気がする。時間が気になる。知事に会うのがますます遅れてしまう。「あなたにとってはむずかしいと思うけど、わたしを信用してほしいの。それができる?」

「もうだれを信用していいのやら、さっぱりわからないわ」

バーガーはちょっと笑ってためいきをついた。「正直ね。いいわ。わたしを信用できるかどうかわからないものね。だれについてもそうなのかもしれない。でもプロとしてのわたしを信用できない客観的な理由はないと思うわ。わたしの目的は、シャンドンに罪の償《つぐな》いをさせることだけよ……もしあの女性たちを殺したのが彼ならね」

「もし?」

「それを証明する必要があるのよ。だからリッチモンドでおこった事件については、どんなに小さなことでもぜひ知りたいの。わたしはのぞき趣味ではないし、あなたのプライバシーを侵害しようとしているわけでもない。でもとにかく事件に関連したことは全部知りたい。はっきり言って、自分が何を相手に闘っているかを知る必要があるの。ところが事件にどんなキャラクターが、どんなふうにかかわっているのかわからない。そのなかに、ニューヨークの事件にも関係している人がいるのかどうかも。たとえばダイアン・ブレイが処方薬を横流ししていたことは、彼女がほかの非合法活動にもかかわっていたことを示すのか? それは犯罪組織、シャンドン一家とつながりがあるのか？　あるいはトマ・シャンドンの遺体がリッチモンドで発見されたことにも関係しているのか？」

「ところで」私はべつのことにもこだわっていた。私自身の信用に関することだ。「私の家にチッピングハンマーが二本あったことを、シャンドンはどう説明するつもりかしら？　さっき言ったように一本は私が金物店で買ったの。でももう一本は、彼がもってきたのでなかったらどこからきたの？　それに、もし私が彼を殺すつもりだったら、なぜピストルを使わなかったの？　すぐそばの食堂のテーブルのうえにグロックがおいてあったのに」

バーガーはためらい、私の質問をはぐらかした。「すべての事実を知らなければ、事件に関係あることとないことの区別がつかないでしょう」

「それはよくわかるわ」

「まず、現在あなたとジェイがどんな関係にあるのかを教えてもらえる？」

「彼は私を病院へ送ってくれたわ」あきらめて言った。この状況では、私は質問する側に立てそうもない。「腕を骨折したとき。彼は警察やATFの人たちといっしょにやってきたの。土曜日の午後、警官がまだ私の家にいるとき、ちょっとだけ彼と話したわ」

「シャンドンの捜索に加わるために、なぜ彼がわざわざフランスから飛んできたのかわかる？」

「事件のことをよく知っているからじゃないかしら」

「あなたに会う口実ではない？」

「それは彼にきいてもらわないと」

「彼と会っているの？」

「いま言ったように、土曜日の午後以来、会っていないわ」

「なぜ？　彼との関係は終わったということ？」

「最初から関係なんてなかったもの」

「でも彼と寝たでしょう」バーガーは片方の眉をあげる。

「軽率だったわ」

「彼はハンサムで優秀。年も若い。軽率というより、むしろ趣味のよさをほめられるかもしれない。彼は独身。あなたもよ。だから不倫というわけでもない」そこで長い間《ま》をおく。ベントンのことを、過去に私が不義をおかしたことをほのめかしているのだろうか？　「ジェイ・タリーはお金持ちよね」バーガーはリーガルパッドにフェルトペンを打ちつけている。

私の居心地の悪さをはかるメトロノームのようだ。「親からのお金らしいけど。調べてみなきゃ。念のため言っとくけど、彼と……ジェイとは話をしたわ。かなり長い時間」

「世界中の人と話をしているみたいね。よくそんな時間があるわね」

「MCVの、メディカル・カレッジの病院で、休憩時間がすこしあったから」

バーガーがタリーとコーヒーを飲んでいるところを想像した。彼の表情や態度が目にうかぶ。バーガーは彼に魅力を感じているのだろうか？

「シャンドンが休んだりいろいろしているあいだに、タリーやマリーノと話をしたの」彼女は両手を組んで、検事局のレターヘッドのついたノートのうえにおいている。「この部屋へ入って以来、一度もメモをとっていない。弁護側があれこれもちだしそうな主張のことを、すでに考えているのだろう。書面にしたものはすべて弁護人に見せなければならない。だから何も書かないほうが無難なのだ。彼女はときどきいたずら書きをする。会議室へ入ってから、二ページ分をいたずら書きでうめている。

頭のなかで警報が鳴った。バーガーは私を証人のように扱っている。彼女が担当するニューヨークの事件で、私が証人になってはならない。

「ジェイが、何らかの形で事件にかかわっているのではないかと疑っているようだけど……」と、言いかけた。

バーガーは肩をすくめてそれをさえぎった。「あらゆる可能性を考えてみないとね。ありうると思う？　いまの時点では、どんなことでもありうるような気がする。もしタリーがシャンドン一家と共謀しているとしたら、あんな都合のいい立場はないでしょう？　犯罪カルテルにとって、インターポールはこのうえなく便利よ。タリーはあなたに連絡をとってフランスへこさせる。ジャン・バプティストという流れ弾について、何を知っているか見きわめるために。その後突然タリーが捜索のためにリッチモンドにあらわれる」バーガーは腕を組み、またあのするどいまなざしで私を見すえた。「どうも好きになれないわ、あの人。あなたが彼を気に入ったとは驚きだわ」

「あのねえ」つい弁解がましい声になる。「ジェイとは、パリにいるときたった二十四時間つきあっただけよ」

「あなたのほうが彼を口説いた。そしてその夜レストランでけんかをして、店をとびだしていったそうね。彼がほかの女性に視線をやったのでやきもちをやいて……」

「なんですって！」叫ぶように言った。「彼がそう言ったの？」

バーガーは黙って私を見た。彼女の口調は、おそろしい怪物であるシャンドンを尋問していたときと変わらない。今度はおそろしい人間である私を尋問しているのだ。私にはそう感じられた。「ほかの女性なんて、まったく関係ないわ。いったいどの女性のことよ？　やきもちなんてやくもんですか。彼が真剣になりすぎてすねたような態度をとりはじめたから、いやけがさしたのよ」

「ファヴァール通りにあるカフェ・リュンツ。あなたはそこで大騒ぎしたそうだけど」バーガーは私の話、というよりタリーが脚色《きやくしよく》したそれをつづけた。

「大騒ぎなんかしません。席をたって店をでていっただけよ」

「そこからホテルへもどってタクシーに乗り、シャンドン一家の住むサン・ルイ島へいったのね。暗いなかで歩きまわり、シャンドンの屋敷をながめ、それからセーヌ川の水のサンプルをとった」

バーガーの言ったことをきいて、全身に悪寒《おかん》が走った。ブラウスのしたで冷や汗が流れおちる。彼を残してレストランをでてから何をしたかを、ジェイに話してはいない。バーガーはどうしてそれを知っているのだろう？　もしジェイからきいたのなら、彼はどうやってそれを知ったのか？　マリーノ。マリーノはどこまで彼女に話したのだろう？

「シャンドンの屋敷を見にいった本当の目的は何だったの？　何がわかると思ったの？」

「何がわかるかわかったら、そもそも調べにいく必要はないでしょう」と、答えた。「水のサンプルについては、検査報告を見て知っているでしょうけど、リッチモンド港で発見された身元不明の遺体……トマの遺体が着ていた服の内側に珪藻《けいそう》、つまり微細な藻がついていたの。それでシャンドンの屋敷のそばの水のサンプルをとって、セーヌ川のそのあたりに同じ種類の珪藻があるかどうか調べたかったわけ。実際それが見つかったの。セーヌ川にあった淡水の珪藻は、遺体の、トマの服の内側についていたのと同じものだった。でもそれは関係ないでしょう。あなたはジャン・バプティストを弟殺しの容疑で裁こうとしているわけではないから。その殺人はおそらくベルギーでおこったんでしょうからね。その点についてはもうはっきりさせているじゃない」

「でも水のサンプルのことは重要よ」

「なぜ？」

「どんなことがおこったかがわかれば被告人についての理解が深まって、動機もあきらかになるから。さらに重要なのは、同一性と意図がはっきりするから」

同一性と意図。そのふたつの言葉が、うなりをあげて頭のなかをかけめぐった。私は弁護士だ。これらの言葉が何を意味するかわかる。

「なぜ水のサンプルをとったの？　遺体と直接かかわりのない証拠をいつも集めて歩くわけではないでしょう？　水のサンプルを採取するのはあなたの仕事の範囲をこえているわ。とくに外国でそれをするのは。そもそも、なぜフランスへいったの？　検屍官がそういうことをするのは、ちょっと異例じゃない？」

「インターポールに呼ばれたからよ。あなた自身、そう言ったじゃない」

「より正確に言うと、ジェイ・タリーに呼ばれたんでしょう」

「彼はインターポールを代表しているのよ。ＡＴＦの連絡係ですもの」

「彼があなたを呼びよせるように手配した、本当の理由は何なのかしら？」ぞっとするような疑いが私の頭にしみこむよう、間をおく。考えたくもないような理由で、ジェイが私をあやつったのではないかという思いがうかんだ。「タリーにはさまざまな面があるわ」バーガーがなぞめいたことを言う。「もしジャン・バプティストの裁判がここでおこなわれたら、タリーは検察よりも弁護側に利用されるんじゃないかしら。あなたの証人としての信用性を弱めるために」

熱が首をはいのぼってきた。顔がかっかとほてる。榴散弾《りゅうさんだん》のように恐怖が体中をめぐり、まさかそんなことはおこらないだろうという思いを打ち砕いた。「ひとつききたいんだけど」怒りにかられてきいた。声がふるえないようにするのがせいいっぱいだ。「私の人生であなたが知らないことってあるの？」

「たくさんあるわ」

「まるで起訴されるのは私のような気がするのは、なぜなの、ミズ・バーガー？」

「わからないわ。なぜそんな気がするの？」

「いろいろきかれるのは個人攻撃ではないと自分に言いきかせているのよ。でもそう思わないようにするのが、むずかしくなってきたわ」

バーガーはにこりともしない。その目には決意がやどり、口調はきびしい。「これからますます個人的なことをきくようになるわ。それを批判ととらないでほしいの。あなたはだれにもまして知っているはずよ。犯罪の直接的な被害より、その余波が与えるダメージのほうが大きい。ジャン・バプティスト・シャンドンは、家に押しいったときにあなたに打撃を与えただけではない。その影響がじわじわとあなたをむしばみはじめている。彼はあなたを傷つけたし、これからも傷つけるわ。たとえ監禁されていても、毎日のようにあなたに被害を与えつづけるでしょうよ。彼はケイ・スカーペッタを冒瀆《ぼうとく》するという、おそろしい残酷な行為をはじめた。それがすでにはじまっている。残念だけど、それがあなたもよく知っている現実なのよ」

　私は無言で彼女を見つめかえした。口が渇き、心臓が不規則に打ちはじめたような気がする。

「ひどい話よね？」私と同じように人間を徹底的に解体することを知っている検事の、容赦をしない声だ。「でもあなたの患者たちも、裸で解剖台にのせられてあなたにメスをふるわれ、体中のくぼみや穴をさぐられることは喜ばないでしょうね、もしわかったら。あなたの人生についてわたしが知らないことは、まだたくさんある。それをさぐられるのは、おもしろくないでしょうね。でももしあなたがわたしのきいているとおりの人なら、協力してくれるはず。絶対にあなたの協力が必要なの。さもないと、この裁判の行方はどうなるかわからない」

「ニューヨークの事件の裁判に、彼のほかの犯行も入れたいのね？」とうとう言ってしまった。「モリニューの判例理論を適用するつもりなんでしょう」

　バーガーはためらった。私を見つめた目が一瞬輝いた。彼女を有頂天《うちょうてん》にさせるようなこと、あるいは新たな尊敬の念をもたせるようなことを、私が言ったかのようだ。しかしつぎの瞬間には、その目はふたたび私をしめだした。

「まだどうするかきめてないわ」と、バーガーは言った。

　その言葉を私は信じない。生きている証人は私だけ。私が唯一の証人だ。彼女は私を裁判に巻きこむつもりだ。シャンドンのすべての犯行を、そこで裁こうと考えている。二年前にマンハッタンで殺された気の毒な女性の事件を通じて、彼のほかの犯行も見せようというのだ。シャンドンは利口だ。しかし彼はビデオで致命的なミスをおかしたかもしれない。彼はモリニューを適用するために必要なふたつのものをバーガーに与えてしまった。同一性と意図だ。私はシャンドンを特定することができる。彼が家に押し入ってきたとき、どんな意図をもっていたかも知っている。彼のうそに反論できるのは、この世で私ひとりなのだ。

「それで今度は私の信用性を俎上《そじよう》にのせてハンマーをふるおうというわけね」おかしくもないしゃれを言った。バーガーはシャンドンと同じように私を攻撃しようとしている。だがむろん、その目的はちがう。彼女は私をほろぼそうとは思っていない。私がほろぼされないように心をくだいているのだ。

「なぜジェイ・タリーと寝たの？」またその点をつつく。

「彼がそこにいたからよ。それだけのこと」私は言いかえした。

バーガーは突然げらげら笑いだした。のどの奥からこみあげるような低い笑い声をあげ、のけぞって椅子にもたれかかる。

私はふざけているつもりは毛頭ない。うんざりしているというのが、いつわらぬ気持ちだ。「陳腐《ちんぷ》ではあるけど、それが真実よ、ミズ・バーガー」と、言いそえた。

「ジェイミーと呼んで」ためいきをついて言う。

「答えがわかっているはずのことでも、わからないこともあるわ。なぜジェイとあいうことをしたかというのも、そのひとつ。とにかくあの件については恥ずかしく思っている。すこし前までは、罪悪感ももっていた。彼を利用して傷つけたように感じていたから。でもすくなくとも私はプライベートなことを人にべらべらしゃべるようなことはしなかった」

これに対してはバーガーもだまっている。

「彼が大人ではないことを見抜くべきだったわ」ますます怒りがもえさかってくる。「こないだの晩、モールで姪を見て色めきたっていた十代の男の子たちと同じだわ。ホルモンが服を着て歩いているようなガキども。なるほど、ジェイはとくとくとしてその話をみんなに吹聴《ふいちょう》してまわったわけね。あなたにも。でも念のために言わせてもらうと……」言葉を切り、つばをのみこんだ。怒りがのどにつまっている。「あなたには関係ないこともいろいろあるわ。いまもこの先も。だからミズ・バーガー、職業上の礼儀として、分をわきまえてほしいの。必要ないことをせんさくしないで」

「ほかの人たちもそれにしたがってくれるといいけど」

またわざとらしく腕時計に目をやった。だが、もっとも重要なことをきくまでは、立ち去るわけにいかない。「彼が私をおそったことを信じる?」シャンドンのことを言っているのが彼女にはわかるはずだ。

「信じてはいけない理由がある?」

「目撃者としての私の証言は、彼が言ったことをすべてでたらめだときめつけることになる。やったのはやつらではない。やつらなんて存在しない。いたのはあのおぞましいけだものだけ。そいつが警官のふりをして、ハンマーで私をおそおうとしたのよ。彼がそれをどう説明するつもりか、ぜひ知りたいわ。なぜうちにチッピングハンマーが二本あったのか、彼にきいてみた？　私が一本しか買わなかったことは、金物店のレシートで証明できるわ」ふたたびその点を強調する。「もう一本はどこからきたの？」

「答えるかわりに、ひとつ質問させて」バーガーはまたはぐらかす。「彼に攻撃されるとあなたが思っただけという可能性はない？　彼を見てパニックに陥って？　彼がチッピングハンマーをもっていて、それであなたをおそおうとしたことはたしかなの？」

私は彼女を見つめた。「攻撃されると思っただけ？　彼が私の家のなかにいたことをどう説明するというの？」

「あなたがドアをあけた。それはたしかでしょう？」

「私が彼を招きいれたかときいているの？」挑《いど》むように彼女を見すえた。口のなかがべとつき、手がふるえている。彼女が答えないので、椅子を押しさげた。「ここにすわってこんな侮辱をがまんする義理はないわ。ばかばかしいをとおりこして、もう狂っているとしか言いようがない」

「ドクター・スカーペッタ、もしあなたが実際に彼を家に招きいれておそったのではないかと公式に追及されたら、どんな気がする？　パニックに陥ったためにそうしたのでは、と言われたら？　あるいは、彼がビデオで言ったようにあなたが……あなたとジェイ・タリーがある陰謀に荷担《かたん》しているのではないかと言われたら？　あなたがパリへいってタリーと寝て、それからドクター・ストゥヴァンに会ってモルグから証拠をもちだしたのも、そのためだとされたら？」

「そうしたらどんな気がするか？　何と言えばいいかわからないわ」

「シャンドンの言っていることがすべてうそだと知っているのは、あなただけ。あなたが唯一の証人よ。あなたが真実を話しているなら、裁判はひとえにあなたの証言にかかっているのよ」

「私はあなたの事件の証人ではないわ」思いださせるように言った。「スーザン・プレス殺害の捜査には、まったくかかわっていないんだから」

「あなたの協力が必要なの。これはたいへんな労力を要する事件よ」

「協力はできないわ。私の話の真実性や私の精神状態を疑うなら」

「そのどちらも疑ってはいないわ。でも弁護側はそれを問題にする。徹底的に。容赦なく」

私にはまだ話していないある事実を、注意深く避けながら話しているようだ。弁護人。彼女はそれがだれか知っているらしい。シャンドンがはじめたこと……衆人環視のなかで私のすべてをはぎとり、屈辱を与えるというプロセスの仕上げをするのがだれか、わかっている。

心臓が重苦しい音をたてていた。私はもはや死んだも同然だった。たったいま自分の人生が終わるのを目《ま》の当たりにしたのだ。

「ニューヨークにきていただく必要があるわ」と、バーガーが言っていた。「なるべく早く。ついでに言うと、話をする相手は慎重に選んだほうがいい。わたしに相談せずに事件のことをだれかに話すようなことはしないようにね」彼女は書類や本をしまいはじめる。「ジェイ・タリーとは一切接触しないほうがいいと思う」ちらっと私の目を見て、ブリーフケースをしめる。「言いたくないけど、わたしたち、あまりありがたくないクリスマスプレゼントをもらうはめになりそうよ」互いに椅子から立ちあがり、向きあった。

「だれなの？」私は疲れた声できいた。「だれが彼を弁護するか知っているんでしょう？だから夜どおし彼の話をきいたのよね。彼の弁護士が扉をしめてしまう前に」

「そのとおりよ」バーガーの声にはかすかにいらだたしげな響きがまじっている。「問題は、わたしが相手の思うつぼにはまったのではないかということ」私たちは、光沢のある広い木のテーブルをはさんで見つめあった。「わたしがシャンドンを尋問して一時間もたたないうちに、彼が弁護士を依頼したというんだけど、あまりにもタイミングがよすぎると思うの。彼は弁護人がだれになるか知っていたし、もうすでにその人を雇っていたんだと思う。でもシャンドンと、彼がつるんでいるそのろくでもない弁護士は、このテープが」と、ブリーフケースをたたく。「こちらにとって不利になり、自分たちに有利にはたらくとふんだんじゃないかしら」

「陪審員は彼の言うことを信じるか、さもなければ彼が妄想癖のある異常人格者だと思うでしょうからね」と、私は要約して言った。

バーガーはうなずいた。「そう。いよいよとなったら、向こうは心神喪失《しんしんそうしつ》を申し立てるでしょうね。こちらとしてはミスター・シャンドンをカービーへは送りたくないでしょう？」

カービーはニューヨークにある悪名高い犯罪者用精神医療施設だ。キャリー・グレセンはここから脱走して、ベントンを殺したのだ。バーガーはまたもや私の過去の傷にふれた。

「キャリー・グレセンのことを知ってるのね」私は打ちひしがれた声で言って、会議室をでた。この部屋が以前と同じように感じられることはもはやないだろう。ここも犯罪現場になってしまった。私の住む世界がすべてそうなりつつある。

「あなたのことをいろいろ調べたから」バーガーは申しわけなさそうに言った。「あなたが思っているとおり、シャンドンの弁護人がだれか知ってるわ。あまりうれしい話じゃないの。最悪なニュースよ」彼女はミンクのコートを着て、いっしょに廊下へでた。「マリーノの息子に会ったことある？」

足をとめ、あっけにとられてバーガーを見つめた。「マリーノの息子に会ったことがある人なんて、いないんじゃないかしら」

「パーティへいくのが遅くなるわ。歩きながら話すわね」バーガーは本とファイルをかかえて、足音を吸収する絨毯のうえをゆっくり歩いた。「ロッキーの愛称で知られているロッコ・マリーノは、犯罪専門の被告側弁護士なんだけど、とんでもないやつでね。もっぱらギャングのメンバーなんかの弁護をひきうけて、あらゆる手を使って無罪にしてやる。それで見返りを受けるわけ。派手で、メディアにとりあげられるのが大好き」私をちらっと見て、「なによりも人を傷つけるのが好きなの。そうやって自分の力をひけらかしたいのね」。

最初のステンレスのドアの前までくると、廊下の電気を消した。一瞬私たちは闇のなかに投げこまれた。

「何年か前……ロースクールにいるころだという話だけど」と、バーガーはつづけた。「ロッキーはラストネームをカジアーノに変えたの。大きらいな父親に対する、究極の拒絶のしるしだったんでしょうね」

私はためらい、闇のなかで彼女のほうを向いた。自分の表情を見られたくなかった。打ちのめされていることを悟られたくない。マリーノが息子を憎んでいることは知っており、その理由をあれこれ推測していた。ロッキーはゲイか麻薬常用者か、あるいは人生の落伍者なのだろうかと。とにかくロッキーが父親の悩みの種だったことはたしかだ。いまそのわけがわかった。マリーノにとってなんという皮肉な、恥ずかしいことだろう。まったくひどい話だ。「そのロッキー・カジアーノが事件のことを知って、弁護をひきうけるとなのりでたの？」と、きいた。

「そうかもしれない。もしくはシャンドン一家が暗黒世界のコネを通じて彼のことを知って、息子のために雇ったのか。あるいはロッキーがすでに彼らとかかわりがあったのかもしれないし。いろんな理由がまじっているのかも。個人的なことと、ロッキー自身の組織犯罪とのつながりといった……。いずれにしても、父と息子が同じ土俵で闘うことになる。間接的にだけど、ふたりが公然と対決するわけ。マリーノはニューヨークでのシャンドンの裁判では、必ずしも証言するとはかぎらないけど、ことのしだいではそれもおこりうるわ」

どんなことのしだいになるかわかっている。疑問の余地はない。バーガーはシャンドンのリッチモンドでの犯行をニューヨークの事件に組みいれることを考えて、この町へやってきたのだ。彼女がパリの事件もなんとかはさみこんだとしても驚きはしない。

「でもたとえ証言はしなくても、マリーノはシャンドンの事件をどこまでも自分のものと感じるでしょうね。彼のような刑事にとっては、事件の行方が気になるから。ロッキーがシャンドンの弁護をすることで、わたしもむずかしい立場におかれることになる。もし裁判がリッチモンドでおこなわれるなら、わたしは一方当事者として判事のところへいって、あきらかな利益相反があることを指摘するわ。たぶん判事室からほうりだされて叱責《しっせき》されるでしょうけどね。でもすくなくとも息子が直接父親に反対尋問するような事態を避けるよう、被告側に弁護人をもうひとりたてさせるよう、判事に訴えることはできる」

ボタンを押すとまたステンレスのドアがあいた。

「とにかく積極的に異議を申し立てるわ」と、バーガーはつづけた。「もしかしたら法廷はわたしの訴えをきいてくれるかもしれない。すくなくともその状況を利用して、陪審員の同情をえることはできる。シャンドンと弁護人がどんなに悪辣《あくらつ》な連中かを印象づけるわけ」

「ニューヨークでの裁判がどんな形でおこなわれるにしろ、マリーノが事実証人になることはないわ」バーガーが何を言いたいのかわかってきた。「スーザン・プレス殺害ではね。だからロッキーを排除するわけにはいかない」

「そのとおりよ。利益相反にはならないからね。どうすることもできない。ロッキーは悪意のかたまりのようなやつなんだけど」

私たちは救急車だまりへでてからも、車のそばに立って寒さのなかで話をつづけた。まわりのむきだしのコンクリートが、私が直面している現実を象徴するかのようだ。私の人生は、容赦のないきびしいものになった。見晴らしもきかず、出口もない。マリーノが協力してつかまえた怪物を、仲たがいしている彼の息子が弁護すると知ったら、マリーノはどんな気持ちになるだろう。「マリーノは知らないのね」

「彼に話すべきだったんでしょうけど。でもそれでなくてもマリーノにはいらいらさせられていたから。明日かあさってまで待ってから、この爆弾を落としてやろうと思っていたの。マリーノはわたしがシャンドンを尋問したことが気に入らないのよ」バーガーの声には、得意そうなひびきがわずかにまじっている。

「それは私にもわかったわ」

「数年前、ある事件でロッキーと対決したことがあるの」バーガーは車の鍵をあけ、なかに半身をいれてエンジンをかけ、ヒーターをつけた。「裕福なビジネスマンが仕事でニューヨークへきていて、若者にナイフでおどされたの」おきあがってこちらを向く。「男性は抵抗して、若者を地面に押しつけて頭を舗道《ほどう》に打ちつけて、気絶させたの。でもその前に胸を刺されてね。結局彼は死んだんだけど、若者のほうはしばらく入院したあと、回復したの。ロッキーは正当防衛で若者を無罪にしようとしたけど、幸い陪審員はそれにのらなかった」

「ミスター・カジアーノは、終世にわたるあなたのファンになったでしょうね」

「彼はその後、若者が受けた永続的な精神的ダメージとやらに対して、一千万ドルを要求する民事訴訟をおこしたの。わたしもそれを防ぐことはできなかった。結局殺された男性の遺族は、それに応じたわ。なぜかというと、もう耐えられなくなったから。いやがらせや不審なできごとがいろいろあってね。泥棒に入られたり、飼っていたジャックラッセルテリアの子犬が毒をもられたり。すべてロッキー・マリーノ・カジアーノがたくらんだことにちがいないんだけど、証明することができなかった」バーガーはメルセデスのSUVに乗りこんだ。「彼のやり口はとても簡単なの。見つからないかぎりどんなことでもやるし、被告以外のすべての人を攻撃する。しかも負けると根にもつ」

何年も前、ロッキーが死ねばいいとマリーノが言っていたことを思いだした。「じゃ、それも彼の動機のひとつかしら？　復讐。父親だけでなく、あなたもやっつけたいと思っているんじゃない？　それも公の場で」

「そうかもしれない」バーガーはSUVの高い座席のうえから答えた。「彼の動機が何にせよ、とにかくわたしは異議を申し立てるつもりよ。ただ、それが功を奏するかどうかはわからない。倫理にもとるというわけではないから。判事の判断しだいね」シートベルトに手をのばし、胸にななめにかける。「クリスマスイブはどうやってすごすつもり、ケイ？」

急にケイという呼びかたになった。私は一瞬考えねばならなかった。クリスマスイブは明日だ。「あのやけどを負った遺体のことを、もうすこし調べなきゃ」

バーガーはうなずいた。「シャンドンの犯罪現場がまだ残っているうちに、ぜひいっしょにいって見たいんだけど」

私の家もね、と内心思った。

「明日の午後、時間をつくってもらえないかしら？　何時でもかまわない。わたしは休暇中ずっと仕事をするつもりだけど、あなたの予定をだいなしにしたくはないわ」

なんという皮肉だろう。苦笑いせずにはいられなかった。休暇。メリー・クリスマスだ。バーガーは自分では気づかずに私にプレゼントをくれた。ある決定を下すのを手助けしてくれたのだ。それは重要な決定だった。私の人生でもっとも重要と言えるかもしれない。私は仕事をやめることにした。それをまず知事に告げるつもりだった。

「ジェームズ・シティ郡での仕事が終わったら、電話するわ」と、バーガーに言った。「いちおう二時ということにしときましょう」

「迎えにいくわ」と、彼女は言った。

17

九番ストリートからキャピトル・スクエアへ入ったときは、十時近くなっていた。ライトアップされたジョージ・ワシントンの騎馬像のそばをとおり、トマス・ジェファーソンが設計した建物の南玄関のまわりを一周した。玄関の太く白い柱の奥に、ガラス玉とライトで飾られた高さ九メートルのツリーがたっている。知事主催のパーティは正式なディナーではなく、気軽なパーティだったことを思いだした。ありがたいことに、もう客はみな帰ったようだ。議員や客のための駐車スペースには車が一台もない。

十九世紀初期に建てられた州知事官邸は、うすい黄色の化粧漆喰《しっくい》で、窓の縁と柱が白く塗られている。言い伝えによると、南北戦争の終わりにリッチモンド市民が自分たちの町を焼いたとき、この邸はバケツリレーによって焼失をまぬがれたという。控えめな飾りつけをするバージニアのクリスマスの伝統にしたがって、官邸の窓にはろうそくがともされ、本物のリースがつるされている。黒い鉄の門には、ときわ木の小枝が飾られていた。

警備の警官が近づいてきたので、車の窓をあけた。

「何かご用ですか？」警官は疑わしそうな口調できいた。

「ミッチェル知事に会いにきたの」官邸にきたことは何度かあるが、こんな時間に、しかも大きなリンカーンのＳＵＶで乗りつけるのははじめてだ。「ドクター・スカーペッタです。遅くなってしまったの。もうお会いできないようなら帰ります。申しわけありませんでしたと知事に伝えてちょうだい」

警官は愛想のよい顔になった。「そんな車に乗ってらっしゃるから気づかなかった。メルセデスは処分しちまったんですか？　すこしここで待っててくださいね」

彼は詰め所に入って電話をとりあげた。そのあいだキャピトル・スクエアを見ていると、相反する感情がわきおこり、ついで悲しみがこみあげてきた。

私はこの町を失ったのだ。もう戻ることはできない。シャンドンのせいにすることもできるが、正直にいえばそれだけではない。そろそろ新たな困難にとりくまねばならない。変化が必要なのだ。ルーシーがその勇気を与えてくれた。というより、私のいまの姿に気づかせてくれた。地位に安住し、同じところにとどまり、制度にしばられている私に。バージニア州検屍局長に就任してからもう十年以上たつ。五十歳をこえた。たったひとりの妹は好きになれない。母は気難しく、健康は衰えている。ルーシーはニューヨークへいってしまう。ベントンは死んだ。私はひとりぼっちだ。

「メリー・クリスマス、ドクター・スカーペッタ」警備の警官はこちらの窓に身をよせて、声を低めた。胸につけた真鍮《しんちゅう》の名札にはレンクイストとある。「ひどい目にあいましたね。ほんとにお気の毒でした。でもあのくそ野郎をつかまえてよかった。おみごとでしたよ」

「ありがとう、レンクイスト巡査」

「来年からはもうここにはいませんから」と、彼はつづけた。「私服刑事の仕事に変わったんです」

「あなたにとって喜ばしい異動だといいけど」

「そりゃもう」

「会えなくなるのは残念だわ」

「何かの事件でお会いできるかもしれない」

そうならないことを祈る。事件で彼に会うということは、まただれかが死んだことを意味するのだ。レンクイストはきびきびと手をふって、ゲートをとおしてくれた。「まん前にとめていいですよ」

変化。まさに変化だ。突然、まわり中でそれがおこりはじめたように思える。十三ヵ月後にはミッチェル知事もいなくなる。とても残念だ。彼が好きだし、彼の妻のイーディスとはとくに気が合う。バージニアでは知事の任期は一期だけときまっており、四年ごとに上を下への大騒ぎがまきおこる。何百人もの職員が異動になったり解雇《かいこ》されたり雇われたりする。電話番号は変わり、コンピューターはフォーマットされる。仕事はそのまま残っても、職務内容が変わる。ファイルは紛失したり、廃棄されたりする。官邸のメニューは手を加えられ、あるいは一新される。変わらないのは官邸のスタッフだけだ。庭仕事や外まわりのちょっとした仕事は刑務所の同じ受刑者がやり、料理や掃除をするのも前と同じ人たちだ。彼らがべつの仕事にまわされるとしても、それは政治とは関係ない。たとえば、アーロンはわたしがバージニアへきたときからずっと官邸の執事をつとめている。彼は長身のハンサムなアフリカ系アメリカ人で、まっ白な長いコートにスマートな黒い蝶ネクタイをした姿はほっそりして優美だ。

「アーロン、元気?」玄関の間《ま》に入りながらたずねた。そこはまぶしいばかりに光にあふれている。クリスタルの照明がシャンデリアからシャンデリアへわたされ、大きなアーチのしたをとおって邸の奥までつづいている。ふたつの舞踏室のあいだには、赤い玉と白いライトで飾られたクリスマスツリーがたっている。壁と漆喰《しっくい》のフリーズと、窓や戸のまわりの木部は、最近復元されて建設当時と同じグレーと白になり、ウェッジウッドの陶器のように見える。アーロンがコートを受けとった。彼は元気にやっており、私に会えてうれしいということを、ほとんど無言でこちらに伝えた。音をたてずに優雅にふるまうすべを身につけているのだ。

玄関の間の両側には、ブラッセルカーペットに重々しいアンティーク家具がおかれた、かたくるしい雰囲気の客間がある。男性用の客間の壁紙には、グレコローマン風の縁飾りがついている。女性用の客間の縁飾りは花柄だ。この応接用スペースの目的はいたって簡単だ。これらの部屋のおかげで、知事は客を屋敷の奥へ招き入れなくても、彼らに応対できる。客は玄関を入ったところで知事に謁見《えっけん》することになり、長居はできない。アーロンに案内されて、歴史的価値のあるこれらのいかめしい部屋をとおりすぎ、階段をのぼった。深紅に黒い星が描かれた連邦様式の絨毯がしかれた階段は、知事夫妻のプライベートな居室に通じている。モミの硬材の床に、座りごこちのよさそうな椅子やカウチがおかれた居間へ入ると、赤いシルクの優美なパンツスーツに身を包んだイーディス・ミッチェルが待っていた。彼女と抱擁《ほうよう》したとき、かすかにエキゾチックな香りがした。

「またいっしょにテニスができるのはいつ？」イーディスは私のギプスを見て、淡々と言った。

「丸一年やっていないうえに、腕を骨折していて、またたばこをやめようと苦労しているものにとっては、なかなかタフなスポーツね、あれは」

私がこの一年間の自分の状況に暗にふれたことに、イーディスは気づいたようだ。私のまわりの人がみな知っているように、ベントンの死後、私はまっ暗な渦にまきこまれたかのように、絶えずめまぐるしく動きまわっていた。友人に会わなくなり、外出したり人を招いたりもしなくなった。運動もめったにしない。するのは仕事だけだ。まわりでおこっていることに、一切目を向けなかった。人が言うことにも耳をかたむけない。何かを感じることも、食べ物を味わうこともしなかった。天気にも気づかないほどだった。アナの言葉をかりると、五感を失ったも同然だった。だがそんな状態でも、仕事はおろそかにしなかった。むしろ、何かにとりつかれたように、夢中で仕事をした。けれども私がつねに上《うわ》の空《そら》でいることは、職場にとって望ましいことではなかった。管理者としての私の怠慢が、あちこちに影響をおよぼしはじめていた。むろん友達としても最悪だった。

「どんな具合？」イーディスはやさしくきいてくれた。

「この状況としては、まあまあかしら」

「どうぞかけて。マイクは電話中だけど、もうそろそろ終わるから。パーティであれだけおおぜいの人と話したのにね」言うことをきかない子供の話でもしているように、ほほえんで目を天井に向ける。

イーディスは、バージニア州のこれまでの伝統にしたがう形では、知事夫人の役割をはたしていない。彼女を非難する人もいるが、イーディスは現代的な強い女性という評価も受けている。考古学者であるイーディスは、夫が知事に任命されても自分のキャリアを中断しなかった。したがって重要ではない、あるいは時間の無駄と思えるような公務には、一切出席しない。だが彼女は夫のよきパートナーとして、三人の子供を育てあげていた。子供たちはすでに成人しているか、大学生になっている。イーディスは四十代後半で、首のあたりでまっすぐにカットしたこげ茶色の髪を、後ろになでつけている。目は琥珀《こはく》色に近い。その目にさまざまな思いと疑問がうかんでいる。何か気になっていることがあるようだ。

「パーティで話をしようと思っていたの。電話してもらってよかったわ、ケイ。寄ってくれてありがとう。あなたの扱う事件について詮索《せんさく》するようなことはしたくないんだけど」と、彼女はつづけた。「最近新聞で見た事件のことが、気にかかっているの。ジェームズタウンのあのうらぶれたモーテルで、男性の遺体が発見されたというニュース。マイクも私もとても心配しているの。ジェームズタウンのことに関係しているから」

「あれがジェームズタウンとかかわりがあるとは知らなかったわ」わけがわからなかった。私の知らない情報を何か知っているのだろうかと、とっさに思った。「考古学上の発掘とは何も関係ないと思うけど。すくなくとも私の知っているかぎりでは」

「直感よ」彼女は簡潔に言った。「とくに理由はないんだけど」

イーディス・ミッチェルはジェームズタウンに情熱をかたむけている。彼女は何年も前、考古学者としてこの土地の研究をはじめ、現在はその政治的立場を利用して、ジェームズタウンの擁護者《ようごしゃ》となっている。そこで柱穴や人骨を発掘し、経済的な支援をしてくれそうな人やマスコミに、精力的にその存在をアピールしてきた。

「ジェームズタウンへいくたびに、あのモーテルのそばをとおるの。六十四号線よりルート五《ファイヴ》をとおるほうが、ダウンタウンに近いから」彼女はそう言って、顔をくもらせた。「いかにもいかがわしい感じのモーテルでね。あそこで何か事件がおきても、驚かないわ。麻薬の売人や売春婦がうろついていそうなところよ。現場へいってみた？」

「まだよ」

「何か飲みものはいかが、ケイ？　先月アイルランドからこっそりもちこんだ、おいしいウイスキーがあるの。アイリッシュウイスキー、好きでしょう？」

「あなたも召しあがるなら」

イーディスは電話に手をのばし、ブラック・ブッシュとグラスを三つもってくるようアーロンにたのんだ。

「ジェームズタウンでは最近どんなことがおこっているの？」かすかに部屋にただよっている葉巻の香りに、たばこが吸いたいという欲求をかきたてられる。「最後にいったのが三、四年前なの」

「そう」

「そんなに長いことといってないの？」

「JRが発見されたときね」彼女は思いだして言った。

「あれは確か一九九六年だったかしら」

「それじゃぜひわたしたちのやってることを見にいらして。新たにわかったことがいろいろあるし、人工遺物もたくさん見つかっているわ。何十万という単位で。ニュースでご存知でしょうけど。アイソトープを使って人骨の一部を調べているの。あなたにとっても興味深いと思うわ、ケイ。依然として最大のなぞはJRよ。アイソトープによる骨のプロファイルからすると、とうもろこしや小麦を主食にしていたとは思えない。それをどう説明すればいいのかわからないの。もしかすると彼はイギリス人ではなかったのかもしれない。それでDNA鑑定のために歯を一本、イギリスの研究所に送ったの」

　JRはジェームズタウン再発見（Jamestown Rediscovery）の頭文字《かしらもじ》だ。ジェームズタウンの発掘現場で見つかったすべてのものをさすのだが、イーディスが言っているのは、第三層あるいはC層と呼ばれる土のなかで発見された、百二番目の発掘物のことだ。JR百二Cは墓だ。これはジェームズタウンの発掘現場のなかでも、もっとも有名な墓となった。というのも、このなかで発見された骸骨《がいこつ》は、一六〇七年の五月にジョン・スミスとともにジェームズタウンへやってきて、その年の秋に射殺された若い男性のものと思われるからだ。棺の色がしみついた土のなかで、暴力のあとと思われるしるしを見つけると、イーディスと発掘の責任者は私を現場へ呼びよせた。現場で慎重に土をはらいのけると、六十口径のマスケット銃のボール弾と、二十一発の散弾がでてきた。散弾があたったため、けい骨が砕けて百八十度回転し、足が後ろ向きになっていた。弾はひざの裏側にある膝窩《しっか》動脈を切断しないまでも、それに損傷を与えていたことは間違いない。したがって、その後JRの愛称で呼ばれるようになったこの青年は、短時間で出血死したと思われる。

　JRはたちまちアメリカの殺人第一号として知られるようになり、世間の興味をひいた。もっともこれはいささか強引な呼びかただ。はたしてこれが殺人なのか、第一号なのかわからないし、新世界は当時まだアメリカではなかったからだ。法医学的検査により、JRは火なわ式マスケット銃と呼ばれるヨーロッパの銃器から発射された、戦闘用の弾薬で撃たれたことがわかった。散弾の広がりぐあいから見て、銃は約四・五メートルの距離から発射されたと思われる。誤って自分自身を撃ったという可能性はない。おそらく仲間の入植者に責任があるのだろう。ここから、殺し合いをするのはアメリカ人の悲しい宿命であると考えることは、あながち的外《まとはず》れではないかもしれない。

「冬のあいだ、仕事はすべて屋内でするの」イーディスは上着を脱いで、ソファの背にかけた。「人工遺物の目録を作成したり、発見したものを記録したり。発掘作業中はできないことをいろいろね。それから資金集めも。最近はこのありがたくない仕事が、ますますわたしの肩にかかってくるようになってね。それでさっきの話にもどるんだけど、モーテルの殺人事件のことを新聞で見た議員から、気になる電話があったの。なんだか大騒ぎしているの。事件が世間に注目されると困ると言いながら、騒ぐことでかえって注意をひいているのよ、残念ながら」

「なぜ大騒ぎしているの?」私は眉をよせた。「新聞にはごく小さな記事がのっただけなのに」

イーディスの顔が険《けわ》しくなった。その議員がだれであれ、あまり評価していないようだ。

「彼はジェームズタウンの出身でね。あの事件は憎しみが動機のヘイトクライムで、被害者はゲイだったのではないかというの」

絨毯をしいた階段をのぼってくるひそやかな足音がして、アーロンがあらわれた。ボトルとバージニア州の紋章がきざまれたタンブラーを三つのせたトレーをもっている。

「言うまでもないけど、そういう事件があると、わたしたちがあそこでやっている調査も悪影響をこうむることになる」イーディスが慎重に言葉を選びながら言っているあいだに、アーロンはブラック・ブッシュをついだ。居間の奥のドアがあき、執務室から葉巻の煙とともに知事が入ってきた。タキシードの上着を脱ぎ、ネクタイもはずしている。

「ケイ、待たせてすまなかった」彼は私を抱いて言った。「ちょっとめんどうなことがおきてね。イーディスが話したかな」

「いまきかせてもらっているところよ」と、私は答えた。

18

ミッチェル知事は心配そうな顔をしている。知事と私がふたりだけで話ができるよう、イーディスは席をたった。娘のひとりに電話する必要があるという話を手短に夫と交わしてから、彼女は私におやすみなさいと挨拶して、部屋をでていった。知事はまた葉巻に火をつけた。彼はいかつい顔のハンサムな男性で、元フットボール選手にふさわしい頑丈な体格に、カリブの砂のようなまっ白な髪をしている。

「明日電話するつもりだったんだが、もしかすると休暇でどこかへでかけているかなと思って」と、彼は話しはじめた。「きてくれて助かったよ」

私たちはクリスマスの計画や、バージニア州犯罪科学研究所の様子などについての、あたりさわりのない話をした。ひと口飲むごとにウイスキーがのどをあたためる。息をするごとにスタンフィールド刑事のことを思った。ばかなやつ。事件についての機密情報をもらしてしまったのだ。しかもよりによって政治家である義兄のディンウィディ下院議員に。知事は目先がきくうえ、検事からいまの地位にのぼりつめた人だ。したがって私が怒っていることと、その理由を承知している。

「ディンウィディ議員は、なにかというと騒ぎをおこしたがるんだ」知事のこの言葉で、やはりトラブルのもとは彼であったことがわかった。ディンウィディは戦闘的でいやみな人物で、自分の祖先がアメリカ・インディアンの王女ポカホンタスの父ポウハタンと血縁だったという事実を、ことあるごとに言いたてる。

「スタンフィールド刑事はディンウィディに何も話すべきではなかったし、ディンウィディはあなたにもだれにも情報をもらすべきではなかったわ」と、私は答えた。「これは刑事事件なのよ。ジェームズタウンの創立四百年記念祭や観光や政治とは、何ら関係ない。おそらくは拷問されて、火をつけたモーテルの一室に放置されて殺された男性の事件なのよ」

「それはよくわかっている」と、ミッチェルは言った。「しかし現実には考えなければならない問題がいろいろある。どんな形にせよ、ジェームズタウンにかかわるヘイトクライムがおきたとなると、事態は深刻だ」

「この事件がジェームズタウンにかかわっているという話はきいていないけど。被害者がジェームズタウンのそばにあるモーテルにチェックインしたというだけでしょう。一六〇七スペシャルという特別料金を設定しているモーテルに」だんだん腹がたってきた。

「ジェームズタウンがこれだけ注目されているときだから、そのことだけでもマスコミはいろめきたつだろう」ミッチェルは葉巻を指先でもみ、ゆっくり口元へはこんだ。「二〇〇七年の記念祭は、バージニア州に十億ドルの収入をもたらすと推定されている。これはわが州にとっての万博なんだよ、ケイ。来年にはジェームズタウンの記念硬貨が発行される。二十五セント銀貨だ。発掘現場へは連日のように報道関係者がおおぜいやってくる」

彼は暖炉の火をかきたてるために立ちあがった。しわのよったスーツを着て疲れきった顔をしたかつてのミッチェルと、地方裁判所ビルのなかにあった、ファイルや本にあふれた彼のせまくるしいオフィスを思いだした。私たちは数多くの事件をいっしょに手がけた。そのなかには、私が扱ったうちでもっとも痛ましい事件も含まれている。それらの気まぐれで残酷な犯罪の被害者を、私はいまだに忘れることができない。新聞配達の途中で拉致《らち》されてレイプされ、そのまま捨てられて悲惨な死をとげた女性や、洗濯物をほしているとき面白半分に射殺された老女、ブライリー兄弟に処刑された何人もの人々……。ミッチェルと私はさまざまな凶悪な犯罪に接し、ともに心を痛めた。彼がより高い地位へのぼり、いっしょに仕事ができなくなったときは残念に思った。成功は友人同士をひきはなす。とくに政治は人間関係をこわす。なぜなら、人をべつの人格につくりかえるのが政治というものだからだ。マイク・ミッチェルはもはや昔の彼ではなく、念入りに計算された安全なシステムを通じて信念を実現することを学んだ、有能な政治家に変わっていた。彼には何か計画があるようだ。私についても何か考えていることがあるらしい。

「私もマスコミに騒ぎたてられるのは好きではないわ」と、彼に言った。

ミッチェルは火かき棒を真鍮《しんちゅう》の台にもどし、暖炉に背をむけて葉巻を吸った。その顔が熱でほてっている。薪がはじけ、しゅっと音をたてた。「どうすればいいかね、ケイ?」

「ディンウィディに黙るように言うのね」

「ミスター・ヘッドライン・ニュースに？」ミッチェルは皮肉な笑みをもらした。「ジェームズタウンがアメリカ先住民族に対するヘイトクライムの発祥の地だと考える人もいる、と声高に言いたてている人物にそう言うのかい？」

「でも人を殺して頭の皮をはいだり、餓死させたりするのも、憎しみにねざした行為でしょう。人類がこの世に出現して以来、憎しみはつねに存在していたように思える。私は『ヘイトクライム』という言葉は使わない。私の記入する書類にものっていないし、死亡診断書にもそんな欄はないわ。ご存知のように、そういうラベルをつけるのは検屍官ではなく、検事や捜査官なのよ」

「事件についてのきみの意見をききたい」

今日の午後遅くリッチモンドで発見された遺体のことを彼に話した。ふたつの事件は関連があるのではないかとおそれている。

「なぜそう思うんだね？」灰皿のなかで葉巻がくすぶっている。ミッチェルは頭痛がするとでもいうように、顔をこすってこめかみをもんだ。

「どちらもしばられたあとがあるし、やけどを負っている」

「やけど？　最初の遺体は火事で焼けたんだろう。二番目の遺体はなぜやけどを負っているんだ？」

「おそらく拷問されたのだと思う」

「ゲイなのか？」

「二番目の被害者にはその兆候《ちょうこう》は見られない。でもその可能性をまったく否定するわけにはいかないわ」

「彼の身元や、この土地の人間かどうかはわかっているのか？」

「いまのところわからないの。どちらの被害者も所持品が見つかっていないから」

「つまり、犯行にかかわった人物は彼らの身元をつきとめられたくないんだな。あるいは強盗のしわざか。その両方か」

「その可能性もあるわ」

「やけどのことをもっとくわしく教えてくれ」

それらについて説明し、バーガーがニューヨークで扱った事件との類似を指摘すると、知事はますます不安をかきたてられたようだ。怒りが顔をよぎった。「そういった推測はここだけの話にとどめておく必要がある。これもニューヨークの事件と関連があるなどということになったら、最悪だ」

「関連があるという証拠は何もないわ。ただ、だれかがニュースを見てそれにヒントをえた可能性はあるけど。こちらの事件ではヒートガンが使われたのかどうかもはっきりしないし」

「シャンドンの殺人もニューヨークの事件と関連がある。それで向こうで裁判がおこなわれることになった。で、今度はまたふたつ殺人がおこって、それもニューヨークの事件に似ているという。妙だと思わないか？」

「そうね。おっしゃるとおり、妙だわ。私がはっきり言えるのは、検屍報告書をだれかの政治的な目的に使われるようなものにするつもりはないということ。これまでと同じように、事実だけをとりあげて推測は避けるわ。抑えることより、管理することを考えたほうがいいんじゃないかしら」

「やれやれ。大騒ぎになりそうだな」知事はたちのぼる煙のなかでつぶやいた。

「そうならないことを祈るわ」

「きみの事件のほうは？　フランスの狼男と一部で呼ばれている犯人は？」ミッチェルはやっとそのことをもちだした。「一連のできごとは、きみにどんな影響をおよぼすことになるのかな？」また椅子にすわり、いつもの真剣なまなざしをこちらに向ける。

ウイスキーをすすりながら、どうやって伝えようかと考えた。婉曲《えんきょく》な言いかたはなさそうだ。「それが私にどんな影響をおよぼすかですって？」悲しい気持ちでほほえんだ。

「ひどい目にあったね。あのくそ野郎をやっつけられてよかった」涙があふれ、彼は急いで目をそらせた。検察官時代のミッチェルがふたたびあらわれたかのようだ。ふたりのあいだのぎごちなさが消えた。私たちは昔からの仕事仲間、古い友人にもどった。私は感激すると同時に、気持ちが沈んだ。過去は過去であり、ミッチェルはいまや知事なのだ。おそらくつぎは連邦政府の要職につくだろう。私はバージニア州検屍局長であり、彼は私のボスだ。局長の職を辞すつもりであることを、彼に告げなければ。

「私がいまの職にとどまるのは、自分にとっても州にとっても、あまりいいことではないように思うの」とうとう言ってしまった。ミッチェルは無言で私を見つめた。

「むろんこのことは正式に文書で提出するつもりだけど。でももう心はきまっているの。一月一日付けで辞職します。もちろん、必要なあいだはとどまるけど。後任がきまるまでは」

私がこう言いだすことを、彼は予想していたのだろうか？　ほっとしているのかもしれない。あるいは怒っているのかも。

「ケイ、きみはいくじなしではない」と、彼は言った。「昔からそれははっきりしていた。たのむからばかなやつらのために、職を捨てるようなことはしないでほしい」

「この仕事をやめるわけではない。場所を変えるだけ。だれかに職を追われたという話ではないわ」

「なるほど、場所をね」知事はクッションに背をもたせて、私をしげしげながめた。「まるで金で雇われて仕事をする連中みたいだな」

「まさか」正義ではなく、お金によってどちらの側につくかをきめる人々を軽蔑する点では、彼も私も同じだ。

「わたしの言いたいことはわかるだろう」ミッチェルは葉巻の火をつけなおし、虚空《こくう》を見つめた。彼が考えをめぐらしているのがわかる。

「フリーで仕事をするつもりよ。でもお金のために雇われる人間にはならない。実際、これから手がけようとしているのは、金銭的には何の得にもならないことよ、マイク。例の事件。ニューヨークの。あれを手助けしなければならない。そのためにかなり時間をとられることになるわ」

「わかった。じゃこうしよう。きみはフリーの検屍官として仕事をすればいい。バージニア州がきみの最初のクライアントになる。もっといい解決策が見つかるまで、きみを局長として雇うことにする。料金があまり高くないと助かるんだが」と、おどけてつけ加える。

これはまるで予想外の答えだった。

「驚いているようだね」

「ええ」

「なぜだね？」

「ビューフォード・ライターにきけばわかるかもしれないわ」そう言いはじめると、ふたたび怒りがこみあげた。「この町でふたりの女性が惨殺された。どんな理由があろうと、ふたりを殺した犯人がニューヨークにいるのは納得できない。それを自分のせいのように思わずにいられないのよ、マイク。私がシャンドンにおそわれたことが、事件の裁判で不利にはたらくような気がする。まるでそれが私の責任のように思えるの」

「ああ、ビューフォードね」ミッチェルはあっさり言った。「いいやつだけど、州検事としては最低だよ、ケイ。状況を考えると、シャンドンがまずニューヨークで裁かれるのは、そう悪い話ではないように思える」これはいろいろ考えた末の発言であることがうかがわれる。彼はバージニア州がフランス人を処刑したときの、ヨーロッパの反応についても考えているにちがいない。バージニアは、毎年死刑に処される人の数の多さで知られている。それらの遺体はすべて私が検屍をおこなう。その数については私がいちばんよく知っている。

「わたしもその件についてはどうすべきか、まよっているんだ」長い沈黙のあと、ミッチェルは言いそえた。

いまにも空がくずれ落ちてくるかのように感じられた。静電気のように秘密がパチパチ音をたてているが、さぐっても無駄なことはわかっている。ミッチェル知事は自分でそうしようと思わないかぎり、いかなる情報も私にあかさないだろう。

「あまり個人的な受けとめかたをしないほうがいいよ、ケイ」と、彼は忠告してくれた。「わたしはきみを支援する。これからもひきつづき。長いこといっしょに仕事をしてきたから、きみという人間をよく知っているから」

「あまり個人的にとらえないようにと、みんなが言ってくれるの」私はちょっと笑った。悪い予感がますます強くなってくる。ひきつづき私を支援してくれる、と彼は言う。そうすべきではない何らかの理由があるかのように。

「イーディスも子供たちもスタッフも、わたしにそう言ってくれる」と、彼は言っていた。「でもやはり個人的に悩まずにはいられない。ただそれを認めないだけでね」

「ではバーガーのこと……なんというかこの、裁判地の思いがけない変更には、あなたはかかわっていないの？」きかずにはいられなかった。

ミッチェルは灰をとがらせ、時間をかせぐように葉巻をゆっくりまわして吸った。やはり彼はかかわっているのだ。その件で中心的な役割をはたしたにちがいない。

「彼女は非常に有能だよ、ケイ」答えになっていないその言葉が答えだった。

私はそれをそのまま受けいれた。それ以上詮索《せんさく》せず、バーガーとはどんなふうに知り合ったのかという点だけをたずねた。

「ふたりともUVAのロースクールをでていることは知っているだろう。その後わたしが検事総長のとき、ある事件があってね。きみのオフィスもかかわったからおぼえているだろう。ニューヨーク出身の社交界の名士夫人が、夫に莫大《ばくだい》な保険をかけた一ヵ月後に、フェアファックスのあるホテルで彼を銃で撃って殺害した。そしてそれを自殺に見せかけようとした」

その事件のことは忘れようにも忘れられない。彼女はその後検屍局と私を、ぺてんを含むいくつかの容疑で訴えた。保険会社と共謀して検屍報告書を捏造《ねつぞう》して、彼女に保険金がおりないようにしたというのだ。

「バーガーが事件にかかわったのは、その数年前に彼女の最初の夫がニューヨークで、やはり疑わしい状況のもとで死んでいることがわかったからだ。夫はかなり高齢で弱っており、妻が多額の生命保険をかけた一ヵ月後に、バスタブで溺死《できし》した。検屍官は、彼がだれかともみあったことを示す打撲傷《だぼくしょう》のあとを見つけて、その事件を長いこと保留にした。そのあいだに捜査で決定的な証拠が見つかることを期待したんだ。でも結局何も見つからず、検察は立件を見送った。その女性はそこでも検屍官を訴えた。名誉毀損《きそん》とか精神的苦痛とかいったばかげたことでね。向こうの連中と何度も話をした。おもに地区検事のボブ・モーゲンソーとだが、ジェイミーとも会って情報を交換した」

「連邦捜査官はシャンドンから彼の家族の犯罪組織のことをききだそうとするでしょうね。取り引きしようともちかけて。その結果、どういうことになるのかしら？」

「取り引きすることは間違いないね」ミッチェルが重々しい口調で言った。

「なるほど、そういうことなのね」やっとわかった。「彼は絶対に死刑は宣告されない。そういう条件なのね？」

「モーゲンソーはあまり人を死刑にしないという評判だ。でもわたしはちがう。わたしはそうやわではない」

知事の言葉をきいて、どういう交渉がおこなわれたのかを悟った。連邦捜査官がシャンドンから情報をひきだす。それとひきかえに、シャンドンの裁判はニューヨークでおこなわれる。そこでは彼が死刑の宣告を受けることは絶対にない。ことがどう展開しようと、ミッチェル知事の面目は保たれる。シャンドンのことはもはや彼の問題でも、バージニアの問題でもない。シャンドンの腕に注射針をつきさすことによって私たちが国際問題をひきおこす、という心配はなくなるわけだ。

「残念だわ」と、最後に言った。「死刑が好ましいとは思っていないけど、事件に政治がかかわってきたのは残念としか言いようがない。シャンドンがうそ八百をならべたてるのを、数時間にわたってきいたところなの。家族がつかまるように彼が協力することは、ありえないわ。絶対に。さらに言えば、もし彼がカービーかベルヴュに拘禁《こうきん》されることになったら、必ず脱走するでしょうね。そしてまた殺人をおかす。この裁判を担当するのがライターではなく、優秀な検事であることはうれしい。ライターは臆病者だから。でもシャンドンが私たちの手からはなれてしまったことは悔しいわ」

ミッチェルは身をかがめて両手をひざにおいた。私たちの会話が終わったことを示すポーズだ。この件についてこれ以上私と話すつもりはないのだ。それ自体が、多くのことを物語っている。「きてくれてありがとう、ケイ」彼はそう言って私の目を見つめた。そうすることで「何もきくな」と言っているのだ。

（下巻へつづく）

|著者|パトリシア・コーンウェル　マイアミ生まれ。警察記者、検屍局のコンピューター・アナリストを経て、1990年『検屍官』で小説デビュー。MWA・CWA最優秀処女長編賞を受賞して、一躍人気作家に。バージニア州検屍局長ケイ・スカーペッタが主人公の検屍官シリーズはDNA鑑定、コンピューター犯罪など時代の最先端の素材を扱い読者を魅了、1990年代ミステリー界最大のベストセラー作品となった。本書（原題：THE LAST PRECINCT）は、シリーズ第11作目。

|訳者|相原真理子　東京都生まれ。慶應義塾大学文学部卒業。レスラー『FBI心理分析官』（早川書房）、テューダー『ターシャ・テューダーの世界』（文藝春秋）、ラヴェット『精神分析医 シルヴィア』（扶桑社ミステリー）、コーンウェル『検屍官』『真犯人』『私刑』『警告』『スズメバチの巣』『サザンクロス』（以上、講談社文庫）など、翻訳書多数。

審問《しんもん》（上）

P.コーンウェル|相原真理子《あいはらまりこ》 訳

講談社文庫
定価はカバーに
表示してあります

2000年12月15日第1刷発行

発行者——野間佐和子
発行所——株式会社 講談社
東京都文京区音羽2-12-21　〒112-8001
電話 出版部 (03) 5395-3510
販売部 (03) 5395-3626
製作部 (03) 5395-3615

デザイン—菊地信義
製版——凸版印刷株式会社
印刷——凸版印刷株式会社
製本——株式会社国宝社
株式会社大進堂
加藤製本株式会社

Printed in Japan

落丁本・乱丁本は小社書籍製作部あてにお送りください。送料は小社負担にてお取替えします。なお、この本の内容についてのお問い合わせは文庫出版部あてにお願いいたします。（庫）

ISBN4-06-273045-6

講談社文庫刊行の辞

二十一世紀の到来を目睫に望みながら、われわれはいま、人類史上かつて例を見ない巨大な転換期をむかえようとしている。

世界も、日本も、激動の予兆に対する期待とおののきを内に蔵して、未知の時代に歩み入ろうとしている。このときにあたり、創業の人野間清治の「ナショナル・エデュケイター」への志を現代に甦らせようと意図して、われわれはここに古今の文芸作品はいうまでもなく、ひろく人文・社会・自然の諸科学から東西の名著を網羅する、新しい綜合文庫の発刊を決意した。

激動の転換期はまた断絶の時代である。われわれは戦後二十五年間の出版文化のありかたへの深い反省をこめて、この断絶の時代にあえて人間的な持続を求めようとする。いたずらに浮薄な商業主義のあだ花を追い求めることなく、長期にわたって良書に生命をあたえようとつとめるところにしか、今後の出版文化の真の繁栄はあり得ないと信じるからである。

同時にわれわれはこの綜合文庫の刊行を通じて、人文・社会・自然の諸科学が、結局人間の学にほかならないことを立証しようと願っている。かつて知識とは、「汝自身を知る」ことにつきていた。現代社会の瑣末な情報の氾濫のなかから、力強い知識の源泉を掘り起し、技術文明のただなかに、生きた人間の姿を復活させること。それこそわれわれの切なる希求である。

われわれは権威に盲従せず、俗流に媚びることなく、渾然一体となって日本の「草の根」をかたちづくる若く新しい世代の人々に、心をこめてこの新しい綜合文庫をおくり届けたい。それは知識の泉であるとともに感受性のふるさとであり、もっとも有機的に組織され、社会に開かれた万人のための大学をめざしている。大方の支援と協力を衷心より切望してやまない。

一九七一年七月

野間省一